INTRODUÇÃO
SALEM NASSER

RELATÓRIO DA
CIA
A NOVA ERA

TRADUÇÃO E NOTAS ADICIONAIS
Cláudio Blanc

GERAÇÃO

Título original:
GLOBAL TRENDS 2035

Copyright © 2009 by Salem Nasser

1ª edição — Março de 2019

Grafia atualizada segundo o Acordo Ortográfico da Língua Portuguesa
de 1990, que entrou em vigor no Brasil em 2009.

Editor e Publisher
Luiz Fernando Emediato

Diretora Editorial
Fernanda Emediato

Projeto Gráfico
Edinei Gonçalves

Capa e Diagramação
Alan Maia

Revisão
Nanete Neves

**Dados Internacionais de Catalogação na Publicação (CIP)
de acordo com ISBD**

N267r   Nasser, Salem
Relatório da CIA: a nova era / Salem Nasser ;
traduzido por Claudio Blanc.
- São Paulo : Geração Editorial, 2019.
332 p. : il. ; 15,6cm x 23cm.

Tradução de: Global Trends 2035
ISBN: 978-85-8130-409-0

1. Relações internacionais. 2. CIA. 3. Direito internacional.
I. Blanc, Claudio. II. Título.

	CDD 327.11
2019-264	CDU 327

Elaborado por Vagner Rodolfo da Silva - CRB-8/9410

Índice para catálogo sistemático:
1. Relações internacionais 327.11
2. Relações internacionais 327

GERAÇÃO EDITORIAL

Rua João Pereira, 81 — Lapa
CEP: 05074-070 — São Paulo — SP
Telefone: +55 11 3256-4444
E-mail: geracaoeditorial@geracaoeditorial.com.br
www.geracaoeditorial.com.br

Impresso no Brasil
Printed in Brazil

Sumário

Introdução: Um mundo sempre mais complexo..11

Tendências globais 2035 23
    O paradoxo do progresso..23
    O que é o relatório Tendências Globais?..23
    O que é o Conselho Nacional de Inteligência?.....................................24
    Como produzimos o relatório Tendências Globais? 24

Carta do presidente do Conselho Nacional de Inteligência 25
O futuro em resumo 29
O mapa do futuro...35

Capítulo 1: As tendências que estão transformando a paisagem global.........37
    Tendências globais e principais implicações até 2035 37
    Conclusão 39

Capítulo 2: As tendências que estão transformando a paisagem global.........41
    Os ricos estão ficando mais velhos, os pobres não...............................42
    A economia global está mudando 48
    A tecnologia dificulta a perspectiva de longo prazo 52

A inovação tecnológica acelera o progresso,
mas provoca descontinuidades..53

Ideias e identidades serão fatores de exclusão 57

Está cada vez mais difícil governar 60

A natureza dos conflitos está se transformando.............................63

A mudança climática se intensifica ameaçadoramente...................67

Tendências convergentes transformarão o poder e a política.................75

Capítulo 3: O futuro próximo: as tensões estão aumentando.................81

A crescente ameaça do terrorismo 99

O futuro da ordem internacional na balança 103

Capítulo 4: Três cenários para o futuro distante: ilhas, órbitas, comunidades.....107

Metodologia de análise dos cenários 108

Ilhas 110

Órbitas..116

Comunicades...121

Capítulo 5: O que os cenários demonstram: criando oportunidades
através da resiliência 127

Observação metodológica 134

Glossário 137

Anexos: Os próximos cinco anos por região 141

Introdução 141

Leste e Sudeste da Ásia..143

Ásia do Sul 159

Oriente Médio e Norte da África..167

África Subsaariana 179

Rússia e Eurásia...191

Europa 199

O espaço 205
Anexo: As principais tendências globais 207
    Gente 208
    Áreas de preocupação 210

Como as pessoas vivem... 219
    Principais tendências 220
    Escolhas-chave 223

Como as pessoas criam e inovam... 228
    Principais tendências 229
    Escolhas-chave 240

Como as pessoas prosperam 242
    As economias do mundo sob pressão 242
    Principais tendências 243
    Escolhas-chave 253

Como as pessoas pensam 255
    Principais tendências 258
    Escolhas-chave 264

Como as pessoas governam... 275
    Principais tendências 277
    Escolhas-chave 285
    Instituições internacionais: principais tendências 287
    Problemas difíceis à frente 291
    Um mundo "à la carte" 295
    Escolhas-chave 300

Como as pessoas lutam 303

Principais tendências... 305

Escolhas-chave 312

Terrorismo 317

Agradecimentos.. 323

Boxes

População 2015-35, países selecionados 44

Choques financeiros e depressão econômica 52

O Espaço 66

O compartilhamento de água será mais contencioso 74

A transformação da natureza do poder 80

Visões concorrentes de instabilidade 91

As implicações das ilhas 115

As implicações das órbitas 120

As implicações das comunidades 125

Avaliando a resiliência do Estado 131

Pensando uma China reequilibrada 154

O crescente desequilíbrio entre os gêneros 218

O desafio da adaptação financeira 249

Impacto da tecnologia no nível de emprego: temor,
    apesar de uma história positiva 253

Sem alternativas ao multilateralismo 290

INTRODUÇÃO

UM MUNDO SEMPRE MAIS COMPLEXO

Salem Nasser

Diz o ditado árabe que o adivinho, mesmo quando acerta, mente. É a expressão da certeza de que não se pode conhecer o futuro; de que apenas a sorte, e nunca o saber, explicará o eventual palpite que eventualmente venha a se realizar. O futuro surpreenderá sempre. A eleição de um Trump deveria bastar como prova de que o inesperado, aquilo em que ninguém, ou quase ninguém, queria acreditar, acontece de fato; e como prova de que um homem improvável, dotado de traços de personalidade dignos de estudo, colocado no lugar errado e armado com poderes quase indizíveis, pode empurrar o mundo para lugares imprevistos e talvez bem mais perigosos. Porque, sobre isso, é certo que indivíduos, grandes ou pequenos, não mudam o mundo sozinhos — não há um projeto de arquitetura da vida que tenha resultado no que seus autores esperavam — mas eles podem desencadear sequências de eventos que se encarregarão de mudar as coisas radicalmente e criar o novo inesperado.

Tolstoi, em *Guerra e Paz*, após encerrar o épico que localiza exatamente em meio a eventos que transformaram a Europa e o mundo, desencadeados por outra figura excêntrica — sem pretender qualquer comparação para além desta,

---

Nota: Salem Nasser estudou Direito Internacional na Universidade de Paris II e obteve o doutorado na USP. É professor da Escola de Direito de São Paulo da Fundação Getúlio Vargas. Tem proferido palestras, ministrado cursos e escrito sobre Direito Global, Mundo Árabe, Islã, Direito Islâmico, Oriente Médio, Palestina.

genérica —, arrisca, em perto de cem páginas, uma teoria sobre a confecção da história pelo acumulado dos atos dos pequenos homens na corrente dos acontecimentos. E, justamente, a pergunta sobre como se faz a história é central para a melhor apreensão do material que se tem em mãos. Mais sobre isso adiante.

Trump bastaria, mas ele certamente não foi a única surpresa oferecida pelos últimos anos. O Brexit foi outra prova da ocorrência do improvável.[1] Entre nós, e mais recentemente, a eleição de Jair Bolsonaro à Presidência da República era até pouco tempo hipótese igualmente longínqua. E, mais do que apenas provar que a vida guarda surpresas, a decisão do Reino Unido de sair da União Europeia problematiza, assim como a eleição de Trump, e em menor medida a de Bolsonaro, os rumos que o mundo toma e as suas transformações: a reversão do processo de integração antes pensado como inexorável, o questionamento da globalização e da gradual abertura das sociedades umas às outras, o retorno do nacionalismo e das identidades exclusivas etc. Ideias similares pareciam ser avançadas por outros eventos recebidos com surpresa, como os referendos na Catalunha e na Escócia. Mais perto de nós, em registro um pouco diferente, também causou estranhamento aquilo que foi percebido como a recusa da paz no referendo colombiano.

Mas, de longe, os eventos que quase ninguém havia antecipado, ou ousado fazê-lo em voz alta, e que mais ocuparam as atenções nos últimos anos, foram aqueles das revoltas no mundo árabe. Diferentemente dos previamente citados, estes não foram acontecimentos pontuais localizados precisamente no tempo, mas sim processos duradouros em que inúmeros elementos interagiram, e ainda o fazem, de modo imensamente complexo. Aqui, o caráter surpreendente ou ao menos inesperado se mistura também ao mistério das razões que explicam os eventos históricos, mas aqui, com muito mais força, se ilustra o modo como os diversos atores, uma vez desencadeados os eventos, montam sobre eles e tentam dirigir-lhes o curso e determinar suas resultantes. Mais uma vez abre-se diante de nós a pergunta sobre como mesmo se trama o tecido da história.

---

1   H.L. Menken definia a fé como uma crença irracional na ocorrência do improvável. Não me refiro, certamente, a isso aqui, já que o Brexit não poderia servir para provar qualquer tese religiosa.

Nessa série de acontecimentos que pareciam revolucionar a vida numa das regiões mais sensíveis do mundo e mais relevantes na geopolítica global, e afetar profundamente os interesses de grandes e pequenas potências, qual teria sido o gatilho? A crise econômica, a falta de liberdades, o sentimento de humilhação? E quem teria disparado o gatilho? — os cidadãos fartos e cansados, formadores de opinião, potências estrangeiras? Que papel tiveram as redes sociais e os novos modos de circulação da informação? Como foi que alguns dos processos se transformaram rapidamente em guerras civis ou regionais? Como surgiram nesse contexto grupos como o Estado Islâmico e como progrediram?

O futuro, então, não se deixa prever. Talvez por isso o Relatório aqui apresentado se guarda de fazer esse exercício, ao menos em parte. Nos é dito, na verdade, que o futuro não é ali antecipado, mas sim imaginado, e que se trata assim muito mais de arte do que de ciência. O artista maior da palavra que era o Padre Antônio Vieira ensaiou em outros tempos também uma "História do Futuro", com o mesmo sucesso dos adivinhos, ainda que em nada isso diminuísse a sua arte.

Se não se trata de conhecer com certeza o que está por vir, de que se trata então? O relatório escolhe como *leitmotiv* o que chama de paradoxo do progresso: as mesmas forças, no centro das quais estão os avanços tecnológicos, que possibilitaram progressos da humanidade, dos Estados e dos indivíduos, ao longo das últimas décadas, poderão conduzir a cenários sombrios nos próximos anos, em que a exclusão poderá aumentar, em que a violência conhecerá novas expressões, em que os Estados poderão perder sua capacidade de governar e em que o poder mudará de lócus e será exercido de modo a aumentar a injustiça. O paradoxo em si é uma constante da história humana, mas ele conhece uma forma, uma manifestação específica, neste momento histórico particular. E o que é mais relevante, talvez a contradição, neste estágio da vida humana, se apresente de modo especialmente crítico, trazendo riscos nunca antes vividos e transformações muito mais profundas e vitais.

De que depende o modo como este paradoxo se realizará nos próximos cinco ou vinte anos? É-nos dito que tudo dependerá das escolhas que a humanidade fará, que é isto que determinará se da contradição resultará predominantemente luz ou sombra. Tampouco nisso há novidade. Resta inteira, no entanto, a questão de como a humanidade faz escolhas, ou seja, de como, à exclusão dos eventos naturais, se faz a história.

O mundo em que vivemos hoje, assim como as tendências que transformam a paisagem global, no linguajar do relatório, resulta das ideias, das decisões, das descobertas que ao longo do tempo tiveram, tomaram e fizeram os indivíduos, os governos, as empresas, os povos, todas combinadas entre si e todas combinadas com o funcionamento próprio da natureza. Não há controle central desse processo vivo de invenção e decisão e não há articulação intencional entre os componentes dessa humanidade, que vivem, decidem, fazem. Poucos de nós atores que constituímos o conjunto da humanidade pensamos e executamos nossas ações tendo em mente o futuro desse conjunto, sua sobrevivência, seu bem-estar. As razões para o nosso agir são muito mais variadas e complexas e não são passíveis de controle, senão muito parcialmente, marginalmente. Não se trata, portanto, tampouco de controlar ou mesmo orientar escolhas ou caminhos que não se pode determinar.

Não se pode prever o futuro e não se pode realizar um futuro previamente projetado, mas é preciso, é indispensável, pensar o futuro. Isto implica conhecer e problematizar algumas questões que inevitavelmente moldarão nossas vidas e nosso mundo nos anos vindouros. Pensar essas questões é, no fundo, refletir sobre o mundo em que se vive, sobre seus problemas e seus desafios. A tentativa de imaginar o mundo que resultará dessas tendências e de conceber os cenários possíveis do futuro se explica, no contexto de um Relatório como este, na medida em que, em parte, ele pretende informar os processos de tomada de decisão nos Estados Unidos, mais particularmente de seus órgãos governamentais. As projeções, especialmente as de curto prazo que têm maiores chances de acerto, servem assim a que não se planeje e não se atue no vazio, a que se tente identificar nesse futuro que se imagina provável, os próprios interesses e os meios mais aptos a protegê-los. Alguns de nós que não somos os Estados Unidos, e isso inclui muitos governos, empresas e outras organizações, podem fazer uso similar do relatório e de seu conteúdo. Muitos outros poderão abordar o material, no que diz respeito ao futuro, talvez com certa curiosidade sobre o que pode ser, talvez com certo susto pelos riscos que são reais, talvez com terror provocado por cenários que incluem grande sofrimento, grande exclusão e injustiça, e chegam mesmo a apontar, lá longe, mas ainda assim apontam, para a possibilidade de extinção da vida na Terra. De todo modo, estamos todos convidados a olhar, talvez pela primeira vez, para grandes questões que são a marca de nosso tempo, quando não são também marcas de toda a história humana.

Imbricado com todas as demais questões está o tema das transformações tecnológicas. Todos aprendemos desde a tenra infância que a evolução das técnicas, o domínio de novos materiais e de novas tecnologias foram responsáveis por profundas transformações na evolução da espécie, na transformação das sociedades humanas, na evolução das atividades econômicas, na sucessão das dinastias e na substituição de civilizações hegemônicas por outras. Talvez não houvesse, portanto, novidade aqui se não se combinassem hoje o ritmo frenético em que as tecnologias evoluem e o caráter profundamente desordenador das transformações para as quais elas parecem abrir as portas. A humanidade, na medida em que se pode falar da sua capacidade de exercer escolhas, nunca esteve diante de tantas possibilidades e de tantos caminhos. E o paradoxo, em seu limite, está em que essas escolhas tanto podem nos conduzir em direção a um mundo novo verdadeiramente admirável como podem nos aproximar de nosso desaparecimento como espécie.

A evolução tecnológica afeta, já não é de hoje, a natureza do trabalho humano — desnecessário dizer por que razão isto deveria nos preocupar a todos. Há no horizonte uma questão real, concreta, sobre o desaparecimento de profissões e sobre o crescimento do desemprego porque simplesmente a mão de obra humana se torna obsoleta em alguns contextos. Isso afetará a produtividade, é claro, e afetará a distribuição de riqueza, potencialmente multiplicando a pobreza e a exclusão. Em resumo, toda a economia está agora a caminho de se tornar algo muito diferente.

As novas tecnologias transformam também o modo como circulam a informação e os saberes. Paradoxalmente, a sofisticação crescente dos meios não parece tornar mais rica e variada a troca de informação e de visões de mundo, e não parece tornar mais confiável a informação, na medida em que o verdadeiro e o falso circulam com a mesma facilidade, e em que muitos estão dispostos a tomar uma coisa pela outra. Isso não afeta apenas a capacidade ou a possibilidade de conhecer a realidade dos fatos corriqueiros, mas compromete também nossa capacidade de compreensão do mundo, de imaginação e de reinvenção. Ao invés de desenvolvermos a sofisticação que seria necessária para responder à complexidade do mundo, nos tornamos cada vez mais parciais, sectários e unidimensionais em nosso pensar. E disso, mais uma vez, decorre a exclusão dos muitos e a concentração de poder nas mãos de quem tem acesso à melhor informação e está mais habilitado a processar e filtrar os seus fluxos.

E, justamente, a assimetria de informação e de conhecimento é um dos aspectos da disparidade de poder entre os diversos atores. É também um marcador da transformação da própria natureza do poder, que já não pode ser medido apenas tendo em conta critérios tradicionais tais como geografia, população, recursos naturais, riqueza e poder militar. A transformação do poder não pode ser compreendida, no entanto, se não se combinar com o que se poderia chamar de deslocamento e redistribuição do poder, dos Estados em direção a novos atores que com ele partilharão a cena, ou o tabuleiro de jogo.

Essa deslocalização do poder, por sua vez, é acompanhada pelo que é descrito como perda gradual, pelos Estados, da capacidade de governar a vida. Em parte, isso se deve à erosão das funções tradicionais por que passa a política e a uma verdadeira crise de representatividade dos sistemas políticos. Mas se deve também à transformação da própria dinâmica de governo das sociedades, uma transformação que muitas vezes se deixa anunciar por uma mudança de vocabulário, o termo governança sendo gradualmente preferido como mais apto a descrever a nova realidade. Essencialmente, governança expressa uma fuga do Estado, na medida em que abre espaço para que outros tantos atores participem da ordenação do mundo; e uma fuga do direito — que é normalmente elaborado pelo Estado, na medida em que concebe outros modos de regulação.

Em princípio, a governança — na medida em que combina a ação do Estado com a de outros atores e combina o direito com outros tipos de regulação — estaria mais apta a lidar com a crescente complexidade da vida por incorporar saberes específicos de que são dotados alguns atores não-estatais e por oferecer soluções, muitas vezes de aceitação voluntária, mais flexíveis e ágeis do que as normas estatais.

Apesar dessa evolução que combina as tendências de transformação do poder, de seu deslocamento, do Estado em direção a outros atores, de erosão da capacidade de governar, e da passagem para uma ideia mais fluida de governança, resta o fato de que da complexidade resulta uma permanente, e talvez crescente, defasagem da regulação em relação à realidade a ser regulada. E disto também resulta um desequilíbrio de poder na medida em que os mecanismos de controle que garantiriam a transparência, a tomada em conta dos interesses legítimos potencialmente atingidos, a responsabilização dos atores, faltam ou são criados por vias cujo caráter democrático não está necessariamente dado.

Heródoto Barbeiro decidiu apresentar o relatório que antecede este sob o título de "O fim da Hegemonia" — esse fim, diga-se de passagem, é admitido sem muitas reservas neste Relatório que agora abordamos. Aqui, à luz das tendências enfatizadas, talvez se pudesse sentir a tentação de falar no fim do Estado. Mas seria um engano, ao menos parcial. O Estado vem morrendo há anos, mas ainda tem um caminho pela frente. Entender em que medida o funcionamento do mundo e da política foi revolucionado, e em que medida o jogo continua a ser o mesmo, é uma parte importante do desafio.

O deslocamento do poder, a sua transformação, o enfraquecimento do Estado e a ascensão de novos atores e de novos modos de governança devem, naturalmente, se traduzir em novas chaves de compreensão do que seriam as relações internacionais, cujo próprio nome já anunciava a centralidade das interações entre as nações, entre os Estados. Aqui também pode ser precipitado o anúncio da morte do mundo como o conhecemos. Os Estados, as organizações por eles concebidas e as normas por eles criadas ainda são centrais no exercício da função de ordenamento das relações que atravessam as fronteiras ou que cobrem o globo. A tendência que nos é anunciada é a de que a capacidade de gerenciamento que têm esses atores e essas normas ficará diminuída, que mais coisas escaparão ao seu controle, que mais impasses travarão o seu funcionamento, e que a competição de outros atores e mecanismos será maior.

Houve um tempo também em que as relações internacionais eram dominadas pela discussão sobre as dinâmicas que dominavam as relações entre os Estados, o pêndulo variando entre a posição extrema segundo a qual os países vivem em permanente competição e conflito, atual ou potencial, e a posição diametralmente oposta, em que a cooperação constituía o modo de funcionamento do mundo. Essa discussão, e aquela que tenta verificar o *quantum* de poder relativo dos Estados e combinar isso com os seus interesses, as suas visões de mundo e a sua disposição para o enfrentamento, podem já não bastar para a compreensão do todo, ou podem já não constituir sozinhas o todo a compreender, mas ainda não estão perto de serem dispensáveis. O Relatório, ainda que insista na discussão das tendências de natureza desordenadora, não se esquece disso. Basta ler a páginas dedicadas à China, à Rússia e, o que é especialmente interessante, as repetidas menções ao Irã. Em nenhum momento o Relatório se esquece de que está voltado à identificação e proteção dos interesses dos Estados Unidos como Estado.

Quando pensamos a crise do Estado, a sua perda de prerrogativas e as ameaças à sua centralidade, tendemos, normalmente, a incorrer num equívoco. Fomos iniciados no estudo do surgimento e desenvolvimento do Estado com uma história belamente linear que contava essencialmente a história da Europa ocidental nos séculos que antecederam a sua dominação do mundo — e, por conseguinte, a história que a partir daí se tornou a história universal. Esquecemos que na Ásia e na África, por exemplo, o Estado não conheceu a mesma história, e que em muitos lugares o Estado nunca foi aquilo que imaginamos que hoje esteja entrando em crise. Ou seja, em muitos lugares o Estado nunca foi tudo isso. Isso obviamente tem implicações muito importantes para o que se discutia em relação à perda de capacidade de governar, em relação à crise da representação política, em relação às mudanças de *loci* de poder. Em grande medida, a crise do Estado ou, se quisermos, o problema do Estado, está no déficit originário ou no declínio da lealdade dos seus habitantes.

Especialmente relevantes, nesse contexto, são as tendências que o Relatório aponta relativas ao reforço das identidades exclusivistas, sectárias, quer religiosas, quer étnicas. Diante das incertezas e dos medos que o novo mundo inspira, há um retorno em direção de si mesmo e daqueles que se parecem conosco e pensam como nós. Paradoxalmente, o ressurgir dos nacionalismos ensimesmados ou exclusivos faz parte do mesmo movimento, não como expressão de fortalecimento do Estado, mas tendo o Estado como meio de insulamento do "nós" em relação ao outro.

Um sentimento difuso de medo e a desconfiança do outro fazem uma combinação perigosa e são um convite à violência e ao conflito. Violência e conflitos transformados. Em parte, a novidade vem e continuará a vir das transformações tecnológicas, uma expressão sombria dos avanços técnicos, do processo de modernização. Em parte, elas decorrerão do retorno em força de pulsões primitivas.

Todas essas tendências, o paradoxo tecnológico, a transformação do trabalho e da economia, as mudanças nos modos de circulação da informação e dos saberes, a deslocalização do poder e a transformação de sua natureza, a crise da representação política, o enfraquecimento do Estado e a evolução do significado de governar, a emergência ou o ressurgimento das identidades e dos nacionalismos, a transformação da natureza dos conflitos e da violência, devem, a meu ver, ser pensados contra o pano de fundo de duas tendências que percebo como mais compreensivas, mais amplas e com um potencial de transformação do mundo muito mais radical. O primeiro deles é a demografia, e o segundo, é a alteração do equilíbrio ecológico, especialmente por conta das mudanças climáticas.

A evolução demográfica do mundo, das suas várias regiões, dos países individuais é um fator que pode ser combinado com outras tendências que o Relatório aponta, especialmente aquelas relacionadas aos fluxos migratórios, ao trabalho, à exclusão e ao potencial de violência. Uma discussão que merece destaque especial e que também está intimamente conectada à demografia é referente ao do equilíbrio entre homens e mulheres, quantitativamente inclusive, mas também no que se refere ao acesso à saúde, à educação, ao mercado de trabalho. Tudo isso não apenas no contexto do exercício de direitos fundamentais, mas sobretudo como a expressão de uma fenomenal força transformadora do mundo e de seu funcionamento. Mas, para além destas interações entre tendências, a demografia sempre foi um fator, talvez determinante entre todos, de transformação do mundo, e é possível que o seja ainda mais agora, quando pode implicar ameaças à continuidade da vida e ao equilíbrio da Terra.

E justamente, nunca antes na história a ação humana se combinou com o funcionamento próprio da natureza de modo a ameaçar tão gravemente a continuidade da vida humana — porque, sejamos francos, depois de nós, a Terra continuaria a ser e a natureza encontraria um novo equilíbrio.

O potencial desordenador dessas duas tendências é tal que todas as demais podem vir a ser por elas dominadas ou revertidas. Não há exagero em dizer que os riscos são hoje maiores do que em qualquer outro momento histórico. Mas, também, talvez se possa dizer que é da natureza das coisas que caminhemos sempre em direção a tempos mais perigosos.

Uma das razões para isso é a crescente complexidade da vida. Todas as tendências apontadas pelo Relatório estão penetradas pela ideia de complexidade. E todas elas embutem o risco de exclusão e de injustiças. Uma e outra coisa andam juntas: sempre, quem tiver os meios de processar e entender a complexidade exercerá poder sobre os menos capacitados para essa compreensão. Quanto maior a complexidade, maior será a diferença de poder. Do ponto de vista dos homens e mulheres e dos povos que se preparam para enfrentar os próximos anos talvez a pergunta fundamental seja: quem terá em mãos tanto poder e como o exercerá?

Uma palavra sobre o Brasil, inclusive porque o relatório não usa muitas para se referir a nós. A primeira referência vem no contexto da discussão sobre a crise de representação política; ao lado da crise financeira de 2008, o caso da corrupção na Petrobrás é o único outro exemplo do que se chamou ali de erros grosseiros cometidos pelas elites, e que abalaram a confiança do público. Em seguida, ilustramos, junto com alguns vizinhos, as tendências desenhadas para a América do Sul e concebidas para os próximos cinco anos: mudanças mais frequentes de governo por conta da insatisfação com a economia e com a corrupção, reversão do que se quis chamar de tendência esquerdista, apelo das ideias favoráveis ao mercado, avanço evangélico na política, criminalidade, ausência de reformas estruturais. É-nos dito que a relevância geopolítica da região continuará limitada nos próximos anos. Não há surpresa nisso. Há alguns anos, parecíamos ter feito a opção de ocupar um lugar mais central à mesa, mas falhamos em desenvolver de modo sustentável as condições que nos permitiriam conquistar e manter a posição. Hoje parecemos ter abandonado até mesmo a intenção. Escolhemos ter e exercer menos poder.

Hoje, enquanto este texto é preparado, o Brasil oferece uma ilustração de sua opção por menor protagonismo e independência ao servir de escudeiro para os Estados Unidos no que respeita ao tema mais potencialmente explosivo da nossa região. Em relação à Venezuela trabalhamos para realizar a profecia contida no relatório que prevê a reversão dos caminhos da esquerda.

Os problemas da região que o relatório contemplava estão todos presentes em maior ou menor medida na Venezuela, crise econômica, criminalidade, corrupção, déficit de governabilidade e, possivelmente a mudança mais rápida de governos venha também a se concretizar.

Paradoxalmente, esse futuro possível contemplado pelo relatório poderá ser fundamentalmente uma repetição do passado mais banal, um passado recente em que nada de novo há sob o sol, em que o poder imperial decide quando chegou o tempo para a mudança de regime.

Está aí talvez algo que se pode adivinhar com certeza sobre o futuro: ele sempre trará instâncias de repetição do velho.

Tendências Globais 2035

O paradoxo do progresso

As conquistas realizadas nas idades industrial e da informação estão moldando um mundo futuro mais inseguro, porém, mais cheio de oportunidades do que nunca. Contudo, são as escolhas da humanidade que produzirão um futuro mais incerto ou mais promissor.

O que é o relatório *Tendências Globais*?

Com o objetivo de auxiliar os principais líderes dos EUA a entender o futuro e a efetuar o planejamento de longo prazo, desde 1997, a cada quatro anos, o Conselho Nacional de Inteligência publica uma avaliação estratégica não confidencial sobre o modo como o impacto das principais tendências e incertezas pode caracterizar o mundo ao longo dos próximos vinte anos. O relatório é lançado na inauguração da administração do presidente recém-eleito dos EUA, de modo a ser especialmente relevante para suas tomadas de decisão. Contudo, em todo o mundo, o relatório *Tendências Globais* tem sido cada vez mais usado para promover discussões sobre o porvir. Acreditamos que tais consultas globais, tanto na preparação do trabalho como na partilha dos resultados, tem contribuído para que o Conselho Nacional de Inteligência e o governo norte-americano conheçam e levem em consideração essas perspectivas provenientes do estrangeiro e que são, também, úteis para definir e provocar debates sobre as principais premissas, prioridades e escolhas a serem feitas nas próximos duas décadas.

O que é o Conselho Nacional de Inteligência?

O Conselho Nacional de Inteligência (NIC, conforme sigla em inglês) é o centro da Comunidade de Inteligência dos EUA encarregado da análise estratégica de longo prazo. Desde 1979, o NIC serve de ponte entre as comunidades de inteligência e o corpo político, facilitando, também, o contato com especialistas do mundo todo.

Os Agentes Nacionais de Inteligência do NIC, recrutados do governo, do meio acadêmico e do setor privado, são os principais especialistas da Comunidade de Inteligência em uma série de áreas e trabalham sob os auspícios do Escritório do Diretor de Inteligência Nacional (ODNI, de acordo com a sigla inglesa).

O Conselho Nacional de Inteligência cobre todas as regiões do mundo e investiga áreas nevrálgicas, como economia, segurança, tecnologia, realidade virtual, terrorismo e meio ambiente. A NIC coordena o apoio da Comunidade de Inteligência às deliberações sobre as políticas dos Estados Unidos, produzindo documentos e Avaliações Nacionais de Inteligência oficiais (NIEs, conforme sigla em inglês) sobre questões críticas de segurança nacional.

Como produzimos o relatório *Tendências Globais*?

O projeto *Tendências Globais* do Conselho Nacional de Inteligência envolve extensa pesquisa e consultas com membros do governo dos EUA e especialistas do mundo todo. Revisamos as principais premissas e tendências, começando pelo exame das regiões do globo a fim de identificar a dinâmica global mais provável.

Exploramos as implicações de várias tendências no curto prazo (cinco anos) e no longo prazo (vinte anos). Para descrever o modo como as principais incertezas e as tendências emergentes podem se combinar para produzir futuros alternativos, baseamo-nos em simulações analíticas, de modo a poder explorar possibilidades futuras, e desenvolvemos diferentes cenários.

CARTA DO PRESIDENTE DO
CONSELHO NACIONAL DE INTELIGÊNCIA

Pensar no futuro é vital, mas difícil. As crises continuam a surgir, tornando impossível ver além das manchetes diárias e enxergar o horizonte futuro. Nessas circunstâncias, pensando "fora da caixa", para usar o clichê, muitas vezes não conseguimos acompanhar a enxurrada de informações que recebemos em nossa caixa de entrada. É por isso que, a cada quatro anos, o Conselho Nacional de Inteligência (NIC) realiza uma grande avaliação das forças e escolhas que moldarão o mundo nas próximas duas décadas.

Esta versão, a sexta da série, é intitulada de *Tendências Globais: o Paradoxo do Progresso*, e estamos orgulhosos do resultado. Pode parecer um relatório, mas é, de fato, um convite — um convite para discutir, debater e investigar como o futuro pode vir a se desdobrar. Certamente, não pretendemos ter a "resposta" definitiva.

O pensamento a longo prazo é fundamental para estruturar estratégias. A série *Tendências Globais* nos leva a reexaminar pressupostos, expectativas e incertezas sobre o futuro. Em um mundo deveras desordenado e interligado, uma perspectiva de longo prazo exige que façamos perguntas difíceis de responder sobre quais serão as questões e escolhas que terão maior impacto nas décadas futuras — mesmo que não estejam necessariamente entre os principais destaques da imprensa. Uma visão de longo prazo também é essencial porque questões como terrorismo, ataques cibernéticos, biotecnologia e mudanças climáticas encerram altos riscos e exigem em sua abordagem uma colaboração sustentada.

Examinar o futuro pode ser assustador e é, com certeza, vexatório. Os eventos se desenvolvem de maneiras complexas para as quais o funcionamento de nossos cérebros não está naturalmente programado. As forças econômicas, políticas, sociais, tecnológicas e culturais colidem de modo vertiginosos, por isso podemos ser levados a confundir eventos recentes e dramáticos com os que são, de fato, mais importantes. É tentador, e geralmente razoável, assumir que as pessoas agem "racionalmente", mas líderes, grupos, multidões e massas podem se comportar de forma muito diferente — e de maneira inesperada — em circunstâncias semelhantes. Por exemplo, sabíamos por décadas que a maioria dos regimes no Oriente Médio era frágil, contudo alguns entraram em erupção na Primavera Árabe em 2011 e outros não. A experiência nos ensina o quanto a história se desenrola através de ciclos e mudanças — e mesmo assim a natureza humana em geral espera que o amanhã seja muito parecido com o hoje , o que geralmente é a aposta mais segura no futuro, até o momento em que deixa de ser. Eu sempre me lembro que entre o discurso do "Império do mal" do Sr. Reagan e a extinção desse Império, a União Soviética continuou a existir por apenas mais uma década, tempo relativamente curto até mesmo para uma vida humana.

Apreender o futuro também é complicado devido aos pressupostos que trazemos em nós, muitas vezes sem sabermos que o fazemos. Fui afetado recentemente pelo "pressuposto da prosperidade" que é perspectiva comum à maioria dos norte-americanos, mas que muitas vezes não é reconhecida. Assumimos que com a prosperidade vêm todas as coisas boas — os povos são mais felizes, mais democráticos e menos propensos a entrar em guerra uns com os outros. No entanto, de repente passamos a enfrentar um grupo como o EIIL[2], que não compartilha nenhuma dessas pressuposições.

Diante desses desafios com relação a pensar sobre o futuro, assumimos uma abordagem ampla e procuramos analisar o básico, em vez de adotar uma visão

---

2   O Estado Islâmico do Iraque e do Levante (EIIL), ou Estado Islâmico do Iraque e da Síria (EIIS), é uma organização jihadista islâmica de orientação salafita e wahhabita que opera majoritariamente no Oriente Médio. A organização também é conhecida pelos acrônimos na língua inglesa ISIS ou ISIL

de mundo particular. Há dois anos, começamos com exercícios que identificavam os principais pressupostos e incertezas — a lista de premissas subjacentes à política externa estadunidense era incrivelmente longa, muitas delas quase esquecidas. Realizamos pesquisas e consultamos numerosos especialistas do governo dos EUA e de outras instituições para identificar e testar tendências. Testamos os temas e argumentos iniciais em um blog. Visitamos mais de trinta e cinco países e um território, solicitando apoio e comentários a mais de 2,5 mil pessoas especializadas em todos os setores da vida humana. Desenvolvemos vários cenários para imaginar como as principais incertezas poderão resultar em futuros alternativos. Então, o Conselho Nacional de Inteligência compilou e refinou as várias correntes, produzindo o trabalho que você vê aqui.

Esta edição do relatório *Tendências Globais* gira em torno do argumento central sobre como a alteração da natureza do poder está aumentando a tensão, tanto internamente quanto entre países, e influenciando questões transnacionais críticas. A seção principal do relatório apresenta as principais tendências, explora suas implicações e oferece três cenários para ajudar os leitores a imaginar como diferentes escolhas e desenvolvimentos podem se desenrolar de modos muito diversos ao longo das próximas décadas. Os dois anexos que compõem o relatório apresentam mais detalhes. O primeiro estabelece previsões quinquenais para cada região do mundo. O segundo contextualiza as principais tendências globais.

O fato de o Conselho Nacional de Inteligência publicar regularmente uma avaliação não confidencial do mundo surpreende algumas pessoas, mas nossa intenção é estimular debates sobre os riscos e as oportunidades futuras. Além disso, o relatório *Tendências Globais* não é confidencial porque a confidencialidade que domina nosso trabalho diário não é de grande valia para projetarmos os fatos um ou dois anos à frente. O que ajuda de fato é a informação atingir não apenas especialistas e funcionários governamentais, mas também estudantes, grupos femininos, empresários, defensores da transparência e outros.

Muitas mentes e mãos fizeram esse projeto acontecer. O trabalho pesado foi feito pelo Grupo de Futuros Estratégicos do Conselho Nacional de Inteligência, dirigido pela Dra. Suzanne Fry, com sua talentosa equipe: Rich Engel, Phyllis Berry, Heather Brown, Kenneth Dyer, Daniel Flynn, Geanetta Ford, Steven Grube, Terrence Markin, Nicholas Muto, Robert Odell, Rod Schoonover, Thomas Stork, E dezenas de agentes de inteligência nacional. Reconhecemos também a revisão séria e cuidadosa dos editores da NIC, bem como a equipe extremamente talentosa de *designers* gráficos e de produção da CIA.

O relatório *Tendências Globais* representa a forma como o Conselho Nacional de Segurança pensa o futuro. Não a visão oficial, coordenada da Comunidade de Inteligência dos EUA, nem a política dos Estados Unidos. Os leitores de longa data notarão que esta edição não faz referência a um ano em seu título (a edição anterior foi a *Tendências Globais 2030*) porque acreditamos que isso transmite uma falsa precisão. Para nós, olhar através do "longo prazo" significa abranger as próximas décadas, mas também abrimos espaço nesta edição para explorar os próximos cinco anos, por serem mais relevantes no cronograma da nova administração dos EUA.

Esperamos que esta edição do relatório *Tendências Globais* expanda seu modo de pensar. Por mais pessimista ou otimista que você possa ser sobre os próximos anos, acreditamos que explorar os principais problemas e escolhas que desafiam o mundo é um esforço digno.

Atenciosamente,

Gregory Treverton,
Presidente do Conselho Nacional de Inteligência

O FUTURO EM RESUMO

Estamos vivendo um paradoxo: As conquistas das idades industriais e da informação estão moldando um mundo futuro que será tanto mais incerto quanto mais rico em oportunidades do que nunca. Contudo, são as escolhas da humanidade que farão prevalecer um futuro mais instável ou mais promissor. O progresso das últimas décadas é histórico — conectando pessoas, capacitando indivíduos, grupos e Estados. Nesse processo, um bilhão de pessoas saíram da pobreza. Mas esse mesmo progresso também trouxe choques como a Primavera Árabe, a crise financeira global de 2008 e o aumento no mundo todo de políticas populistas, contrárias à ordem estabelecida. Esses choques revelam o quão frágil foram essas conquistas, ressaltando mudanças profundas na paisagem global que apontam para um futuro próximo difícil e sombrio.

Nos próximos cinco anos, veremos tensões crescentes tanto internas como externas. O crescimento global vai diminuir, e surgirão desafios globais cada vez mais complexos. Uma gama cada vez maior de Estados, organizações e indivíduos capacitados moldará a geopolítica. Para o melhor ou o pior, a paisagem global emergente está trazendo o fim da era de domínio norte-americano após a Guerra Fria. Então, talvez venha a surgir uma ordem internacional baseada em regra semelhante à que surgiu após a 2ª Guerra Mundial. Será muito mais difícil cooperar internacionalmente e governar da forma que o público espera. Os jogadores com poder de veto ameaçarão boicotar a colaboração a cada novo desenvolvimento, enquanto as "câmaras de eco" da informação reforçarão inúmeras realidades concorrentes, prejudicando o entendimento dos eventos mundiais. Subjacente a esta crise de cooperação estarão diferenças locais, nacionais e internacionais sobre o papel adequado do governo em diversas questões que vão da economia ao meio ambiente, religião, segurança e direitos individuais. Debates sobre fronteiras morais — a quem se deve o que — se tornarão mais pronunciados, enquanto a divergência sobre valores e interesses entre os Estados ameaçará a segurança internacional.

Será tentador intervir de modo a procurar impor ordem sobre esse caos aparente, mas isso, em última análise, seria muito caro a curto prazo e não traria resultados no longo prazo. Atores dominantes e capacitados que se proliferam em múltiplos domínios exigiriam recursos inaceitáveis em uma era de crescimento lento, limites fiscais e encargos financeiros. No âmbito doméstico, isso seria o fim da democracia, resultando em autoritarismo ou instabilidade ou em ambos. Embora a força material permaneça essencial para garantir o poder geopolítico e estatal, os atores mais poderosos do futuro se basearão em redes, relacionamentos e informações para competir e cooperar. Esta é a lição das grandes políticas de poder dos anos 1900, mesmo se esses poderes tiverem de aprender e reaprender tais políticas.

As guerras por procuração norte-americanas e soviéticas, especialmente no Vietnã e no Afeganistão, foram um presságio dos conflitos pós-Guerra Fria e das atuais lutas no Oriente Médio, África e Ásia do Sul, em que adversários menos poderosos buscam a vitória por meio de estratégias assimétricas, ideologia e tensões sociais. A ameaça do terrorismo irá aumentar nas próximas décadas, uma vez que a crescente proeminência de pequenos grupos e indivíduos será garantida pelo uso vantajoso de novas tecnologias, ideias e relacionamentos.

Entrementes, os Estados permanecem altamente relevantes. A China e a Rússia terão mais influência, enquanto os agressores regionais e os atores não estatais perceberão aberturas para avançar seus interesses. A incerteza sobre os Estados Unidos, um Ocidente ensimesmado e o desgaste das normas para a prevenção de conflitos e para garantir os direitos humanos encorajarão a China e a Rússia a colocar em cheque a influência dos EUA. Ao fazê-lo, a agressão de "zona cinzenta"[3] e as diversas formas de intervenção adotadas permanecerão abaixo do limite de uma guerra propriamente dita, mas trarão riscos profundos de erro de cálculo. O excesso de confiança de que a força material pode impedir a escalada dos conflitos aumentará os riscos de confronto entre Estados em um grau não visto desde a Guerra Fria. Mesmo que a guerra seja evitada, o padrão atual de "cooperação internacional" onde podemos obter resultados — como no caso da mudança climática — mascara diferenças significativas em termos de valores e interesses entre os Estados e pouco contribui para conter as reivindicações de influência em suas regiões. Essas tendências levam a um mundo baseado em esferas de influência.

Tampouco, em muitos países, a imagem é melhor em casa. Embora as décadas de integração global e a disseminação de tecnologia avançada tenham enriquecido os mais ricos e tirado um bilhão de pessoas da pobreza, principalmente na Ásia, também afetaram negativamente as classes médias ocidentais, provocando uma resposta contrária à globalização. Os fluxos migratórios são maiores hoje do que nos últimos setenta anos, aumentando os gastos com recursos de bem-estar social, ampliando a competição por empregos e reforçando os impulsos nativistas e contrários à elite. Nos próximos anos, o crescimento lento e a queda no nível de empregos induzidas pela tecnologia nos mercados de trabalho ameaçam os progressos na redução da pobreza e elevam as pressões internas em diversos países, alimentando o nacionalismo que, por sua vez, contribui para exacerbar as tensões internacionais.

No entanto, esse futuro funesto pode não se concretizar. As perspectivas de os próximos cinco ou vinte anos serem promissores ou sombrios irá depender de três escolhas: como os indivíduos, grupos e governos irão renegociar suas expectativas uns com os outros para estabelecer ordem política em uma era de pessoas empoderadas e economias em rápida transformação? Em que medida os principais poderes do Estado, bem como indivíduos e grupos, criarão novos padrões ou arquiteturas de cooperação e competição internacional?

---

3 Aquela cujo inimigo, origem etc. não é clara.

Em que medida os governos, grupos e indivíduos estão se preparando neste momento para responder às questões globais multifacetadas, como mudanças climáticas e tecnologias transformadoras?

Três histórias ou cenários — "Ilhas", "Órbitas" e "Comunidades" — explicam como as tendências e escolhas significativas podem se combinar para criar diferentes realidades futuras. Tais cenários enfatizam respostas alternativas à volatilidade a curto prazo — nos níveis nacional (Ilhas), regionais (órbitas), subestatais e transnacionais (Comunidades).

- *Ilhas:* investiga um cenário de reestruturação da economia global que leva a longos períodos de crescimento lento ou de não crescimento, desafiando os modelos tradicionais de prosperidade econômica e o pressuposto de que a globalização continuará a se expandir. Este cenário enfatiza os desafios que os governos terão para atender às demandas das sociedades relativas à segurança econômica e física, na medida em que a impopularidade da globalização aumenta, as tecnologias emergentes transformam o trabalho e o comércio e a instabilidade política se expande. O cenário Ilhas ressalta as escolhas que os governos farão e que podem levar algumas nações a se ensimesmarem, reduzindo o apoio à cooperação multilateral e adotando políticas protecionistas, enquanto outros governos buscarão maneiras de alavancar novas fontes de crescimento econômico e de produtividade.

- *Órbitas:* explora um futuro de tensões criadas pelas grandes potências concorrentes em busca de afirmar suas esferas de influência, ao mesmo tempo em que tentam manter a estabilidade doméstica. Este cenário examina como as tendências do crescente nacionalismo, a mudança nos padrões dos conflitos, as novas tecnologias ofensivas e a redução da cooperação global podem se combinar para aumentar o risco de hostilidade entre Estados. O cenário enfatiza as futuras escolhas políticas que os governos terão de fazer, as quais irão reforçar a estabilidade e a paz ou agravar ainda mais as tensões. Órbitas traz, hipoteticamente, uma arma nuclear usada de maneira fanática, o que acaba por voltar as ações dos decisores globais a um esforço no sentido de evitar que isso volte a acontecer.

- *Comunidades:* mostra como as expectativas crescentes do público e a diminuição da capacidade dos governos nacionais abrem espaços para governos municipais, estaduais e atores individuais, desafiando os pressupostos tradicionais sobre o significado de governar. A tecnologia de informação continua a ser o elemento chave a conduzir o avanço, e as empresas, os grupos de defesa, os fundos de assistência e os governos locais[4] serão mais proeminentes do que os governos nacionais na prestação de serviços para angariar apoio da população para suas agendas. A maioria dos governos nacionais resistirá, mas outros cederão parte de seu poder às redes emergentes. Em todo lugar, do Oriente Médio à Rússia, o controle ficará mais difícil.

Conforme o paradoxo do progresso implica, as mesmas tendências que geram riscos no curto prazo também podem criar oportunidades para melhores resultados no longo prazo. Se o mundo tiver a sorte de poder aproveitar essas oportunidades, o futuro será melhor do que os nossos três cenários sugerem. Na paisagem global emergente, repleta de surpresas e rupturas, os Estados e organizações mais capazes de explorar as oportunidades serão aqueles que resistirão às adversidades, sendo capazes de **adaptar-se** às mudanças, perseverando diante de adversidades inesperadas e tomando ações para a rápida recuperação. Tais atores investirão em infraestrutura, conhecimento e relacionamentos que lhes permitirão gerenciar o choque, seja econômico, ambiental, social ou cibernético.

---

4 Refere-se ao governo municipal, estadual ou outro que não seja o nacional.

Da mesma forma, as sociedades mais resilientes provavelmente serão aquelas que promoverão e apoiarão o potencial total de todos os indivíduos, sejam mulheres e minorias, ou aqueles afetados pelas tendências econômicas e tecnológicas. Eles acompanharão as correntes históricas, em vez de ir contra elas, fazendo uso da especialização crescente da habilidade humana para moldar o futuro. Em todas as sociedades, mesmo nas circunstâncias mais sombrias, haverá aqueles que optarão por melhorar o bem-estar, a felicidade e a segurança de outros — empregando tecnologias transformadoras para realizar esse processo em larga escala. Embora o contrário também possa vir a ocorrer — forças destrutivas amealharão poder como nunca antes —, o problema central que desafiará os governos e as sociedades é como combinar os talentos individuais, coletivos e nacionais de forma a produzir segurança, prosperidade e esperança sustentáveis.

O MAPA DO FUTURO

Nossa história sobre o futuro começa e termina com um paradoxo: as mesmas tendências globais que sugerem um futuro próximo sombrio e difícil, apesar do progresso das últimas décadas, também oferecem oportunidades para se fazer escolhas que podem produzir futuros mais repletos de esperança e de segurança. Nas páginas a seguir, usamos horizontes de múltiplos períodos para ajudar a explorar o futuro a partir de diferentes perspectivas, para ilustrar os riscos de descontinuidades repentinas às mudanças profundas e de lentidão e para enfatizar os pontos de decisão.

Começamos explorando as "Tendências-chave" que estão mudando a paisagem global e explicamos o paradoxo atual. Discutimos também como essas tendências estão "Mudando a Natureza do Poder, Governança e Cooperação", como forma de diagnosticar como e porque a dinâmica global tornou-se mais desafiadora nos últimos anos.

A partir de escolhas pessoais, políticas e empresariais muito diferentes, a trajetória atual das tendências e das dinâmicas de poder terá relevância em um "Futuro Próximo com Aumento de Tensões".

Mudando as perspectivas, exploramos trajetórias sobre como as tendências podem se desenrolar ao longo de um horizonte de vinte anos através de "Três Cenários para o Futuro Distante: Ilhas, Órbitas e Comunidades". Cada cenário identifica pontos de decisão que podem levar a futuros melhores ou mais sombrios e desenvolve implicações a serem consideradas no planejamento da política externa.

Finalmente, discutimos as lições que esses cenários oferecem com relação às oportunidades e compromissos potenciais na criação do futuro, em vez de apenas reagir a ele.

Ao longo de todo o documento, colocamos futuras manchetes imaginárias para destacar os tipos de descontinuidades que poderiam surgir a partir da convergência das principais tendências.

CAPÍTULO 1

AS TENDÊNCIAS QUE ESTÃO TRANSFORMANDO A PAISAGEM GLOBAL

TENDÊNCIAS GLOBAIS E PRINCIPAIS IMPLICAÇÕES ATÉ 2035

Os ricos estão envelhecendo, os pobres não. As populações economicamente ativas estão diminuindo nos países ricos, na China e na Rússia, mas crescem nos países em desenvolvimento, mais pobres, particularmente na África e no sul da Ásia, aumentando as pressões econômicas, empregatícias, de urbanização e de bem-estar, ao mesmo tempo em que estimulam a migração. A instrução e a educação continuada serão cruciais tanto para os países desenvolvidos como para os em desenvolvimento.

A economia global está mudando. O baixo crescimento econômico persistirá no curto prazo. As principais economias irão se confrontar com o encolhimento da força de trabalho e a diminuição dos ganhos de produtividade, saindo da crise financeira de 2008-09 com dívida elevada, baixa demanda e dúvidas sobre a globalização. A China tentará adotar uma economia impulsionada pelo consumidor, mudando seu foco há muito centrado na exportação e no investimento. O baixo crescimento ameaçará a redução da pobreza nos países em desenvolvimento.

A tecnologia está acelerando o progresso, mas causa rupturas. Os rápidos avanços tecnológicos aumentarão o ritmo das mudanças e criarão novas oportunidades, mas agravarão as divisões entre vencedores e perdedores. A automação e a inteligência artificial ameaçam transformar as indústrias mais rapidamente do que as economias podem se adaptar, com potencial de tornar trabalhadores redundantes e limitar o caminho usual de desenvolvimento dos países pobres. As biotecnologias, como a edição do genoma, revolucionarão a medicina e outros campos, ao mesmo tempo em que levantarão questões morais.

Ideias e Identidades estão gerando uma onda de exclusão. A crescente conectividade global, em meio ao baixo crescimento, aumentará as tensões internas das sociedades e também entre as nações. O populismo aumentará à direita e à esquerda, ameaçando o liberalismo. Alguns líderes usarão o nacionalismo para reforçar o controle. A influência religiosa será cada vez mais significativa e autoritária do que muitos governos. Quase todos os países verão as forças econômicas impulsionarem o *status* das mulheres e seu papel de liderança, mas também ocorrerá uma grande reação contrária a isto.

Será cada vez mais difícil governar. Os diferentes públicos exigirão que os governos ofereçam segurança e prosperidade, mas as baixas receitas, a falta de confiança generalizada, a polarização e uma crescente lista de questões emergentes prejudicarão o desempenho do governo. A tecnologia expandirá a gama de agentes que poderão bloquear ou contornar a ação política. Gerenciar questões globais se tornará mais difícil à medida que os atores se multiplicam — como ONGs, corporações e indivíduos empoderados — resultando em esforços perpetrados para legitimar uma teoria e com menor abrangência.

A natureza do conflito está se transformando. O risco de conflito aumentará devido a interesses divergentes entre as principais potências, ameaça terrorista em expansão, instabilidade contínua em Estados fracos e a disseminação de tecnologias letais e disruptivas[5]. As sociedades em perigo serão mais comuns, com sistemas de armas de precisão, ciberataques e robótica de longo

---

5. O termo tecnologia ou inovação disruptiva descreve uma inovação tecnológica, produto ou serviço, que utiliza uma estratégia "disruptiva", em vez de evolutiva, para superar uma tecnologia existente dominante no mercado.

alcance capazes de atingir remotamente infraestruturas, além de tecnologias mais acessíveis para criar armas de destruição em massa.

A mudança climática, o meio ambiente e as questões de saúde exigirão atenção. Uma série de riscos globais trazem ameaças iminentes no longo prazo que exigirão ações coletivas — mesmo apesar de a cooperação se tornar mais difícil. O clima mais extremo, a exaustão da água e do solo e a insegurança alimentar irão prejudicar as sociedades. A elevação do nível do mar, a acidificação dos oceanos, o derretimento glacial e a poluição irão alterar os padrões de vida. As tensões relacionadas às mudanças climáticas aumentarão. O grande trânsito de passageiros no mundo todo e a infraestrutura de saúde precária tornarão as doenças infecciosas mais difíceis de controlar.

Conclusão

Essas tendências convergirão a um ritmo sem precedentes dificultando a governança e a cooperação e mudando a natureza do poder, alterando em consequência disso a paisagem global de maneira fundamental. As tendências econômicas, tecnológicas e de segurança, especialmente, aumentarão o número de Estados, organizações e indivíduos capazes de atuar de maneiras influente. Internamente nos Estados, a ordem política permanecerá evasiva e as tensões, elevadas até que sociedades e governos renegociem suas expectativas um com relação ao outro. Entre os Estados, o período pós-Guerra Fria — o momento unipolar de hegemonia estadunidense — já passou, e a ordem internacional baseada em regras, como tem sido desde 1945, pode também estar desaparecendo. Alguns grandes poderes e agressores regionais procurarão afirmar seus interesses por meio da força, mas obterão resultados fugazes à medida que as formas de poder tradicionais e materiais deverão ser menos capazes de garantir e sustentar resultados em um contexto de proliferação de agentes com poder de veto.

Alunos de uma escola sul-africana. Nas próximas décadas grande parte do crescimento da população mundial em idade economicamente ativa será da África, bem como do sul da Ásia

CAPÍTULO 2

AS TENDÊNCIAS QUE ESTÃO TRANSFORMANDO A PAISAGEM GLOBAL

A era pós-Guerra Fria está dando lugar a um novo contexto estratégico. As tendências recentes e futuras convergirão nos próximos vinte anos a um ritmo sem precedentes para aumentar o número e a complexidade das questões, com vários riscos iminentes, como ataques cibernéticos, terrorismo ou clima extremo. Mudanças demográficas irão aumentar as tensões laborais e abalar o bem-estar e a estabilidade social. O mundo rico está envelhecendo, enquanto grande parte do mundo mais pobre não, além de estar se tornando mais masculino. Mais e mais pessoas vivem em cidades, algumas das quais estão cada vez mais vulneráveis ao aumento do nível do mar, inundações e ondas provocadas por tempestades. Além disso, mais pessoas estão se mudando de seus locais de origem — atraídas por visões de uma vida melhor ou desalojadas pelos horrores resultantes de conflitos. A concorrência por bons empregos tornou-se global, uma vez que a tecnologia, especialmente a automação em massa, afeta negativamente os mercados de trabalho. A tecnologia também fortalecerá indivíduos e pequenos grupos, conectando pessoas como nunca antes. Ao mesmo tempo, os valores, o nacionalismo e a religião os separarão cada vez mais. No âmbito nacional, o hiato entre as expectativas populares e o desempenho do governo crescerá; de fato, a própria continuidade da democracia não poderá ser tida como certa. Internacionalmente, o empoderamento de indivíduos e de pequenos grupos dificultará a organização de ações coletivas contra grandes problemas globais, como a mudança climática. As instituições internacionais serão visivelmente menos aptas para realizar as tarefas do futuro,

RELATÓRIO DA CIA - A NOVA ERA

especialmente porque abraçam de modo comprometedor indivíduos e grupos privados recentemente fortalecidos.

Entrementes, o risco de conflito crescerá. Eles serão cada vez menos confinados ao campo de batalha e mais voltados a destruir sociedades — usando armas cibernéticas de forma remota ou terroristas suicidas agindo no interior dessas sociedades. As ameaças silenciosas e crônicas de poluição do ar, escassez de água e mudanças climáticas se tornarão mais perceptíveis, levando a confrontos mais frequentes do que no passado, pois os diagnósticos e as medidas para lidar com essas questões continuam a ser conflitantes em todo o mundo.

OS RICOS ESTÃO FICANDO MAIS VELHOS, OS POBRES NÃO

A população mundial será maior, mais velha e mais urbana, mesmo com a taxa de crescimento da população global diminuindo. Os efeitos sobre cada país variam, porém, à medida que as principais economias do mundo envelhecem e o mundo em desenvolvimento permanece jovem. Prevê-se que a população mundial passe de aproximadamente 7,3 para 8,8 bilhões de pessoas até 2035. A África — com o dobro da taxa de fertilidade que o resto do mundo — e regiões da Ásia terão um aumento nas suas populações economicamente ativas. Isso poderia levar ao progresso econômico ou a um desastre, dependendo do quanto os governos e as sociedades acelerem o investimento em educação, infraestrutura e outros setores fundamentais.

Os padrões laborais e de bem-estar devem mudar drasticamente, tanto em países que envelhecem rapidamente como em países cronicamente jovens. A faixa etária dos sessenta anos é a que cresce mais rapidamente no mundo. As sociedades mais ricas e mais velhas aumentarão a participação da força de trabalho de idosos, jovens e mulheres para compensar menos adultos economicamente ativos. A média das idades atingirá seu pico em 2035 no Japão (52,4), Coreia do Sul (49,4), Alemanha (49,6) e em vários outros países. A Europa será particularmente atingida, bem como Cuba (48), Rússia (43,6) e China (45,7).

CAPÍTULO 2: AS TENDÊNCIAS QUE ESTÃO TRANSFORMANDO A PAISAGEM GLOBAL | 43

Os Estados Unidos estão envelhecendo a uma taxa mais lenta — atingindo uma idade média de aproximadamente quarenta e um anos em 2035 — e a população economicamente ativa continuará crescendo.

- **As populações cronicamente jovens** — com idade média de até vinte e cinco anos — colocarão pressão em regiões da África e da Ásia, especialmente na Somália, bem como em partes do Afeganistão, Paquistão, Iraque e Iêmen. Historicamente, esses Estados têm demonstrado ser mais propensos à violência e à instabilidade. Mesmo as nações com população jovem terão um número grande de idosos para garantir cuidado social, aumentando as necessidades de infraestrutura e de redes de segurança socioeconômica. Nas duas próximas décadas, em todo o mundo, o número de pessoas com idade de trabalho diminuirá acentuadamente com relação aos dois decênios anteriores, de 1,2 bilhões entre 1995-2015 para 850 milhões entre 2015-35, de acordo com projeções da ONU. No entanto, a maioria desses trabalhadores será proveniente do sul da Ásia e da África, muitos deles vindos de economias que já têm dificuldade para criar novos empregos no atual contexto econômico global, devido a infraestrutura inadequada, sistemas educacionais limitados, corrupção e falta de oportunidades para as mulheres.

- A integração de maior número de mulheres na força de trabalho será particularmente problemática devido às normas culturais arraigadas. Contudo, um estudo do McKinsey Global Institute estima que tal desenvolvimento poderia aumentar a produção e a produtividade. De acordo com o estudo, o PIB global poderia aumentar em mais de 10% até 2025 se a participação e a remuneração relativa das mulheres em cada região fossem equiparadas aos níveis do país mais equitativo da região. McKinsey enfatiza que as melhorias em termos de inclusão educacional, financeira e digital, proteção legal e remuneração pelo trabalho doméstico são cruciais para a evolução da equidade econômica entre gêneros e, igualmente, benéficos para os trabalhadores como um todo.

Mais pessoas estão vivendo nas cidades. As tendências demográficas aumentarão a pressão popular no sentido de demandar uma política pública efetiva, especialmente na prestação de serviços e na oferta de infraestrutura necessária para apoiar populações urbanas cada vez maiores. Pouco mais da metade da humanidade vive hoje em cidades, e a previsão é de que esse número deverá chegar a dois terços até 2050. Os países com população mais idosa que adaptarem sistemas de saúde, pensões, bem-estar social, emprego e recrutamento militar provavelmente enfrentarão as tendências demográficas com sucesso, enquanto os países com mais populações jovens se beneficiariam se concentrassem seus esforços nas áreas de educação e de geração de empregos. As políticas de imigração e de trabalho continuarão a causar divisões no curto prazo, embora ao longo do tempo — com treinamento e educação — tais políticas poderiam vir a resolver as insuficiências laborais críticas nas sociedades com populações envelhecidas.

MUDANÇA ESTIMADA NA IDADE LABORAL (15-64)

POPULAÇÃO 2015-35, PAÍSES SELECIONADOS

A população em idade laboral em todo o mundo crescerá mais nos países do sul da Ásia e da África, onde os níveis educacionais estão entre os mais baixos — colocando-os em desvantagem na economia global, a qual irá favorecer os trabalhadores mais qualificados.

As maiores quedas na idade laboral ocorrerão na China e na Europa, onde as oportunidades de emprego serão provavelmente maiores para trabalhadores qualificados e para os profissionais do setor de serviços.

Em todo o mundo, a manufatura com baixo valor agregado — historicamente, o meio comum para o desenvolvimento econômico dos países pobres, bem como um modo de gerar prosperidade para os trabalhadores — tenderá a demandar mão de obra cada vez menos especializada, à medida que a automação, a inteligência artificial e outros avanços de fabricação serão mais utilizados.

CAPÍTULO 2: AS TENDÊNCIAS QUE ESTÃO TRANSFORMANDO A PAISAGEM GLOBAL | 45

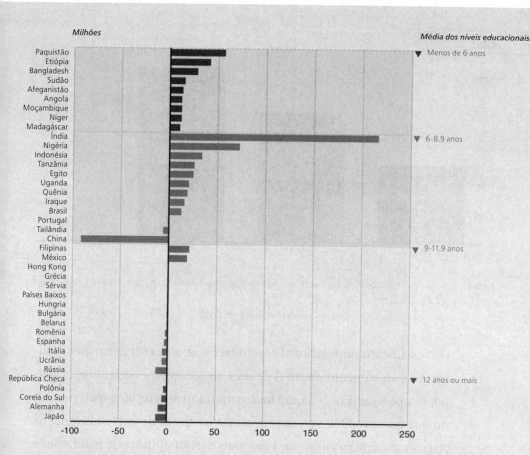

Nota: Os quarenta países destacados neste gráfico são aqueles com os maiores aumentos e quedas da população em idade laboral, em números absolutos. Fonte: dados da população da ONU (projeção mediana).

O aumento da população urbana global é impulsionado pelo crescimento de cidades de todos os tamanhos.

A parte do leão do aumento populacional mundial — 20% entre 2015 e 2035 — caberá às cidades, uma vez que o número de pessoas vindas originalmente de áreas rurais se somará às populações urbanas já em crescimento.

A população de cidades de todos os tamanhos continuará a crescer, inclusive com "megacidades" de 10 milhões ou mais de habitantes, presentes em todos os continentes, exceto na Austrália.

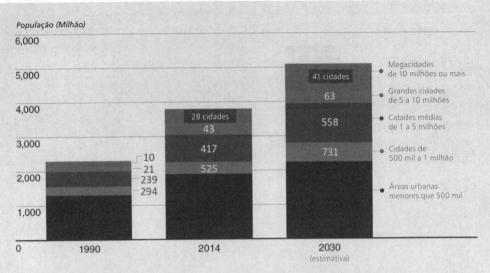

Fonte: Organização das Nações Unidas, Departamento de Economia e Assuntos Sociais, "World Urbanization Prospects, 2014 Revision."

- O crescimento populacional continuará a se concentrar em áreas vulneráveis ao aumento do nível do mar, inundações e ondas provocadas por tempestade. Em 2035, em todo o mundo, cerca de 50% mais pessoas do que no ano 2000 viverão em zonas costeiras de baixa altitude; na Ásia, esse número aumentara em mais de 150 milhões de habitantes e na África, em 60 milhões. Muitas megacidades, como Bangkok, Cidade de Ho Chi Minh, Jacarta e Manila, continuarão a afundar devido à extração excessiva de águas subterrâneas e à atividade geológica natural.

Outros mais estão a caminho... Os fluxos de migração permanecerão elevados durante as próximas duas décadas, uma vez que as pessoas buscarão oportunidades econômicas em outros locais, fugirão de conflitos e serão desalojadas de suas regiões devido à degradação das condições ambientais. Os migrantes internacionais[6] — pessoas que residem fora de seus países de nasci-

---

6 Aqui, preferimos manter o termo literal, em vez de "emigrante" ou "imigrante", mantendo a ideia original de deslocamento humano.

CAPÍTULO 2: AS TENDÊNCIAS QUE ESTÃO TRANSFORMANDO A PAISAGEM GLOBAL | 47

mento — e os "deslocados internos", pessoas forçosamente deslocadas de suas regiões[7], atingiram em 2015 os níveis absolutos mais elevados já registrados, com 244 milhões de migrantes internacionais e aproximadamente 65 milhões de pessoas deslocadas. Em suma, uma entre 112 pessoas no mundo é refugiada, ou internamente deslocada ou candidata a asilo. É provável que continue a aumentar o número de migrantes internacionais, refugiados, candidatos a asilo e pessoas internamente deslocadas devido a disparidades significativas de renda entre regiões, conflitos persistentes e tensões étnicas e religiosas. O número de pessoas em movimento migratório permanecerá alto ou mesmo aumentará na medida em que a exaustão ambiental se tornar mais pronunciada.

... E a maioria é de homens. O aumento recente de homens em relação às mulheres em muitos países do Oriente Médio e do leste e do sul da Ásia indica nações sob pressão e sob a influência duradoura da cultura. A China e a Índia já estão vendo números significativos de homens sem perspectivas de casamento devido, em grande parte, ao aborto seletivo, infanticídio feminino e negligência seletiva com relação às mulheres. Os desequilíbrios de gênero levam décadas para corrigir, gerando, nesse meio tempo, aumento nas taxas de criminalidade e de violência.

---

7 O termo original é "pessoas internamente deslocadas", ou IDP, conforme a sigla em inglês. Em português o termo utilizado é "deslocados internos" ou "refugiados internos"

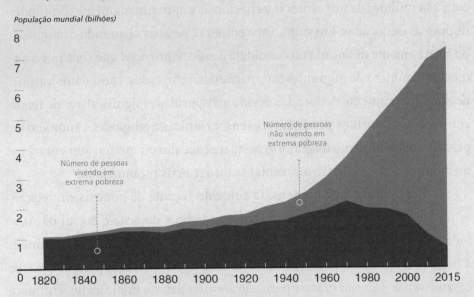

Fonte: OurWorldinData.org Max Roser baseado no Banco Mundial e Bourguignon e Morrisson.

A ECONOMIA GLOBAL ESTÁ MUDANDO

As economias em todo o mundo irão se transformar significativamente tanto no futuro próximo como no distante. Os países ricos buscarão conter os recentes declínios no crescimento econômico e manter os estilos de vida característicos de suas culturas, mesmo com a diminuição das populações economicamente ativas e dos fortes ganhos de produtividade historicamente comuns. O mundo em desenvolvimento procurará manter seus recentes avanços no sentido de erradicar a pobreza abjeta e de integrar as populações em rápida expansão à economia nacional. Tantos os países desenvolvidos como os em desenvolvimento serão pressionados a oferecer novos serviços, setores e ocupações a fim de substituir os empregos na indústria que serão eliminados pela automação e outras tecnologias — além de instruir e treinar trabalhadores para ocupar as novas vagas.

A pobreza extrema está diminuindo. Desde 1990, as reformas econômicas na China e em outros países, grande parte deles da Ásia, produziram um

CAPÍTULO 2: AS TENDÊNCIAS QUE ESTÃO TRANSFORMANDO A PAISAGEM GLOBAL | 49

aumento histórico nos padrões de vida de quase um bilhão de pessoas, reduzindo de 35% para cerca de 10% o número de indivíduos vivendo em "pobreza extrema" (abaixo de US $ 2 por dia) em todo o mundo. Dois dólares são de pouca ajuda, mas permitem, de fato, que as pessoas vivam um pouco além do nível da sobrevivência diária. A melhora nos padrões de vida leva à transformação de comportamentos e aumenta as expectativas e preocupações sobre o futuro.

As classes médias ocidentais foram achatadas. O custo da fabricação cada vez mais baixo — juntamente com a automação, impulsionada em parte pelas pressões de custos geradas pelo aumento da concorrência — atingiu fortemente os níveis de emprego e os salários das classes médias norte-americana e europeia nas últimas décadas. Entretanto, ao mesmo tempo, trouxe novas oportunidades ao mundo em desenvolvimento e reduziu drasticamente os custos dos bens para consumidores de todo o planeta. Os salários estagnados são o sinal mais dramático da implacável orientação voltada para aumentar a eficiência dos custos: de acordo com a Organização para Cooperação e Desenvolvimento Econômico, a renda familiar média real nos Estados Unidos, Alemanha, Japão, Itália e França aumentou menos de 1% por ano de meados da década de 1980 até a crise financeira global de 2008. No período pós-crise, o quadro permaneceu praticamente o mesmo, apesar de ter havido alguma melhora nos Estados Unidos em 2015. McKinsey estimou que, a partir de 2014, o nível de renda real de dois terços das famílias dos países de economia desenvolvida eram os mesmos dos de 2005 ou abaixo.

Imaginando uma surpresa
Manchete de jornal de 2018
O *hacker* "Robin Hood" paralisa o comércio *on-line*
Upends Markets Nov. 19, 2018 - Nova York

O comércio on-line começou a parar uma semana antes do começo da temporada de compras de Natal nos Estados Unidos, Canadá e Europa após vários ataques do *hacker* "Robin Hood". Os ataques criaram um caos alterando as contas de pagamento on-line em até US$ 100 mil em crédito ou débitos — o que provocou um frenesi de compras on-line que forçou os varejistas a encerrar todas as suas transações digitais. A interrupção lançou os mercados financeiros globais em queda livre antes da suspensão das transações, devido à incerteza quanto à persistência e ao alcance da ação do *hacker*.

O Crescimento Será Baixo. Nos próximos cinco anos, a economia global continuará lutando para retomar o crescimento, uma vez que as principais economias ainda estão se recuperando lentamente da crise de 2008 e trabalham com as dívidas do setor público fortemente inchadas. Além disso, a economia global também enfrentará pressões políticas que ameaçam o livre-comércio, na medida em que a China empreende um enorme esforço para redirecionar sua economia para o crescimento baseado no consumo. Como consequência, a maioria das grandes economias do mundo provavelmente experimentará, pelo menos no curto prazo, um desempenho inferior ao dos padrões históricos. O baixo crescimento ameaçará os recentes avanços na redução da pobreza.

- A China e a União Europeia (UE) — duas das três maiores economias do mundo — continuarão a tentar colocar em prática grandes e penosas transformações para poder promover o crescimento no longo prazo. A China será a grande dúvida, uma vez que continua buscando aumentar os padrões de vida de sua população, ao mesmo tempo em que se desloca de uma economia dirigida pelo Estado e mantida pelo investimento para uma centrada no consumo e na oferta de serviços. Enquanto isso, a União Europeia tenta promover um crescimento econômico mais forte enquanto luta para gerir elevadas dívidas e divisões políticas profundas sobre o futuro do projeto da UE.

- As crises financeiras, a erosão da classe média e a maior conscientização do público sobre a desigualdade de renda — todas com raízes anteriores à recessão de 2008 — despertaram a percepção no Ocidente de que os custos da liberalização do comércio são maiores do que seus ganhos. Como resultado, a tendência histórica da liberalização do comércio ocorrida nos últimos setenta anos enfrenta grande risco, prejudicando as perspectivas futuras de tal orientação e aumentando o risco do emprego de protecionismo. O mundo estará observando atentamente os Estados Unidos e outros defensores tradicionais do comércio, buscando sinais de redução de políticas comerciais. Uma maior liberalização do comércio poderá vir a ser centrada em questões mais específicas ou promovida por conjuntos de parceiros.

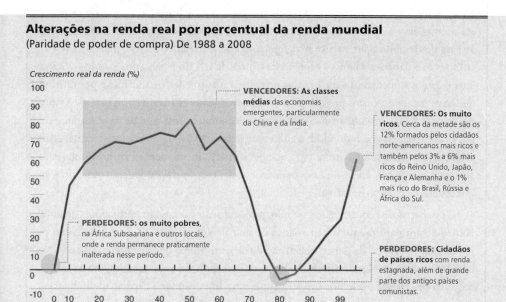

Alterações na renda real por percentual da renda mundial
(Paridade de poder de compra) De 1988 a 2008

O "Gráfico do Elefante", que traz as mudanças reais na renda doméstica entre 1988 e 2008, demonstra que o período da maior globalização da economia mundial — e o rápido crescimento que promoveu no mundo em desenvolvimento — trouxe grande aumento de renda a todos, exceto aos dois terços mais pobres da população mundial, bem como aos muito ricos. O gráfico — e suas variações, as quais mostram ganhos relativos ligeiramente diferentes entre os grupos, mas no mesmo padrão geral — sugere que a globalização e os avanços na manufatura trouxeram um ganho relativamente pequeno para o terço da população mundial com renda superior, exceto os muito ricos. Este segmento inclui muitas famílias de renda baixa a média dos EUA e de outras economias desenvolvidas. Os dados do gráfico mostram apenas as alterações para cada percentual de renda; as famílias de qualquer país podem ter registrado percentuais maiores ou menores e, como resultado, obtido ganhos substancialmente maiores, ou menores, que essas médias globais.

Fonte: Branko Milanovic.

CHOQUES FINANCEIROS E DEPRESSÃO ECONÔMICA

O crescimento econômico impulsionado pelo endividamento nos Estados Unidos, Europa, China e Japão nas últimas décadas levou à formação de bolhas imobiliárias, estimulou gastos pessoais insustentáveis, picos nos preços do petróleo e outras *commodities* e, em última instância, em 2008, provocou uma grande crise financeira nos Estados Unidos e na Europa que afetou a economia mundial. Ansiosos por estimular o crescimento, alguns bancos centrais baixaram as taxas de juros para perto de zero — e até mesmo abaixo. Esses bancos centrais também tentaram impulsionar a recuperação através de flexibilização quantitativa, adicionando, entre 2008 e 2016, mais de US $ 11 trilhões ao balanço dos bancos centrais da China, da UE, do Japão e dos Estados Unidos. Tais esforços impediram a quebra das principais instituições financeiras e permitiram que os governos europeus pressionados contraíssem empréstimos a taxas baixas. As medidas, porém, não incentivaram o crescimento econômico, uma vez que não estimularam governos, empresas ou indivíduos a aumentar seus gastos. Igualmente importante, esses esforços não criaram incentivos para que os bancos aumentassem os empréstimos para sustentar tais gastos, em meio a novos padrões orientados pela prudência e uma inflação quase zero ou mesmo negativa.

Os esforços de Pequim, por exemplo, para aumentar o crescimento depois de 2008 contribuíram para manter os mercados de petróleo e matérias-primas, bem como os produtores da África, da América Latina e do Oriente Médio que fornecem tais bens. No entanto, esses mercados diminuíram diante da percepção de que o crescimento da China, baseado em grande parte nos investimentos para impulsionar a capacidade industrial, é insustentável.

Nesse ambiente de taxas baixas e de crescimento fraco, os investidores estão inquietos, vacilando entre buscar retornos mais elevados nos mercados emergentes, ou buscar salvaguardas durante os períodos de sobressalto, oferecendo um estímulo não confiável para o crescimento potencial da economia.

A TECNOLOGIA DIFICULTA
A PERSPECTIVA DE LONGO PRAZO

A maioria das grandes economias mundiais terá dificuldade devido à redução da população economicamente ativa, mas todos os países enfrentarão o desafio de manter o nível de emprego e de desenvolver trabalhadores bem treinados e resilientes. A automação, a inteligência artificial (AI) e outras inovações tecnológicas ameaçam a existência dos empregos atuais, inclusive na manufatura de alta tecnologia e até mesmo de serviços prestados por altos executivos.

- Será mais difícil encontrar novas formas de aumentar a produtividade nos países ricos. Os fatores demográficos, de eficiência aprimorada e de investimento responsáveis pelo período de crescimento depois da 2ª Guerra Mundial estão desaparecendo. Este desafio será especialmente relevante, uma vez que as populações das maiores economias envelhecem. Os avanços na tecnologia ajudarão a aumentar a produtividade nos países desenvolvidos e nos países em desenvolvimento, mas esforços para melhorar a educação, as infraestruturas, as regulamentações e práticas de gestão serão fundamentais para aproveitar esse aumento de produtividade plenamente.

- À medida que a tecnologia substitui cada vez mais o trabalho e provoca perdas salariais, as receitas fiscais baseadas na renda pessoal crescerão mais lentamente do que as economias — ou até mesmo diminuirão em termos reais. Aumentará a pressão fiscal nos países que dependem desses impostos, com possibilidade de tornar os impostos sobre o valor agregado ou outros sistemas de receita mais vantajosos.

A INOVAÇÃO TECNOLÓGICA ACELERA O PROGRESSO, MAS PROVOCA DESCONTINUIDADES

A tecnologia — da roda ao *chip* de silício — impulsionou demasiadamente a flecha da história, mas antecipar quando, onde e como a tecnologia alterará as dinâmicas econômicas, sociais, políticas e de segurança é um jogo difícil. Algumas inovações de alto impacto — como a fusão a frio — ainda não se tornaram realidade. Outras transformações se desenrolaram mais rapidamente e tiveram maior impacto do que os especialistas imaginavam. As recentes descobertas no campo da edição e manipulação de genes, como CRISPR[8], estão abrindo grandes e novas possibilidades na biotecnologia.

A tecnologia continuará a empoderar indivíduos, pequenos grupos, corporações e Estados, bem como acelerar o ritmo das mudanças e gerar novos e complexos desafios, descontinuidades e tensões. Em particular, o desenvolvimento e implantação de tecnologias avançadas de comunicação de informação (TIC), inteligência artificial, novos materiais e capacidades de fabricação que vão da robótica à automação, avanços em biotecnologia e em fontes de energia não convencionais prejudicarão os mercados de trabalho, irão alterar sistemas de saúde, energia e transporte e transformarão o desenvolvimento econômico. Também colocarão questões fundamentais sobre o significado de ser humano. Tais desenvolvimentos ampliarão as diferenças de valores entre as sociedades, impedindo o progresso de regulamentação ou de criação de normas internacionais nessas áreas. Os riscos associados a algumas dessas aplicações são reais, especialmente nos campos de biologia sintética, edição de genoma e inteligência artificial.

As tecnologias de informação e comunicação irão transformar um amplo conjunto de práticas de trabalho, bem como a forma como as pessoas vivem e se comunicam. As tecnologias associadas aumentarão a eficiência e afetarão os níveis de emprego nas áreas de transporte, engenharia, manufatura, saúde e outros serviços. Essas ferramentas existem há algum tempo, mas irão se tornar cada vez mais comuns à medida que os desenvolvedores consigam substituir mais empregos através da automação. O aumento do investimento em inteligência artificial, o crescimento das vendas de robôs industriais e de serviços e as plataformas baseadas em nuvem que operam sem infraestrutura local criarão mais oportunidades

---

8 CRISPR é o acrônimo em inglês de "Repetições Palindrômicas Curtas Agrupadas e Regularmente Interespaçadas" (*Clustered Regularly Interspaced Short Palindromic Repeats*), que se refere a segmentos curtos de DNA, a molécula que contém instruções genéticas para todos os organismos vivos. Alguns anos atrás, descobriu-se que se pode aplicar CRISPR com um conjunto de enzimas que aceleram ou catalisam reações químicas para modificar sequências específicas de DNA. Essa capacidade está revolucionando a pesquisa biológica, acelerando a taxa de desenvolvimento das aplicações biotecnológicas para enfrentar desafios médicos, de saúde, industriais, ambientais e agrícolas, ao mesmo tempo em que levantam questões éticas e de segurança.

CAPÍTULO 2: AS TENDÊNCIAS QUE ESTÃO TRANSFORMANDO A PAISAGEM GLOBAL | 55

de convergência e mais perturbações nos mercados de trabalho, especialmente no curto prazo. A "Internet das Coisas" (IOT, conforme sigla em inglês) — onde mais e mais dispositivos interconectados podem interagir — criará eficiências, mas também riscos de segurança. Os efeitos das novas tecnologias de informação e de comunicação no setor financeiro, em particular, serão provavelmente profundos. As novas tecnologias financeiras — que incluirão moedas digitais, aplicações da tecnologia *"blockchain*[9]*"* para transações, inteligência artificial e grandes volumes de dados para realizar análises de futuros — redirecionarão os serviços financeiros, com impactos potencialmente substanciais na estabilidade do sistema e na segurança das infraestruturas financeiras críticas.

As biotecnologias estão em um ponto de inflexão onde os avanços nos testes e na edição genéticos — catalisados pelos novos métodos de manipulação de genes — tornam a ficção científica realidade. O tempo e o custo necessários para sequenciar o genoma de uma pessoa diminuíram. Esses avanços abrem a possibilidade de abordagens muito mais personalizadas no sentido de melhorar as capacidades humanas, tratar doenças, prolongar a longevidade ou aumentar a produção de alimentos. Dado que a maioria das novas técnicas só estará disponível em alguns países, o acesso a essas tecnologias será limitado àqueles que podem se dar ao luxo de viajar e de pagar os novos procedimentos. É provável que surjam debates políticos divergentes sobre esse avanço.

O desenvolvimento de materiais avançados e de técnicas de fabricação pode acelerar a transformação de setores-chave, como transporte e energia. O mercado global de nanotecnologia mais do que duplicou nos últimos anos, com aplicações em constante expansão e que vão de produtos eletrônicos a alimentos.

A revolução que ora ocorre no campo da energia não convencional está aumentando a disponibilidade de novas fontes de petróleo e de gás natural, enquanto, do lado da demanda, uma ampla gama de avanços tecnológicos está rompendo

---

9 O *blockchain*, ou "o protocolo da confiança" é uma tecnologia que visa a descentralização como medida de segurança por meio de bases de registros e dados distribuídos e compartilhados, que possuem a função de criar um índice global para todas as transações que ocorrem em um determinado mercado.

a relação entre crescimento econômico e aumento da utilização de energia. Os avanços na tecnologia de painéis solares, por exemplo, reduziram drasticamente o custo da eletricidade solar, tornando-a competitiva com o preço de varejo da eletricidade. Com um naipe maior de novas fontes de energia, os custos globais dessa *commodity* continuarão baixos em âmbito mundial, e o sistema energético de forma geral se tornará cada vez mais resiliente para superar os choques ocasionados pela redução da oferta de combustíveis fósseis, em benefício, em particular, da China, da Índia e de outros países em desenvolvimento e com poucos recursos.

As tecnologias emergentes exigirão uma análise cuidadosa para avaliar seus efeitos cumulativos sobre seres humanos, sociedades, Estados e o planeta. Há um requisito a curto prazo no sentido de estabelecer normas de segurança e protocolos para as novas tecnologias de informação e comunicação, biotecnologias e novos materiais. Poucas organizações — sejam elas governamentais, comerciais, acadêmicas ou religiosas — possuem a gama de conhecimentos necessários para fazer tal avaliação e muito menos explicá-la ao público, ressaltando a importância de reunir recursos para avaliar e contemplar os desafios futuros.

- Sem padrões regulatórios, o desenvolvimento e a implantação de inteligência artificial — mesmo as inferiores ao intelecto humano —, provavelmente serão inerentemente perigosos, podendo ameaçar a privacidade dos cidadãos e prejudicar os interesses do Estado. Além disso, a incapacidade de desenvolver padrões para IA na robótica provavelmente prejudicará a economia e levará à perda de oportunidades econômicas devido a sistemas não interoperáveis.

- Os avanços no campo da biofarmacêutica irão produzir tensão com relação aos direitos de propriedade intelectual. Se as rejeições e as revogações de patentes e as licenças obrigatórias se tornarem mais comuns, poderão ameaçar o desenvolvimento de novos medicamentos inovadores e afetar de modo negativo os lucros das empresas farmacêuticas multinacionais. Os governos terão de pesar os benefícios econômicos e sociais da adoção das novas biotecnologias — como as culturas geneticamente modificadas — contra posições domésticas em contrário.

No âmbito internacional, a capacidade de estabelecer padrões e protocolos, definir limites éticos para a pesquisa e proteger os direitos de propriedade intelectual será delegada aos Estados com liderança técnica. As ações tomadas no curto prazo para preservar a liderança técnica serão especialmente críticas para as tecnologias que visam a melhoria da saúde humana, que transformam os sistemas biológicos e que expandem os sistemas de informação e de automação. O envolvimento multilateral no início do ciclo de desenvolvimento tem potencial de reduzir as tensões internacionais à medida que a implantação dessas tecnologias se torna factual. Isso, no entanto, exigirá uma convergência de interesses e valores — mesmo que estreita e limitada. Mais provável, a liderança técnica e as parcerias por si só serão insuficientes para evitar tensões, uma vez que os Estados irão buscar promover tecnologias e quadros regulatórios que funcionem em seu benefício.

Ritual de imersão do deus hindu Ganesha, no rio Ganges, Índia, 2015

IDEIAS E IDENTIDADES SERÃO FATORES DE EXCLUSÃO

Um mundo mais interconectado continuará a aumentar — ao invés de reduzir — as diferenças entre ideias e identidades. Se as atuais tendências demográficas, econômicas e de governança permanecerem, o populismo aumentará ao longo das próximas duas décadas. O mesmo deve ocorrer com relação às identidades nacionais e religiosas que geram exclusão, uma vez que a interação entre tecnologia e cultura está se acelerando, e as pessoas buscam significado e segurança no contexto de mudanças econômicas, sociais e tecnológicas que ocorrem com velocidade, e que tendem a desorientar o público. Os líderes políticos farão apelos relacionados à identidade de determinados setores da sociedade para mobilizar simpatizantes e consolidar o controle político. Da mesma forma, os grupos de identidade se tornarão mais influentes. O crescente acesso às ferramentas de informação e comunicação lhes garantirá melhores meios para se organizar e se mobilizar com relação a questões políticas, religião, valores, interesses econômicos, etnia, gênero e estilo de vida. O ambiente cada vez mais segregado de informações e mídia irá tornar as identidades ainda mais rígidas — tanto através de algoritmos que possibilitam buscas personalizadas e redes sociais de estilo pessoal, como também através de esforços de modelagem deliberada efetuados por organizações, governos e líderes de pensamento. Algumas dessas identidades terão um caráter transnacional, com grupos aprendendo uns com os outros, e indivíduos capazes de buscar de modo remoto a inspiração de mentes semelhantes.

A erosão das tradições de tolerância e diversidade associadas aos Estados Unidos e à Europa Ocidental é uma importante implicação a curto prazo resultante do aumento da disseminação da política de identidade, ameaçando o apelo global a esses ideais. Outras implicações importantes incluem o uso explícito do nacionalismo e de caracterizações do Ocidente como ameaçador com o objetivo de fortalecer o controle autoritário na China e na Rússia, bem como a volatilização dos conflitos de identidade e de tensões entre comunidades na África, Oriente Médio e Ásia do Sul. O modo como Nova Deli abordará as tendências nacionalistas hindus e a maneira como Israel irá equilibrar os extremistas religiosos ultraortodoxos serão determinantes-chave de tensões futuras.

O populismo está emergindo no Ocidente e em partes da Ásia. Caracterizado pela suspeita e hostilidade com relação às elites, à política geral e às instituições estabelecidas, o populismo reflete a rejeição dos efeitos econômicos da globalização e a frustração com as respostas das elites políticas e econômicas às preocupações do público. O número de partidos populistas, tanto de direita como de esquerda,

CAPÍTULO 2: AS TENDÊNCIAS QUE ESTÃO TRANSFORMANDO A PAISAGEM GLOBAL | 59

está aumentando em toda a Europa — como, por exemplo, os líderes de partidos políticos na França, Grécia e Holanda que criticam as organizações estabelecidas por não protegerem os meios de subsistência dos residentes europeus. A América do Sul tem tido ondas de populismo, assim como as Filipinas e a Tailândia.

- Além disso, a rejeição aos imigrantes e a xenofobia presente nas democracias centrais da aliança ocidental poderiam minar algumas das fontes tradicionais que levam o Ocidente a cultivar sociedades ricas em termos de diversidade e aproveitar o talento global.

- Líderes e movimentos populistas — sejam de direita ou de esquerda — podem usar as práticas democráticas para conseguir apoio popular com o objetivo de consolidar o poder em um Executivo forte, provocando a erosão lenta e constante da sociedade civil, do estado de direito e das normas de tolerância.

Identidades nacionalistas e religiosas. O nacionalismo é primo-irmão do populismo, e seus apelos serão proeminentes na China, na Rússia, na Turquia e em outros países onde os líderes buscarão consolidar o controle ao eliminar as alternativas políticas internas, retratando as relações internacionais em termos existenciais. Da mesma forma, as identidades religiosas excludentes moldarão a dinâmica regional e local no Oriente Médio e Norte da África, e também ameaçam fazê-lo em partes da África Subsaariana, entre comunidades cristãs e muçulmanas. Na Rússia, a nação e a religião continuarão a convergir para reforçar o controle político.

- A identidade religiosa, que pode ou não ser excludente, provavelmente continuará sendo um ponto de ligação potente, pois as pessoas procuram um senso mais amplo de identidade e têm mais necessidade de pertencer a um grupo em momentos de intensa transformação. Mais de 80% da população mundial é afiliada a alguma religião e esse número está aumentando, devido, de acordo com um estudo do Pew Research Center sobre o futuro da religião, em grande parte às altas taxas de fertilidade no mundo em desenvolvimento. Estudos sobre política estadunidense indicam que a religiosidade, ou a intensidade das expressões individuais de fé, é um fator de previsão do comportamento dos eleitores mais seguro do que a religião que determinada pessoa segue.

ESTÁ CADA VEZ MAIS DIFÍCIL GOVERNAR

O modo como os governos administram e criam ordem política está mudando e, provavelmente, se transformará ainda mais nas próximas décadas. Os governos irão se esforçar cada vez mais no sentido de atender às demandas públicas na área de segurança e suas exigências de maior prosperidade. Os limites fiscais, a polarização política e a fraca capacidade administrativa complicarão os esforços dos governos, bem como a mudança do ambiente de informação, a crescente gama de questões que o público espera que os governos gerenciem e a proliferação de atores capacitados que possam bloquear a formação ou implementação de políticas. Essa diferença entre o desempenho do governo e as expectativas do público — combinadas com a corrupção e os escândalos protagonizados pela elite — resultará em crescente desconfiança e insatisfação popular. Também aumentará a probabilidade do surgimento de protestos, instabilidade e transformações mais amplas no exercício de governança.

- Os protestos da elite em lugares como o Brasil e a Turquia — países onde as classes médias se expandiram durante a última década — indicam que cidadãos mais prósperos esperam governos melhores e menos corruptos. A classe média também procura proteção contra a perda de seus ganhos. Enquanto isso, o crescimento mais lento, os salários estagnados e a crescente desigualdade nos países desenvolvidos continuarão a impulsionar as demandas públicas para melhorar e proteger os padrões de vida. Isso irá ocorrer em um

CAPÍTULO 2: AS TENDÊNCIAS QUE ESTÃO TRANSFORMANDO A PAISAGEM GLOBAL | 61

momento em que muitos governos estarão limitados por dívidas elevadas, concorrência econômica global mais intensa e oscilações nos mercados financeiros e de *commodities*.

- O maior acesso do público a informações sobre líderes e instituições — combinado com erros grosseiros perpetrados pela elite, como a crise financeira de 2008 e o escândalo de corrupção da Petrobrás — abalou a confiança pública nas autoridades estabelecidas e está impulsionando movimentos populistas em todo o mundo. Além disso, as vozes individuais e a desconfiança que o público nutre pelas elites difundida pelas tecnologias de informação tem afetado, em alguns países, a influência de partidos políticos, sindicatos e grupos cívicos, levando potencialmente a uma crise de representação entre as democracias. As pesquisas sugerem que a maioria da população das nações emergentes, especialmente no Oriente Médio e na América Latina, acredita que os funcionários do governo "não se preocupam com as pessoas, apenas com eles mesmos". Concomitantemente, a confiança nos governos também caiu nos países desenvolvidos. Os norte-americanos demonstram os níveis mais baixos de confiança no governo desde o primeiro ano de mensuração, em 1958.

- A própria democracia será mais colocada em questão, já que alguns estudos sugerem que os jovens da América do Norte e da Europa Ocidental são menos propensos a apoiar a liberdade de expressão do que a população mais velha. O número de Estados que combinam elementos democráticos e autocráticos está em ascensão, o que aumenta a propensão à instabilidade. A *Freedom House*[10] reportou

---

10 Organização sediada em Washington, D.C., fundada em 1941, que produz uma série de pesquisas e publicações para promover os direitos humanos, a democracia, a economia de livre mercado, o estado de direito, meios de comunicação independentes e o comprometimento dos Estados Unidos no exterior.

que, em 2016, as mensurações da "liberdade" diminuíram em quase o dobro de países, caracterizando o maior revés em dez anos.

As instituições internacionais terão dificuldade em se adaptar a um ambiente mais complexo, embora ainda com um papel de relevo a desempenhar. Serão mais eficazes quando os interesses das principais potências se alinharem, o que deve ocorrer em questões como manutenção da paz e assistência humanitária, onde as instituições e as normas já estão bem estabelecidas. As futuras reformas das instituições internacionais e regionais serão realizadas de modo lento, devido a interesses divergentes entre os Estados e organizações-membro dessas instituições e também por conta da crescente complexidade de questões globais emergentes. Algumas instituições e países-membros continuarão a atuar no sentido de defender posições, tomando medidas para se associar com atores não estatais e organizações regionais, preferindo abordagens que visam tratar de problemas bem definidos.

- *Aumento do poder de veto.* Os interesses concorrentes entre os poderes principais e os aspirantes limitarão a ação internacional formal na gestão de disputas, enquanto os interesses divergentes entre os Estados em geral impedirão grandes reformas na adesão do Conselho de Segurança da ONU. Muitos concordam com a necessidade de reformar o Conselho de Segurança da ONU, mas as perspectivas de consenso sobre a reforma são fracas.

- *Ficando para trás.* As instituições existentes são suscetíveis de enfrentar questões não tradicionais, como a edição do genoma, a inteligência artificial e o aprimoramento humano, uma vez que as mudanças tecnológicas continuarão a superar a capacidade que os Estados, agências e organizações internacionais têm para estabelecer padrões, políticas, regulamentos e normas. O universo cibernético e as questões relacionadas ao espaço também criarão novos desafios, especialmente porque os atores comerciais privados desempenharão um papel mais significativo na formação de capacidades e na elaboração de normas para a utilização de tais inovações.

- *Multilateralismo das múltiplas partes interessadas.* A dinâmica multilateral se expandirá à medida que as instituições internacionais formais passem a trabalhar mais de perto com empresas, organizações da sociedade civil e governos locais para enfrentar os desafios. À medida que a experimentação com fóruns multipartites cresce, surgirão novos formatos para o debate, e o envolvimento do setor privado na governança deverá aumentar.

A NATUREZA DOS CONFLITOS ESTÁ SE TRANSFORMANDO

O risco de conflitos, inclusive de conflitos entre nações, aumentará nas próximas duas décadas devido à evolução dos interesses entre as grandes potências, ameaças terroristas, instabilidade contínua em Estados fracos e disseminação de tecnologias letais e disruptivas[11]. O declínio do número e da intensidade dos conflitos nos últimos vinte anos tende a se reverter: os níveis de conflito estão aumentando e as mortes relacionadas a batalhas e outras perdas humanas relacionadas a hostilidades têm aumentado consideravelmente desde 2011, de acordo com relatórios institucionais. Além disso, o caráter do conflito está se transformando por causa dos avanços tecnológicos, das novas estratégias e do contexto geopolítico global em evolução — fatores que desafiam as concepções de guerra estabelecidas até então. Mais atores empregarão uma gama mais ampla de ferramentas militares e não militares, obscurecendo a linha divisória entre guerra e paz e afetando antigas estratégias de intensificação e dissuasão de conflitos.

Em lugar de derrotar as forças inimigas no campo de batalha através dos meios militares tradicionais, os conflitos futuros buscarão cada vez mais destruir

---

11 Veja nota 3

ou afetar a infraestrutura crítica e abalar a coesão social e as funções básicas do governo, a fim de garantir vantagens psicológicas e geopolíticas. Os não combatentes se tornarão cada vez mais alvo, muitas vezes, para lançar grupos étnicos, religiosos e políticos uns contra os outros de modo a interromper a cooperação social e a convivência dentro dos próprios Estados. Tais estratégias sugerem uma tendência para conflitos cada vez mais dispendiosos, mas menos decisivos.

Grupos disruptivos. Grupos não estatais e subestatais[12] — que incluem terroristas, insurgentes, ativistas e grupos criminosos — estão tendo acesso a um conjunto mais amplo de meios letais e não letais para promover seus interesses. Grupos como Hezbollah[13] e ISIL tiveram acesso a armamentos sofisticados durante a última década. Mísseis antitanque, mísseis antitanque manuais, mísseis terra-a-ar, aviões não tripulados e outras armas guiadas com precisão provavelmente serão mais comuns. Grupos ativistas como *Anonymous* provavelmente usarão ataques cibernéticos cada vez mais disruptivos. Esses grupos têm relativamente poucas razões para se restringir. Uma vez que a resposta a tais ataques é mais difícil, os Estados têm de enfrentar a ameaça atacando esses atores de forma mais agressiva, o que às vezes tem o efeito de alimentar as causas ideológicas desses grupos.

Guerra a distância. Entrementes, tanto os Estados como os atores não estatais continuarão a desenvolver uma maior capacidade de ataques remotos. O desenvolvimento crescente de ataques cibernéticos, armas guiadas com precisão, sistemas robotizados e armas não tripuladas reduz o limiar de início de conflitos, uma vez que os atacantes arriscam menos vidas nas suas tentativas de superar as defesas. A proliferação dessas capacidades deslocará a guerra

---

12 Organizações subestatais são as entidades políticas e/ou administrativas cujo âmbito de governança é inferior ao do Estado. As organizações regionais e municipais são exemplos típicos.

13 Considerado um movimento de resistência legitimado por grande parte do mundo islâmico e árabe, o Hezbollah é uma organização política e paramilitar fundamentalista islâmica de orientação xiita sediada no Líbano. Trata-se de uma força significativa na política libanesa, responsável por diversos serviços sociais, além de operar escolas, hospitais e serviços de agricultura para milhares de xiitas libaneses na divisa com a Síria.

baseada em confrontos diretos de exércitos oponentes, tornando a natureza das operações bélicas mais voltada para operações paralelas e remotas, especialmente nas fases iniciais do conflito.

- Uma crise futura em que os militares inimigos possuam armas convencionais de longo alcance, orientadas com precisão, tende a levar rapidamente à deflagração de conflito, pois ambos os lados teriam incentivo para atacar antes de serem atacados.

- Além disso, a infraestrutura de comando, controle e segmentação, incluindo satélites que fornecem informações de navegação e segmentação, provavelmente se tornará alvo das forças que visam abalar as capacidades de ataque de um inimigo. A Rússia e a China, por exemplo, continuam buscando produzir sistemas de armas capazes de destruir satélites em órbita, o que colocará em risco os satélites dos EUA e de outros países.

Novas preocupações com armas de destruição em massa. A ameaça representada pelas armas nucleares e outros tipos de armas de destruição em massa (WMD, conforme sigla em inglês) provavelmente aumentará nos próximos anos devido aos avanços tecnológicos e à crescente assimetria entre as forças antagônicas. Os atuais Estados nucleares quase certamente continuarão a manter, se não as modernizar, suas forças nucleares até 2035. As provocações nucleares da Coreia do Norte e a incerteza sobre as intenções do Irã podem levar outros países a buscar desenvolver capacidades nucleares. A proliferação de tecnologias avançadas, especialmente as biotecnologias, também tornará mais fácil para os novos atores adquirirem armas de destruição em massa. O colapso interno dos Estados fracos também pode abrir um caminho para o uso de WMDs por terroristas, obtidas a partir da apreensão ilegal de armas em Estados em crise, ou em colapso, incapazes de manter o controle de seus arsenais ou conhecimento científico e técnico.

> ## O ESPAÇO
>
> Antes dominado apenas pelas grandes potências, o espaço torna-se cada vez mais democrático. À medida que os orçamentos para as agências espaciais nacionais atingem seu patamar, a indústria privada irá preencher o vazio e buscar implementar programas objetivos, como o turismo espacial, a mineração de asteroides e a construção de habitats espaciais infláveis. A plena realização de seu potencial comercial, no entanto, está, provavelmente, a décadas de distância. Um aumento na atividade espacial também traz riscos, e uma ação internacional pode ser necessária para identificar e resolver os problemas mais sérios que se colocam à expansão da presença internacional no espaço. O imenso valor estratégico e comercial oferecido pelos ativos espaciais faz com que o espaço se torne cada vez mais uma arena na qual os países irão buscar acesso, uso e controle. A implantação de tecnologias antissatélites, projetadas para desativar ou destruir intencionalmente esses aparatos, traz o potencial de intensificar as tensões globais. Uma questão-chave será se os países que exploram espaço — em particular a China, a Rússia e os Estados Unidos — irão respeitar algum código de conduta para orientar as atividades espaciais.

Conflitos da "Zona Cinzenta". A linha obscura que delimita o "tempo de paz" e o "tempo de guerra" dificultará o uso das estratégias tradicionais de dissuasão e deflagração para orientar as ações nos conflitos. A diplomacia do braço forte, a manipulação da mídia, as operações secretas, a subversão política e a coerção econômica são táticas de pressão de longa data, mas a facilidade e a eficácia do uso de ataques cibernéticos, campanhas de desinformação e guerra por procuração[14] estão aumentando as tensões e a incerteza. A capacidade de se evitar uma guerra em grande escala levará a uma competição econômica, política e por segurança mais persistente na "zona cinzenta" que se delimitará entre o tempo de paz e o tempo de guerra.

---

14 Conflito armado no qual dois países se utilizam de terceiros — os *proxies* — como intermediários ou substitutos, de forma a não lutarem diretamente entre si.

A MUDANÇA CLIMÁTICA SE INTENSIFICA AMEAÇADORAMENTE

A mudança climática, o aumento da pressão sobre os recursos ambientais e naturais e o aprofundamento da relação entre saúde humana e animal trazem complexos riscos sistêmicos que irão colocar em xeque as abordagens existentes. A vontade de indivíduos, grupos e governos de manter compromissos ambientais recentemente assumidos, de abraçar tecnologias de energia limpa e de planejar para eventos ambientais e ecológicos extremos e imprevistos testará o potencial de cooperação com relação aos desafios globais futuros.

Mudança climática. As mudanças no clima produzirão eventos climáticos extremos e aumentarão a pressão sobre os seres humanos e os sistemas críticos, inclusive sobre os oceanos, a água doce e a biodiversidade. Essas mudanças, por sua vez, afetarão direta ou indiretamente a sociedade, a economia, a política e a segurança. O clima extremo pode prejudicar as colheitas, provocar incêndios florestais, levar a apagões de energia, à destruição de infraestrutura, interrupção da cadeia de suprimentos, provocar migração e surtos de doenças infecciosas. Tais eventos terão efeitos mais pronunciados em locais vulneráveis ao clima e de grande concentração humana, como cidades, áreas costeiras e regiões com exaustão de recursos hídricos. Ainda é difícil atribuir os eventos climáticos extremos específicos às mudanças climáticas, mas os padrões incomuns de cataclismos provocados por eventos de clima intensos e recorrentes que, de acordo com o Painel Intergovernamental Sobre Mudanças Climáticas (IPCC), provavelmente, se tornarão mais comuns.

Alteração média estimada da temperatura de superfície

As curvas em negrito representam as médias das temperaturas de superfície globais determinadas a partir de modelagem de computador, mas a trajetória real terá muitos picos (superior à média) e depressões (inferior à média). Os picos são qualitativamente importantes porque representam imagens das condições climáticas médias futuras.

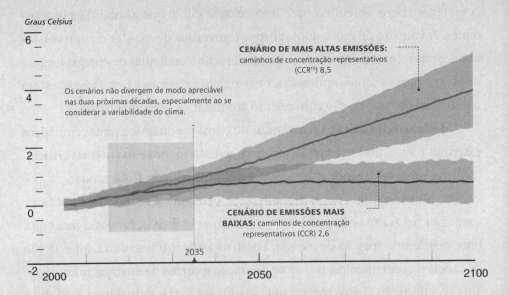

Fonte: Painel Intergovernamental Sobre Mudanças Climáticas, Quinto Relatório de Avaliação, setembro de 2013

As emissões passadas de gases de efeito estufa já determinaram um aumento significativo nas temperaturas médias globais nos próximos vinte anos, independentemente das políticas de redução de emissão que ora estejam sendo implementadas. A maioria dos cientistas espera que as mudanças climáticas exacerbem as condições atuais, tornando, por exemplo, os lugares quentes e secos mais quentes e mais secos.

- No longo prazo, as tensões resultantes da mudança climática global transformarão o modo e os locais onde as pessoas vivem e trarão,

---

15 Sigla em inglês para "Resíduos de Combustão de Carvão".

igualmente, doenças a serem enfrentadas pela população mundial. Tais tensões incluem elevação do nível do mar, acidificação do oceano, derretimento glacial e do pergelissolo[16], degradação da qualidade do ar, mudanças na cobertura das nuvens e mudanças permanentes na temperatura e no regime de chuvas.

- Os modelos climáticos atuais projetam aumentos de longo prazo nas temperaturas médias globais de superfície, mas os cientistas alertam que, devido à complexidade do sistema, e considerando-se a história climática, mudanças mais súbitas e dramáticas podem vir a ocorrer. Tais mudanças no clima ou em ecossistemas que serão afetados pelas alterações climáticas podem trazer graves consequências econômicas e ecológicas.

A mudança climática — observada ou prevista — se tornará parte integrante da forma como as pessoas veem seu mundo. Pressões ecológicas e ambientais atravessarão as fronteiras das nações, dificultando a capacidade das comunidades e dos governos de gerenciar seus efeitos. A urgência na elaboração de políticas para enfrentar a situação irá variar de lugar para lugar devido às diferenças de intensidade e de localização dessa mudança. Em todo o mundo, espera-se que aumente a pressão popular para que essas preocupações sejam abordadas, já que os cidadãos do mundo em desenvolvimento cada vez mais adquirem consciência e voz política.

---

16 Tipo de solo encontrado na região do Ártico. É constituído por terra, gelo e rochas permanentemente congelados

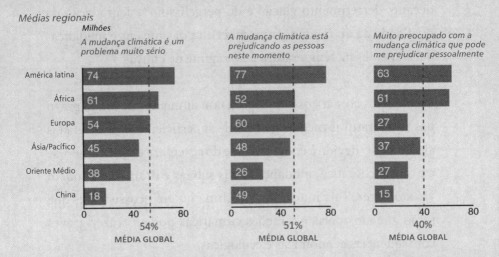

A América Latina e a África estão mais preocupadas com a mudança climática em comparação com outras regiões

Observação: Nos Estados Unidos, 45% consideram que "as mudanças climáticas são um problema muito sério", 41% que "as mudanças climáticas estão prejudicando as pessoas agora" e 30% disseram estar "muito preocupados com o fato de que as mudanças climáticas possam me prejudicar pessoalmente".

Fonte: Pew Research Center. Pesquisa sobre atitudes globais da Primavera de 2015. Q32, Q41 e Q42.

- A experiência da China é exemplo de conscientização do mundo em desenvolvimento de hoje, uma vez que os novos membros da classe média estão expressando maior preocupação com a poluição, a qualidade da água e as necessidades básicas de habitação. Uma pesquisa do *Pew Research Center* de 2016 demonstrou que metade dos chineses entrevistados estava disposta a trocar o crescimento econômico por ar mais limpo.

As mudanças climáticas e os desastres naturais a elas relacionados, as decisões políticas e novas tecnologias para mitigar os problemas decorrentes dessa realidade também criarão novos vencedores e perdedores nos campos de investimentos e da indústria. Um grande consultor financeiro prevê que os mercados de ações dos países desenvolvidos terão declínios contínuos na maioria dos setores nos próximos trinta e cinco anos devido a preocupações com as mudanças climáticas. Ao mesmo tempo, a maioria dos setores nos mercados de ações dos países em desenvolvimento terá ganhos de investimento. Os setores de agricultura, infraestrutura e imobiliário dos países ricos também devem melhorar até 2050. Os custos financeiros decorrentes de secas, tempestades, inundações e incêndios florestais têm aumentado de forma modesta, mas consistente, desde pelo menos a década de 1970, de acordo com pesquisas de agências de desenvolvimento e ajuda humanitária em todo o mundo — e devem aumentar com ocorrências mais frequentes e graves nas próximas décadas.

As mudanças climáticas também produzirão tanto competição geopolítica como cooperação internacional. A China, que ruma em direção da liderança global com relação às questões concernentes às mudanças climáticas, provavelmente manterá seus compromissos pertinentes à agenda de Paris[17], mas poderia diminuir seu apoio às soluções baseadas em mecanismos de monitoramento e conquistar o suporte do conjunto de emissores mundiais formado pelos países em desenvolvimento, como a Índia. As tensões sobre a gestão das alterações climáticas poderiam diminuir significativamente, se alguns países buscarem desenvolver e implantar tecnologias de geoengenharia em um esforço para enfrentar condições climáticas de grande escala. As primeiras pesquisas neste sentido são, em grande parte, modelos elaborados com o auxílio de computadores para explorar técnicas que permitam alterar a temperatura e os padrões de precipitação atmosférica, como lançar aerossóis na estratosfera, clarear quimicamente nuvens marinhas[18] e instalar espelhos espaciais na órbita do planeta. Outras abordagens baseiam-se na remoção de

---

17 Refere-se ao Acordo de Paris, tratado no âmbito da Convenção-Quadro das Nações Unidas sobre a Mudança do Clima, aprovado em dezembro de 2015, que rege medidas de redução de emissão dióxido de carbono a partir de 2020.

18 O clareamento de nuvem marinha é uma técnica proposta pela engenharia de clima para gerenciar a radiação solar ao tornar as nuvens mais brilhantes, refletindo uma pequena fração da luz solar vinda do espaço para compensar o aquecimento global antropogênico. Trata-se, assim como o lançamento de aerossóis estratosféricos, de um dos métodos de gerenciamento de radiação solar que podem gerar um impacto climático substancial.

dióxido de carbono da atmosfera. Devido à falta de normas ou regulamentos internacionais para tais atividades, qualquer esforço para testar ou implementar técnicas de geoengenharia em grande escala aumentaria as tensões sobre os riscos e consequências não intencionais.

Imaginando uma surpresa
Manchete de jornal de 2033
A geoengenharia do clima de Bangladesh provoca protestos
4 de abril de 2033, Dhaka

Bangladesh tornou-se o primeiro país a tentar retardar as mudanças climáticas ao liberar uma tonelada métrica de aerossol de sulfato[19] na atmosfera superior a partir de um avião Boeing 797 modificado no primeiro dos seis voos planejados para reduzir os efeitos de aquecimento provocados pela radiação solar. O movimento sem precedentes provocou advertências diplomáticas de vinte e cinco países e violentos protestos públicos em várias embaixadas de Bangladesh, mas funcionários do governo, em Dhaka, alegaram que sua ação era "crítica para a autodefesa", após uma série de furacões devastadores, mesmo levando em consideração as advertências dos cientistas sobre as graves consequências não intencionais, como a intensa chuva ácida e o esgotamento da camada de ozônio.

Meio ambiente e recursos naturais. Quase todos os sistemas da Terra estão passando por tensões, tanto naturais como induzidas pelo Homem, que superam os esforços nacionais e internacionais para proteger o meio ambiental. As instituições que supervisionam setores únicos irão cada vez mais dirigir suas energias para abordar as complexas interdependências entre a água, a produção de alimentos e de energia, a terra, a saúde, a infraestrutura e a mão de obra.

- Se novas políticas de gerenciamento de qualidade do ar não forem implementadas, por volta de 2035, em todo o mundo, a poluição

---

19 O termo aerossol de sulfato refere-se a uma suspensão de partículas sólidas finas de um sulfato ou de pequenas gotículas de uma solução de um sulfato ou de ácido sulfúrico (o que não é tecnicamente um sulfato). São produzidos através de reações químicas que ocorrem na atmosfera a partir de precursores gasosos (com exceção de sulfato de sal marinho e partículas de poeira de gesso).

atmosférica deverá ser a principal causa de mortes relacionadas ao meio ambiente. Mais de 80% dos residentes urbanos já estão expostos à poluição do ar acima dos limites seguros, de acordo com a Organização Mundial da Saúde.

- De acordo com a ONU, metade da população mundial enfrentará escassez de água até 2035. As crescentes demandas colocadas pelo crescimento populacional, o maior consumo e a produção agrícola ultrapassarão a capacidade de abastecimento de água, prejudicando especialmente algumas regiões afetadas pelo esgotamento das águas subterrâneas e pelas mudanças nos padrões de precipitação. Mais de trinta países — quase metade deles do Oriente Médio — sofrerão um estresse hídrico extremamente elevado até 2035, precipitando tensões econômicas, sociais e políticas.

O derretimento do gelo no Ártico e na Antártica acelerará o aumento do nível do mar ao longo do tempo. O Ártico se tornará cada vez mais navegável, reduzindo a distância das rotas comerciais e abrindo acesso aos recursos naturais da região nas décadas seguintes. O derretimento das geleiras no planalto tibetano — a fonte de quase todos os principais rios da Ásia — também terá consequências de longo alcance.

Mais de um terço do **solo** do planeta, que produz 95% do suprimento de alimentos do mundo todo, está degradado atualmente, e a fração provavelmente aumentará à medida que a população mundial crescer. A degradação do solo — a perda de produtividade do solo devido a mudanças causadas pelo Homem — já está ocorrendo em uma proporção quarenta vezes maior do que a capacidade de formação de solo novo.

O COMPARTILHAMENTO DE ÁGUA SERÁ MAIS CONTENCIOSO

Um número crescente de países experimentará problemas relacionados à água — do crescimento da população, da urbanização, do desenvolvimento econômico, das mudanças climáticas à falta de gerenciamento do patrimônio aquífero —, e as tensões sobre os recursos hídricos compartilhados aumentarão. Historicamente, as disputas sobre a água entre os Estados levaram a mais acordos de compartilhamento do que a conflitos violentos, mas esse padrão será difícil de manter. A construção de barragens, a poluição industrial da água, a negligência ou a não aceitação das disposições existentes nos tratados agravarão as tensões sobre o uso da água, embora o estresse político e cultural possa desempenhar um papel ainda mais influente.

Quase metade das 263 bacias hidrográficas internacionais ao redor mundo carecem de acordo de gestão cooperativa. No caso dos mais de 600 sistemas de aquíferos transfronteiriços, o número é ainda menor. Além disso, muitos acordos existentes não são adaptáveis para abordar as questões que estão surgindo, como as mudanças climáticas, a perda da biodiversidade e da qualidade da água. As disputas contínuas nas principais bacias hidrográficas, como Mekong, Nilo, Amu Darya, Jordânia, Indo e Brahmaputra, ilustram como as estruturas de governança da água se comportam em uma era de recursos cada vez mais escassos.

- A diversidade na biosfera continuará a diminuir, apesar dos contínuos esforços nacionais e internacionais. As mudanças climáticas intensificarão cada vez mais a perda e a degradação do *habitat*, a sobre-exploração, a poluição e proliferação de espécies exóticas invasoras, afetando adversamente as florestas, as zonas pesqueiras e as áreas úmidas. Muitos ecossistemas marinhos, em particular os recifes de corais, enfrentarão riscos críticos resultantes do aquecimento e da acidificação dos oceanos.

Saúde. As saúdes humana e animal estarão cada vez mais interligadas. O aumento da conectividade global e a mudança das condições ambientais afetarão a distribuição geográfica de agentes patogênicos e de seus hospedeiros, levando, por sua vez, ao surgimento, transmissão e disseminação de diversas doenças infecciosas de origem humana e animal. As deficiências no controle de doenças dos sistemas de saúde nacionais e globais que não forem sanadas tornarão os casos de doenças infecciosas mais difíceis de serem detectados e gerenciados, aumentando o potencial de transmissão de epidemias para além de seus pontos de origem.

- As doenças não transmissíveis, no entanto, como doenças cardíacas, acidentes vasculares cerebrais, diabetes e doenças mentais, superarão em número de casos as doenças infecciosas nas próximas décadas, devido a fatores demográficos e culturais, como o envelhecimento, a má nutrição e saneamento, a urbanização e a crescente desigualdade.

TENDÊNCIAS CONVERGENTES TRANSFORMARÃO O PODER E A POLÍTICA

Juntas, essas tendências globais dificultarão a governança, alterando o que ora significa exercer poder. O número e a complexidade de questões que estão além do alcance de qualquer indivíduo, comunidade ou Estado é crescente — e a um ritmo aparentemente mais rápido do que décadas atrás. As questões antes consideradas de longo prazo, irão, com maior frequência, impor efeitos a curto prazo. Por exemplo, as interdependências complexas, como as mudanças climáticas e a aplicação nefasta ou negligente de biotecnologias, têm o potencial de degradar e destruir a vida humana. As cibertecnologias e as tecnologias de informação — sistemas complexos dos quais os seres humanos ficarão cada vez mais dependentes — continuarão a criar novas formas de se fazer comércio, política e conflito, com implicações que não serão imediatamente compreendidas.

As tendências econômicas, tecnológicas e de segurança estão aumentando a possibilidade de um maior número de Estados exercer influência geopolítica, encerrando o período unipolar pós-Guerra Fria. O progresso econômico do século passado ampliou o número de Estados — Brasil, China, Índia, Indonésia, Irã, México e Turquia — com reivindicações materiais à condição de potências grandes ou médias. Isso abre a porta para mais atores — e seus interesses e valores — procurarem moldar a ordem internacional. Mesmo com profundas incertezas quanto ao futuro do crescimento econômico global, os principais analistas concordam que as economias de mercados emergentes, como a China e a Índia, contribuirão com uma parcela muito maior do PIB global do que atualmente, mudando o foco da atividade econômica mundial em direção ao Oriente.

A tecnologia e a riqueza estão empoderando indivíduos e pequenos grupos, permitindo-os agir na área de influência que historicamente era monopólio dos Estados, alterando fundamentalmente os padrões de governança e de conflito estabelecidos. Da mesma maneira que as mudanças na riqueza material influenciam o equilíbrio internacional de poder, as classes médias capacitadas, porém empobrecidas, dos países ricos irão pressionar fortemente as relações estabelecidas entre sociedade e Estado, especificamente sobre os papéis, responsabilidades e relacionamentos que governos e cidadãos, elites e as massas esperam umas das outras. A redução da pobreza, especialmente na Ásia, expandiu o número de indivíduos e grupos que não se concentram apenas na subsistência, mas que exercem o poder de consumo, poupança e que ganham cada vez mais voz política — agora ampliada pela Internet e pelas comunicações modernas.

- A revolução das tecnologias de informação e de comunicação concedeu a indivíduos e pequenos grupos a capacidade de exercer influência mundial — tornando suas ações, interesses e valores mais dominantes do que nunca.

- Organizações sem fins lucrativos, corporações multinacionais, grupos religiosos e uma variedade de outras organizações agora têm tal capacidade de acumular riqueza, influência e grupos de apoiadores que podem abordar questões relacionadas ao bem-estar e à segurança de maneiras mais eficazes do que as autoridades políticas ora o fazem.

- Da mesma forma, o aumento da acessibilidade das tecnologias armamentárias, combinado com recrutamento e comunicação eficientes, permitiu que grupos não estatais afetassem as ordens regionais.

O ambiente de informação está dividindo o público e as incontáveis realidades percebidas — prejudicando o entendimento de eventos mundiais que, no passado, facilitaram a cooperação internacional. Esse ambiente de informação também está levando alguns a questionar ideais democráticas, como a liberdade de expressão e o "mercado de ideias". Isto combinado a uma crescente desconfiança das instituições formais e à proliferação, polarização e comercialização de meios de comunicação tradicionais e sociais, leva alguns acadêmicos e observadores políticos a descrever a era atual como a de uma política de "pós-verdade" ou "pós-factual". As tentativas nefastas de manipular os públicos são relativamente fáceis em tais contextos, como demonstram os recentes esforços russos em relação à Ucrânia e às eleições presidenciais dos EUA, inclusive a manipulação das alegadas divulgações de Wikileaks.

- Estudos revelam que a informação contrária à opinião ou compreensão prévia de um indivíduo não vai mudar ou alterar seus pontos de vista, mas reforçará a crença de que a informação provém de uma fonte tendenciosa ou hostil, polarizando ainda mais os grupos.

- Com relação a questões importantes, as pessoas muitas vezes se voltam para líderes ou outros que pensam como eles e neles confiam para interpretar a "verdade". De acordo com uma pesquisa realizada pela Edelman Trust Barometer, uma grande diferença de confiança está se ampliando entre os consumidores de notícias que possuem educação e a massa da população. A pesquisa internacional revela que os entrevistados confiam cada vez mais em uma "pessoa como você", considerando-a mais transparente do que um presidente de empresa ou um funcionário do governo.

- Um estudo feito pelo *Pew Research Center* de 2014 mostrou que, entre os entrevistados nos EUA, o mais elevado índice de confiança tido por uma agência de notícias qualquer era de apenas 54%. Alternativamente, os indivíduos estão gravitando para as mídias sociais para obter notícias e informações sobre eventos mundiais e locais.

O poder de indivíduos e de grupos para impedir resultados será muito mais fácil de ser exercido do que o poder construtivo de forjar novas políticas e alinhamentos ou implementar soluções para desafios comuns, especialmente quando a credibilidade da autoridade e da informação estiver em questão.

- Para os governos democráticos, isso significa maior dificuldade em estabelecer e comunicar questões de interesse comum, complicando, igualmente, a implementação de políticas.

- Com relação aos partidos políticos, deverá ocorrer um enfraquecimento ainda maior do seu papel tradicional na agregação e representação de interesses frente ao Estado. Nos Estados Unidos, desde o início da década de 1970, muito antes da Internet, portanto, grupos de interesse têm aumentado em número devido à adesão aos partidos políticos, mas a tecnologia da informação e as redes sociais reforçaram ainda mais essa tendência.

- Os líderes e os regimes autoritários, tendem a aumentar o impulso de coagir e manipular a informação, bem como seus meios de produção e tecnologias relacionadas.

A TRANSFORMAÇÃO DA NATUREZA DO PODER

À medida que as tendências globais convergem de modo a dificultar a governança e a cooperação, elas transformam o contexto estratégico tornando as formas tradicionais e materiais de poder menos suficientes para determinar e garantir os resultados desejados. O poder material – tipicamente medido através do produto interno bruto, gastos militares, tamanho da população e nível de tecnologia – sempre foi, e continuará a ser, o principal recurso do Estado. Com tal poder, os Estados potentes podem definir objetivos e obter cooperação – como ocorreu com os recentes acordos climáticos de Paris – e até mesmo impor os resultados desejados, como atesta a anexação da Crimeia pela Rússia. Contudo, o poder material não explica o impacto que os atores não estatais, como o ISIL, tiveram na formação do ambiente de segurança, nem as restrições que as principais potências enfrentaram para combater tais desenvolvimentos. Também pouco faz no sentido de coagir aqueles que escolheram o caminho do enfrentamento.

Será mais difícil garantir e manter resultados, seja no combate ao extremismo violento, ou no gerenciamento de condições climáticas extremas, por causa da proliferação de atores que podem vetar ou impedir a capacidade de agir. Um número crescente de atores estatais e não estatais está implantando formas novas ou não tradicionais de poder, como a virtual e as redes. Tais atores poderão até mesmo manipular o meio ambiente para influenciar eventos e criar dificuldades, colocando restrições à capacidade dos Estados "materialmente poderosos" de atingir os resultados almejados a custos razoáveis.

Os Estados e as grandes organizações ora enfrentam a maior possibilidade de os contestadores – sejam ativistas, cidadãos, investidores ou consumidores – deixarem de cumprir normas, diretrizes e leis, ou venham a protestar, por vezes de forma violenta. Além disso, a expansão da conectividade global através da informação e de redes já está permitindo que atores menos poderosos, mas bem conectados, tenham um impacto extraordinário.

Os atores mais poderosos do futuro serão os Estados, grupos e indivíduos que puderem aproveitar capacidades, relacionamentos e informações materiais de modo mais rápido, integrado e com maior poder de adaptação do que as gerações passadas. Tais agentes usarão recursos materiais para influenciar e, em alguns casos, garantir ou evitar resultados. No entanto, eles terão "poder de determinar o resultado" ao mobilizar grupos de apoio em larga escala, usando informações para persuadir ou manipular sociedades e Estados em favor de suas causas. A capacidade de criar narrativas e ideologias evocativas, gerar atenção e cultivar a confiança e a credibilidade dependerão de interesses e valores justapostos, mas não idênticos. As entidades mais poderosas poderão induzir os Estados – bem como corporações, movimentos sociais ou religiosos e alguns indivíduos – a criar redes de cooperação em todos os aspectos. Tais entidades apresentarão poder e equilíbrio em termos materiais, relacionais e de informação. Para se manter os resultados será necessária uma tendência constante a desenvolver e conservar relacionamentos.

CAPÍTULO 3

O FUTURO PRÓXIMO:
AS TENSÕES ESTÃO AUMENTANDO

Tais tendências globais, que desafiam a governança e transformam a natureza do poder, irão produzir consequências decisivas nos próximos cinco anos. Irão expandir as tensões em todas as regiões e em todos os tipos de governos, tanto internamente, nos Estados, como internacionalmente. Essas condições de curto prazo contribuirão para propagar a crescente ameaça do terrorismo e, no futuro, irão abalar o equilíbrio da ordem internacional.

As tensões internas estão aumentando em diversos países porque os cidadãos levantam questões básicas sobre o que esperaram de seus governos em um mundo que está em constante mudança. O público está pressionando os governos para que garantam paz e prosperidade de forma mais ampla e confiável em âmbito doméstico, em um mundo em que o que ocorre no exterior determina cada vez mais essas condições.

Essas dinâmicas estão, por sua vez, aumentando as tensões entre os países — intensificando o risco de conflito internacional nos próximos cinco anos. Uma Europa titubeante, a incerteza sobre o papel dos Estados Unidos no mundo, o desgaste das normas estabelecidas para a prevenção de conflitos e os direitos humanos criam aberturas para a China e a Rússia. Tal conjuntura também irá estimular agressores regionais e não estatais, renovando rivalidades regionais, como as que ocorrem entre Riyadh e Teerã, Islamabad e Nova Deli, e entre as Coreias. Os problemas de governança também provocarão a percepção de ameaça e de insegurança em países como o Paquistão e a Coreia do Norte.

- A interdependência econômica entre as principais potências continua sendo uma garantia contra o comportamento agressivo, mas pode ser insuficiente para evitar um conflito futuro. Os poderes principais e médios procurarão maneiras de reduzir os tipos de interdependência que os torna vulneráveis à coerção econômica e às sanções financeiras, obtendo potencialmente mais liberdade de ação para perseguir seus interesses de modo mais agressivo.

Ao mesmo tempo, a ameaça do terrorismo provavelmente aumentará à medida que a capacidade de provocar destruição dos Estados, grupos e indivíduos se diversifica. O efeito líquido das tensões crescentes tanto domésticas como internacionais, bem como e a crescente ameaça do terrorismo, será uma maior desordem global, o que, por sua vez, irá levantar questões consideráveis sobre as regras, as instituições e a distribuição do poder no sistema internacional.

Europa. As tensões e dúvidas da Europa em relação à sua coesão futura decorrem de instituições incompatíveis com os desafios econômicos e de segurança que se impõem à União Europeia. As instituições da UE estabelecem a política monetária para os países da zona do euro, mas as capitais dos Estados retêm as responsabilidades fiscais e de segurança — endividando os membros mais pobres, minando as perspectivas de crescimento e levando cada Estado a determinar sua própria abordagem de segurança. A frustração pública com a imigração, com o crescimento lento e com o desemprego alimentará o nativismo e a preferência por soluções nacionais para problemas continentais.

- **Perspectiva**: a Europa é suscetível a enfrentar choques adicionais — os bancos continuam a ser capitalizados e regulamentados de forma desigual, a migração e a imigração continuarão, e o Brexit incentivará movimentos regionais e separatistas em outros países europeus. O envelhecimento da população da Europa prejudicará a produção econômica, aumentará o consumo de serviços — como os cuidados com a saúde —, diminuindo o consumo de bens e o investimento. A escassez de trabalhadores mais jovens reduzirá as receitas fiscais, alimentando os debates sobre a imigração para reforçar a força de trabalho. O futuro da UE dependerá da sua capacidade de reformar as suas instituições, criar emprego e gerar crescimento, restaurar a confiança nas elites e abordar os temores do público com relação à alteração radical das culturas nacionais provocada pela imigração.

Estados Unidos. Os próximos cinco anos irão testar a resiliência dos EUA. Como na Europa, as dificuldades econômicas trouxeram divisões sociais e de classe. Os salários estagnados e a crescente desigualdade de renda alimentam dúvidas sobre a integração econômica global e o "sonho americano" da mobilidade ascendente. A proporção de homens estadunidenses com idade entre vinte e cinco e cinquenta e quatro anos que não procuram trabalho está no nível mais alto desde a Grande Depressão. Contudo, os rendimentos médios aumentaram 5% em 2015, e, de acordo com observadores, há sinais de renovação em algumas comunidades onde a aquisição de imóveis é acessível, os retornos do investimento estrangeiro e doméstico são altos, onde o uso do talento dos imigrantes é a norma e as expectativas de assistência federal são baixas.

- Perspectiva: apesar dos sinais de melhoria econômica, os desafios serão significativos, com a queda de confiança por parte do público nos líderes e instituições, com a política altamente polarizada e a receita do governo limitada por um crescimento modesto e aumento com os gastos em titularidades. Além disso, os avanços na robótica e na inteligência artificial provavelmente terão efeito negativo no mercado de trabalho. Ao mesmo tempo, em todo o mundo, há grande incerteza com relação ao papel de Washington como líder global. Os Estados Unidos já se recuperaram de crises, porém, como ocorreu, por exemplo, quando ao período problemático da década de 1970 seguiu-se uma potente recuperação econômica e o país fortaleceu seu papel mundial. A inovação em âmbito local e de Estado, os mercados financeiros flexíveis, a tolerância com a tomada de riscos e um perfil demográfico mais equilibrado do que a maioria dos grandes países oferecem potencial para crescimento. Finalmente, os Estados Unidos distinguem-se por terem sido fundados sobre um ideal inclusivo — a busca da vida, da liberdade e da felicidade para todos, por mais imperfeita que seja, em vez da valorização de uma raça ou etnia. Este legado continua a ser uma vantagem crítica para gerenciar as divisões.

América Central e do Sul. Embora a debilidade dos Estados e o tráfico de drogas continuem a minar a América Central, a América do Sul tem sido mais estável que a maioria das regiões do mundo e teve muitos avanços na democracia — inclusive a recuperação das ondas populistas tanto da direita como da esquerda. No entanto, os esforços dos governos para proporcionar maior estabilidade econômica e social estão enfrentando restrições orçamentárias e sendo afetados pelo endividamento. A diminuição da demanda internacional por *commodities* diminuiu o crescimento da região. As expectativas dos novos membros da classe média exercerão pressão sobre os cofres públicos, estimularão o descontentamento com a política e os políticos e irão, possivelmente, comprometer o progresso significativo obtido recentemente pela região contra a pobreza e a desigualdade. É provável que organizações ativistas da sociedade civil alimentem tensões sociais, devido ao aumento da conscientização sobre a corrupção da elite, a inadequação da infraestrutura e a má gestão. Alguns líderes em declínio, que estão enfrentando a possível rejeição dos seus públicos, buscam proteger seu poder, o que, em alguns países, pode levar a um período de intensa concorrência política e retrocesso democrático. A violência é particularmente desenfreada no norte da América Central, pois as gangues e os grupos criminosos organizados afetarão a governança básica dos regimes que não possuem grande capacidade de fornecer bens e serviços públicos básicos.

- *Perspectivas*: a América Central e do Sul provavelmente terão mudanças mais frequentes nos governos que estão gerenciando mal a economia e que estão minados por corrupção generalizada. As administrações de esquerda já perderam seu apelo em países como Argentina, Guatemala e Peru, e na Venezuela o governo está na defensiva, embora os novos líderes não irão ter muito tempo para demostrar que podem melhorar as condições. O sucesso ou o fracasso das reformas no México podem afetar outros países da região levando-os ou não a assumir riscos políticos seme-lhantes. O processo de adesão à Organização para Cooperação e Desenvolvimento Econômico[20] pode ser uma oportunidade e um incentivo a alguns países no sentido de melhorar as políticas eco-nômicas em uma região com dados demográficos bastante equili-brados, recursos energéticos significativos e vínculos econômicos bem estabelecidos com a Ásia, a Europa e os Estados Unidos.

Um Ocidente Mais Ensimesmado? Os líderes das democracias industriais da América do Norte, Europa, Japão, Coreia do Sul e Austrália buscarão ma-neiras de restaurar a sensação de bem-estar da classe média e tentarão mode-rar os impulsos populistas e xenofóbicos. Isso pode resultar em um Ocidente mais voltado para si mesmo, ao contrário do que era há décadas. Tal tendência levará esses atores a evitar empreendimentos onerosos no exterior, ao mesmo tempo em que enfrentarão problemas domésticos que os farão abordar limites fiscais, perturbações demográficas e concentrações de riqueza. Essa orientação ensimesmada será muito mais pronunciada na União Europeia, que está mais absorvida por questões de governança da união e desafios domésticos do que outras regiões.

---

20 Organização internacional composta por trinta e cinco países, a maior parte dos quais detentores de elevado PIB *per capita* e alto Índice de Desenvolvimento Humano, que procura fornecer uma plataforma para comparar políticas económicas, solucionar problemas comuns e coordenar políticas domésticas e internacionais.

- As divisões internas da União Europeia, problemas demográficos e o desempenho econômico moribundo ameaçam sua condição de protagonista global. Pelo menos nos próximos cinco anos, a necessidade de reestruturar as relações europeias a partir da decisão do Reino Unido de deixar a UE prejudicará a influência internacional da região e poderá enfraquecer a cooperação transatlântica, enquanto os sentimentos contrários à imigração comuns entre as populações da região irão deteriorar o apoio nos países da união aos líderes políticos europeus.

- Surgirão questões sobre até que ponto os Estados Unidos podem bancar seu papel de líder mundial e sobre aquilo que sua população irá apoiar com relação a favorecer os aliados, gerir conflitos e superar suas próprias divisões. As populações e os governos estrangeiros estarão observando Washington em busca de compromissos e de cooperação, especialmente no que tange o comércio global, a reforma tributária, a preparação da força de trabalho para tecnologias avançadas, as relações raciais e a abertura dos Estados Unidos com relação a experimentar novas alternativas nos âmbitos internacional e local. A falta de crescimento interno poderia levar a uma mudança de padrões que implicaria na redução de gastos, em uma classe média mais fraca e em uma deriva global rumo à desordem e ao empoderamento das esferas regionais de influência. No entanto, os recursos dos Estados Unidos, tanto humanos como de segurança, são imensos. Grande parte dos melhores talentos internacionais procura viver e trabalhar nos Estados Unidos. Além disso, a esperança doméstica e global com relação aos EUA adotarem uma política externa competente e construtiva permanece alta.

> Imaginando uma surpresa
> Manchete de jornal em 2021
> **Protesto de Biscates em Londres e Nova York**
> **17 de setembro de 2021 — Londres**
>
> O Movimento dos Trabalhadores Biscates (MTB), entidade que representa o crescente número de trabalhadores temporários e informais, organizou protestos violentos e ataques cibernéticos impedindo o acesso aos sistemas de grandes empresas de Londres e Nova York para protestar contra o mau salário, a incerteza no trabalho e a falta de benefícios. Os líderes do movimento alertaram que organizariam protestos com ações ainda mais enfáticas, a menos que recebessem maior apoio social na forma de programas básicos de alimentação e habitação. Os ataques cibernéticos foram realizados através de milhões de dispositivos de membros comprometidos conectados à Internet, que neutralizaram os sistemas de informação das empresas visadas.

China. A China enfrenta um teste intimidador — com a estabilidade política em xeque. Após três décadas de crescimento econômico histórico e de mudanças sociais, Pequim, em meio ao crescimento mais lento e aos efeitos de grande endividamento, passa de uma economia impulsionada pelos investimentos e baseada em exportações para um modelo econômico movido pelo consumo interno. Para que o governo mantenha a legitimidade e a ordem política, será essencial satisfazer as demandas de suas novas classes médias, que exigem ar limpo, casas acessíveis, serviços aprimorados e oportunidades continuadas. A consolidação do poder do presidente Xi poderia ameaçar um sistema estabelecido sobre sucessões estáveis, embora o nacionalismo chinês — uma força que Pequim ocasionalmente incentiva em busca de apoio diante das tensões externas — possa ser difícil de controlar.

- Perspectivas: Pequim tem, provavelmente, amplos recursos para sustentar o crescimento; ao mesmo tempo, os esforços para estimular o consumo privado irão se concretizar. No entanto, quanto mais se "apostar" nas empresas estatais, mais haverá o risco de choques financeiros que ponham em dúvida a capacidade do governo de gerenciar a economia. A automação e a concorrência de produtores de outros países da Ásia e até da África que conseguem fabricar com baixo custo afetarão os salários dos trabalhadores chineses não qualificados. O rápido encolhimento da população economicamente ativa será outro grande obstáculo ao crescimento do país.

Rússia. A Rússia aspira restaurar o seu considerável *status* de poder através do nacionalismo, modernização militar, bravatas nucleares e compromissos no exterior. No entanto, em âmbito doméstico, o país enfrenta crescentes restrições, com a economia estagnada caminhando para o terceiro ano consecutivo de recessão. Moscou valoriza estabilidade e ordem, garantindo a segurança dos russos à custa das liberdades pessoais e do pluralismo. Em casa, a capacidade de Moscou manter um papel atuante no cenário global — mesmo através de distúrbios — também se tornou uma fonte de poder e popularidade para o regime. O nacionalismo russo tem grande relevo nesse cenário, com o presidente Putin louvando a cultura russa como o último baluarte dos valores cristãos conservadores contra a decadência da Europa e a maré do multiculturalismo. Putin é popular, mas a aprovação de apenas 35% do partido que detém o poder reflete a impaciência do público quanto à deterioração da qualidade das condições de vida e o abuso de poder.

O dramático crescimento econômico da China produziu grandes hiatos entre ricos e pobres

Capítulo 3: O futuro próximo: as tensões estão aumentando | 89

- *Perspectiva*: se as táticas do Kremlin vacilarem, a Rússia se tornará vulnerável à instabilidade doméstica provocada pelas elites insatisfeitas — mesmo que um declínio em seu *status* leve o país a adotar uma ação internacional mais agressiva. O cenário demográfico da Rússia melhorou um pouco desde a década de 1990, mas permanece sombrio. A expectativa de vida entre os homens é a mais baixa do mundo industrializado, e sua população continuará a diminuir. Quanto mais Moscou demorar para diversificar sua economia, mais o governo irá alimentar o nacionalismo e sacrificar as liberdades pessoais e o pluralismo a fim de manter o controle.

Uma China e Rússia cada vez mais assertivas. Pequim e Moscou procurarão anular as vantagens competitivas temporárias e corrigir aquilo que afirmam ser erros históricos antes de os ventos econômicos e demográficos retardarem ainda mais o seu progresso material e de o Ocidente recuperar seu equilíbrio. Tanto a China quanto a Rússia defendem a posição de que são as legítimas potências dominantes em suas regiões e são capazes de moldar a política e a economia regional de acordo com seus interesses de segurança e materiais. Ambas se esforçaram agressivamente nos últimos anos para exercer maior influência em suas regiões e para contestar os EUA em termos geopolíticos e forçar Washington a aceitar esferas de influência regional excludentes — uma situação que os Estados Unidos historicamente se opuseram. Por exemplo, a China vê a presença contínua da Marinha dos EUA no oeste do Pacífico, a centralização das alianças da região nas mãos de Washington e a proteção norte-americana a Taiwan como desatualizadas, além de representarem a continuidade dos "100 anos de humilhação" da China.

- Contudo, a recente cooperação sino-russa é estratégica e provavelmente retornará ao nível de concorrência se Pequim comprometer os interesses russos na Ásia Central, uma vez que a China tem mais disponibilidade para vender energia barata do que a Rússia. Além disso, não está claro se existe uma fronteira mutuamente aceitável com relação ao que a China e a Rússia consideram suas esferas de influência naturais. Ao mesmo tempo, o crescente poder e perfil econômico da Índia na região complicará ainda mais esse cenário, já que Nova Deli administra as relações com Pequim, Moscou e Washington no sentido de proteger seus próprios interesses em expansão.

Imaginando uma surpresa
Manchete de jornal em 2019
China compra ilha desabitada em Fiji para construir base militar
3 de fevereiro de 2019 — Pequim

Uma empresa de desenvolvimento chinesa, ligada ao governo de Pequim e ao Exército de Libertação do Povo anunciou hoje a recente compra da ilha desabitada de Cobia do Governo de Fiji por US$ 850 milhões. Os analistas de segurança ocidentais avaliam que a China planeja usar a ilha para construir uma base militar permanente no Pacífico Sul, a 5 mil quilômetros do Havaí.

A assertividade russa reforçará as posições contrárias a Moscou nos países Bálticos e em outras partes da Europa, aumentando o risco de conflito. A Rússia buscará, e às vezes fingirá, a cooperação internacional, embora vá desafiar abertamente as normas e regras que julgar contrariarem seus interesses e apoiará líderes das "democracias gerenciadas" amigas que incentivam a resistência às políticas e preferências norte-americanas. Moscou tem pouca participação nas regras da economia global e pode, certamente, tomar medidas no sentido de enfraquecer as vantagens institucionais dos EUA e da Europa. Moscou irá testar a OTAN e a resolução europeia, buscando minar a credibilidade ocidental. Tentará, ainda, explorar as divisões entre as diferentes regiões da Europa e provocar um racha entre os Estados Unidos e a UE.

- Da mesma forma, Moscou se tornará mais ativa no Oriente Médio e em outras regiões do mundo nas quais acredita poder testar a influência dos EUA. Finalmente, a Rússia continuará a usar armas nucleares como meio de dissuasão e contra forças militares convencionais mais fortes, bem como para garantir sua condição de superpotência. A doutrina militar russa supostamente inclui o uso limitado de armas nucleares a fim de resolver um conflito em uma situação em que os interesses vitais da Rússia estejam em jogo, demonstrando que um embate convencional contínuo poderia levar à deflagração de uma guerra nuclear de grande escala.

No **nordeste da Ásia**, as crescentes tensões em torno da península coreana provavelmente deflagrarão um confronto sério nos próximos anos. Kim Jong Un está consolidando seu poder através de uma combinação de clientelismo e terror e está duplicando seus programas nucleares e de mísseis, desenvolvendo mísseis de longo alcance que em breve ameaçarão o território continental dos Estados Unidos. Pequim, Seul, Tóquio e Washington têm um incentivo comum para gerir os riscos de segurança no nordeste da Ásia, mas os traumas deixados pela 2ª Guerra e pela ocupação japonesa, juntamente com a suspeita mútua que esses países atualmente nutrem uns pelos outros, dificulta a cooperação. As contínuas provocações norte-coreanas, as quais incluem contínuos testes nucleares e de mísseis, podem piorar a estabilidade na região e levar os países vizinhos a agir, talvez unilateralmente, para proteger seus interesses de segurança.

VISÕES CONCORRENTES DE INSTABILIDADE

A China e a Rússia divulgam que a desordem global é resultado de uma trama ocidental para promover conceitos e valores norte-americanos de liberdade, em todos os cantos do planeta. Os governos ocidentais veem a instabilidade como uma condição pressuposta, agravada pelo fim da Guerra Fria e pelo desenvolvimento político e econômico inconcluso. As preocupações com os Estados fracos e frágeis aumentaram há mais de uma geração devido aos problemas que produzem – sejam eles doenças, refugiados ou terroristas. A crescente interconexão do planeta, no entanto, torna o isolamento da periferia global uma ilusão, e o aumento das normas de direitos humanos faz com que a violência estatal contra uma população seja percebida como opção inaceitável.

Uma das consequências do período pós-Guerra Fria resultante da desmobilização dos

CONTINUA >>

>> CONTINUAÇÃO

Estados Unidos e da URSS foi a perda de apoio externo para líderes políticos, forças armadas e forças de segurança, que já não conseguem barganhar apoio. As crescentes demandas por governança responsiva e participativa por parte de cidadãos que ascenderam economicamente devido à escala e velocidade sem precedentes do desenvolvimento econômico no mundo não industrial também pressionam os governos coercivos. Nos países onde o desenvolvimento político e econômico ocorreu rapidamente, a modernização e o empoderamento individual reforçaram a estabilidade política. Naqueles onde o desenvolvimento econômico superou as transformações políticas ou ocorreu sem mudanças políticas – como em grande parte do mundo árabe e do resto da África e do sul da Ásia —, o resultado foi a instabilidade. A China tem sido uma notável exceção. A provisão de bens públicos tem, até agora, impulsionado a ordem política, mas a campanha contra a corrupção tem produzido incertezas, assim como os protestos populares têm aumentado ao longo dos últimos quinze anos. A Rússia é a outra grande exceção. O crescimento econômico – em grande parte resultado dos altos preços de energia e de *commodities* – ajudou a resolver os problemas surgidos nos anos de Yeltsin.

A experiência dos EUA no Iraque e no Afeganistão mostrou que a coerção e as injeções de dinheiro não são suficientes para superar a fraqueza do Estado. Ao contrário: para se construir uma ordem política estável são necessárias inclusão, cooperação entre elites e uma administração estatal que possa controlar o exército e prestar serviços públicos. Isso se mostrou mais difícil do que o previsto.

Desfile militar na Coreia do Norte, 2013

- Kim está decidido a conquistar o reconhecimento internacional da Coreia do Norte como Estado nuclear, com a finalidade de garantir segurança, prestígio e legitimidade política. Ao contrário de seu pai e avô, ele mostrou pouco interesse em participar dos debates sobre cortes em armas nucleares. O líder norte-coreano enfatizou a manutenção do *status* nuclear do Norte na Constituição do partido, em 2012, e reafirmou o compromisso no Congresso do Partido, em 2016.

- Pequim enfrenta um contínuo dilema estratégico com relação à Coreia do Norte. O comportamento de Pyongyang prejudica a reivindicação da China de que a presença militar dos EUA na região é anacrônica e demonstra a falta de influência de Pequim — ou talvez falta de vontade política de exercer influência — em relação ao seu vizinho e cliente. O comportamento norte-coreano leva à renovação das alianças dos EUA na região, ao comportamento mais assertivo dos aliados dos EUA e, ocasionalmente, a uma maior cooperação entre esses aliados. Tais reações podem fazer com que, ao longo do tempo, ocorra uma mudança na abordagem de Pequim com relação à Coreia do Norte.

- As decisões diante de Seul e de Tóquio também são significativas, uma vez que os dois países procuram fortemente manter-se sob o guarda-chuva de segurança dos EUA, ao mesmo tempo em que buscam aumentar e melhorar suas próprias capacidades de segurança.

Oriente Médio e África do Norte. Praticamente todas as tendências da região estão indo na direção errada. O contínuo conflito e a ausência de reformas políticas e econômicas ameaçam os esforços no sentido de reduzir a pobreza — um avanço recente na região. A dependência de recursos e a assistência externa melhoraram as condições das elites, embora promovesse, ao mesmo tempo, a dependência popular do Estado, inibindo os mercados, o emprego e o capital humano. Como os preços do petróleo provavelmente não irão recuperar os níveis atingidos no *boom* do petróleo, a maioria dos governos terá que limitar os pagamentos e os subsídios. Entrementes, as mídias sociais fornecem novas ferramentas para o público, como a expressão da frustração. Os grupos religiosos conservadores — incluindo os filiados à Irmandade Muçulmana e aos movimentos xiitas — e as organizações étnicas, como aqueles centrados na identidade curda, poderão vir a se tornar alternativas aos governos ineficazes da região. Tais grupos tipicamente oferecem serviços sociais melhores do que o Estado, e suas políticas ressoam com as visões do público, em geral mais conservador e religioso do que as elites políticas e econômicas da região.

- *Previsão*: Se não houver restrições, as tendências atuais fragmentarão ainda mais a região. A influência de grupos islâmicos extremistas provavelmente se expandirá, reduzindo a tolerância e a presença de minorias e provocando novos fluxos migratórios. Os riscos de instabilidade nos Estados árabes, como o Egito e, possivelmente, a Arábia Saudita, podem levar os governantes a impor o controle através da força — um impulso em desacordo com as tendências atuais, como o empoderamento de indivíduos por meio da tecnologia, o uso de fluxos de informação mais livres e a redução da pobreza. Alternativamente, a transição para a democracia poderia vir a ser vista como um modelo atraente, caso ofereça maior estabilidade e prosperidade de modo a promover a inclusão. O progresso na redução da pobreza, na educação e no empoderamento das mulheres em algumas partes da região pode proporcionar um estímulo no sentido de aproveitar o crescente número de jovens em idade economicamente ativa.

Em termos geopolíticos, as crescentes crises humanitárias e conflitos regionais no Oriente Médio e no norte da África ameaçam ainda mais a credibilidade nas normas internacionais de resolução de litígios e de direitos humanos. A percepção nas capitais da região de que Washington não é confiável promoveram a concorrência da Rússia — e possivelmente da China —, bem como a fuga dos Estados árabes com relação aos compromissos dos EUA. Essas percepções são decorrentes de questões de risco não abordadas na Síria, do apoio a Mubarak e a outros agentes árabes em 2011, de uma suposta inclinação para o Irã, distanciando-se dos aliados sunitas tradicionais e de Israel, e uma sensação de negligência por causa do reequilíbrio das relações entre os EUA e a Ásia.

- Enquanto isso, o Irã, Israel e talvez a Turquia irão provavelmente adquirir mais poder e influência com relação aos outros Estados da região, mas continuarão em desacordo um com o outro. O poder crescente do Irã, as capacidades nucleares e o comportamento agressivo continuarão a ser uma preocupação para os Estados árabes, de Israel e do Golfo. A natureza sectária da competição regional iraniana e saudita, que promove uma retórica inflamada e difunde alegações de heresia em toda a região, aumenta ainda mais essas preocupações.

África Subsaariana. As práticas democráticas se ampliaram, os grupos da sociedade civil proliferaram e a demanda pública por uma melhor governança tornou-se mais urgente. Ainda assim, muitos Estados africanos continuam a lutar com a regra de um ditador influente, da política de clientelismo e do favoritismo étnico. Muitos líderes concentram-se na sobrevivência política, em lugar de na reforma — com alguns deles mantendo-se no poder por prazos desafiadores. Os ventos da economia global também ameaçam o progresso, uma vez que mantêm baixos os preços das *commodities* e o investimento estrangeiro, fraco. Mesmo alguns países que fizeram progressos em direção à democracia continuam frágeis e propensos à violência que acompanha as eleições. As tensões entre grupos cristãos e muçulmanos podem se tornar mais intensas.

- *Perspectiva*: durante os próximos cinco anos, as populações africanas irão se tornar mais jovens, urbanas, conectadas e com maior escolaridade — e com mais vozes a demandar serviços governamentais. A rápida urbanização irá sobrecarregar a infraestrutura e aumentar a visibilidade da corrupção da elite — alimentando a frustração pública com relação a serviços ou oportunidades. Cerca de 75 a 250 milhões de africanos sofrerão estresse hídrico grave, provavelmente levando à migração em massa. No entanto, a África continuará a ser uma zona de experimentação por parte de governos, corporações, ONGs e indivíduos que procuram promover o desenvolvimento. O progresso das duas últimas décadas — o que inclui o crescimento da classe média, uma sociedade civil cada vez mais vibrante e a disseminação de instituições democráticas — sugere um potencial positivo.

Ásia do Sul. A economia da Índia irá crescer mais rapidamente do que qualquer outra no mundo nos próximos cinco anos. Isto se deve ao esfriamento da economia chinesa e ao aumento do crescimento econômico em outros países. Contudo, as tensões internas sobre a desigualdade e a religião complicarão o desenvolvimento indiano. Nova Deli, no entanto, continuará a oferecer aos países menores da Ásia do Sul uma participação no crescimento econômico da Índia através da assistência ao desenvolvimento e maior vínculo com a economia indiana, contribuindo com o esforço da Índia no sentido de afirmar seu papel como poder predominante na região. O extremismo violento, o terrorismo e a instabilidade continuarão a assolar o Afeganistão, o Paquistão e as frágeis relações comunitárias da região. A ameaça do terrorismo, do Lashkar--e-Tayyiba (LET), do Tehrik-i-Taliban do Paquistão (TTP)[21], da al-Qaeda e de

---

21 Lashkar-e-Tayyiba: uma das maiores e mais ativas organizações terroristas da Ásia Meridional, atualmente sediada no Paquistão, onde opera diversos campos de treinamento na Caxemira paquistanesa; Tehrik-i-Taliban do Paquistão, também conhecida como Taliban paquistanês, é uma organização guarda-chuva que reúne vários grupos militantes islâmicos com base no noroeste do Território Federal das Áreas Tribais, ao longo da fronteira com o Afeganistão, no Paquistão.

seus afiliados —, bem como a expansão e a simpatia da ISIL pela ideologia comum — permanecerá proeminente na região. A concorrência por empregos, aliada à discriminação contra as minorias, pode contribuir para a radicalização da juventude da região, especialmente considerando os índices anormais de gênero, com maior número de homens em diversos países.

Imaginando uma surpresa
Manchete de jornal de 2032
FMI diz que a taxa de crescimento econômico da África ultrapassa a da Ásia
11 de fevereiro de 2032 - Washington, DC

O Fundo Monetário Internacional (FMI) afirmou que a taxa de crescimento econômico da África no ano passado superou em 5% a da Ásia pela primeira vez, já que numerosas melhorias convergiram para estimular o desenvolvimento regional. A disponibilidade de painéis de energia solar mais baratos e baterias domésticas revolucionou o abastecimento de energia na região ao longo da última década; avanços na aplicação de organismos geneticamente modificados e da tecnologia de dessalinização estabilizaram a produção de alimentos; a maior disponibilidade de serviços financeiros, os pagamentos digitais e o financiamento social entre pares impulsionaram o comércio; e o uso generalizado da impressão em 3D aumentou a produção local, aproveitando a crescente força de trabalho africana.

- *Perspectiva*: a qualidade do desenvolvimento da Índia dependerá da melhoria da saúde pública deficitária, da instalação de saneamento básico e de infraestrutura. A taxa de crianças desnutridas, por exemplo, é maior na Índia do que na África Subsaariana. O populismo e o sectarismo se intensificarão se Bangladesh, Índia e Paquistão deixarem de oferecer emprego e educação para responder ao crescimento da população urbana e se os funcionários públicos continuarem a administrar a coisa pública principalmente através da política de identidade. A saúde humana, a segurança alimentar, as infraestruturas e os meios de subsistência se deteriorarão por conta da poluição, dos terremotos e dos efeitos das alterações climáticas — o que inclui a mudança dos padrões das monções e a intensificação do derretimento das geleiras. A abertura do sul da Ásia ao setor privado, aos grupos comunitários e às ONGs, no entanto, deve colocá-la em boa posição para enfrentar uma era na qual os indivíduos capacitados terão maior relevo, especialmente se os governos dirigirem seu apoio a grupos chauvinistas que polarizam sociedades.

No **sul da Ásia**, o Paquistão se sentirá obrigado a fazer face às capacidades militares econômicas e convencionais da Índia através de meios assimétricos. O Paquistão procurará diminuir seu atraso em termos de desenvolvimento nuclear com relação à Índia, expandindo seu arsenal nuclear e os meios de ataque, o que inclui o desenvolvimento de "armas nucleares de campo de batalha"[22] e outras opções baseadas em ataques navais. A Índia, ao contrário, concentrará sua atenção tanto em Islamabad quanto em Pequim — buscando parcerias militares com a Europa, Japão, Estados Unidos e outros — para aumentar suas capacidades convencionais, enquanto se esforça para responder à escalada das hostilidades com o Paquistão.

- O emprego de armas nucleares navais pela Índia, o Paquistão e, talvez, a China, tornariam o Oceano Índico, nas próximas duas décadas, um verdadeiro paiol nuclear. A presença de várias potências nucleares com orientação incerta para a gestão de incidentes marítimos entre navios carregados de armas nucleares aumenta o risco de erro de cálculo e deflagração inadvertida de guerra. Os navios armados com dispositivos nucleares removem um dispositivo de segurança que, até agora, manteve as armas nucleares armazenadas separadamente dos mísseis no sul da Ásia.

---

22 Ou "armas nucleares táticas" (TNW, conforme sigla original), podem ser empregadas por terra, mar ou forças aéreas contra forças opostas, instalações de apoio ou instalações. O termo foi cunhado no início da década de 1950 para diferenciar tais "armas nucleares de campo de batalha" do bombardeiro, e mais tarde, dos mísseis.

Nas economias emergentes, a renda está aumentando mais rapidamente e em uma escala maior do que nunca antes na história.

Índia e China duplicaram a renda *per capita* com velocidade muito maior do que economias emergentes menores o fizeram no passado.

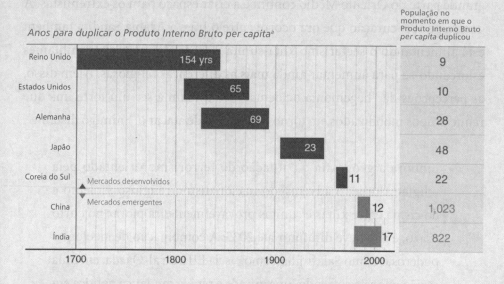

ªDe $ 1.300 a $ 2.600 por ano em termos da paridade do poder de compra.

Fonte: Groningen Growth and Development Center, The Maddison-Project database, Groningen, Holanda, 2013. http://www.ggdc.net/maddison/maddison-project/home.htm, 2013 version.

A CRESCENTE AMEAÇA DO TERRORISMO

A ameaça terrorista provavelmente aumentará à medida que os meios e as motivações dos Estados, grupos e indivíduos para impor os danos se diversificarem. Os conflitos prolongados e a era da informação permitem aos terroristas recrutar e operar em larga escala — o que demonstra a natureza progressiva da ameaça. O terrorismo mata menos pessoas em todo o mundo do que o crime ou as doenças, mas é muito real o potencial que indivíduos inclinados à destruição apocalíptica adquiram novas capacidades de destruição. Este evento, de baixa probabilidade, mas de alto impacto, ressalta a importância da cooperação internacional e da atenção do Estado sobre o assunto.

Os terroristas continuarão a justificar sua violência por meio da interpretação religiosa que esses indivíduos adotam, mas vários atores subjacentes também estão em jogo. Nos países, a fragmentação das estruturas estatais em grande parte do Oriente Médio continua a criar espaço para os extremistas. A guerra por procuração que ora ocorre entre o Irã e a Arábia Saudita também está alimentando o sectarismo xiita-sunita — com alguns grupos militantes esforçando-se para aumentar ainda mais as diferenças religiosas. Além disso, as percepções da "hegemonia ocidental" continuam a ser um forte imã que reúne grupos mobilizados em torno do objetivo de atacar o "inimigo distante".

- Embora a geografia da atuação do terrorismo orientado pela religião flutue, o advento do nacionalismo religioso violento e do cisma entre xiitas e sunitas provavelmente irá piorar no curto prazo, e não deve diminuir até 2035. A combinação de ideologias poderosas como Salafi-jihadismo[23], seja EIIL ou al-Qaeda, em uma região que está sofrendo uma grande e rápida mudança política em um contexto historicamente formado por governos autocráticos e disparidades econômicas indica que provavelmente haverá escalada da violência. O cristianismo militante e o islamismo na África Central, o budismo militante na Birmânia e o violento Hindutva[24] na Índia continuarão a alimentar o terror e o conflito.

- Os extremistas explorarão a ira da população e vincularão as injustiças à necessidade percebida por esses grupos e populações de aprofundar a filiação religiosa em algumas regiões do mundo. A religião se tornará uma fonte ainda mais importante de significado e perenidade devido ao aumento da conectividade da informação,

---

23 Ideologia político-religiosa transnacional baseada na crença no jihadismo "físico" e no movimento Salafi de retornar ao que os adeptos acreditam ser o verdadeiro Islã sunita.

24 O movimento nacionalista hindu.

à extensão da fraqueza do Estado em grande parte do mundo em desenvolvimento e ao aumento da alienação devido às transformações no trabalho tradicional que ocorrem no mundo desenvolvido. Mudanças rápidas e condições de incerteza política e econômica, se não de insegurança, estimularão muitas pessoas a adotar ideologias e identidades que lhes confira significado e perenidade.

- Os avanços das tecnologias da informação — seja da forma como ocorreu com a prensa móvel e a Bíblia de Gutenberg no século XV, ou como aconteceu com a invenção da *World Wide Web* em 1989 — permitem que o conteúdo religioso seja amplamente difundido, em parte porque as religiões são ideias que transcendem as fronteiras e são muitas vezes mais influentes na vida diária do que a autoridade estatal. A grande maioria dos fiéis será pacífica, mas aqueles com visões extremas encontrarão, através de tecnologias da informação, seguidores e recrutas vulneráveis com ideias semelhantes às deles. A maioria das religiões mundiais — o cristianismo, o islamismo, o judaísmo, o budismo e o hinduísmo — têm aspectos exclusivos da doutrina que podem ser explorados dessa maneira.

Além da religião, fatores psicológicos e sociais influenciarão o indivíduo buscar o terrorismo, ou a ajudar grupos terroristas no recrutamento, na aquisição de recursos e na manutenção da coesão.

- *Algum nível de alienação*, seja por se afastar do meio sociocultural aceito, por ser incapaz de participar do processo político, ou por não ter benefícios econômicos oriundos da sociedade.

- *Ligações étnicas e de parentesco*, redes sociais ou familiares, bem como um desejo de aventura, fama e de pertencer a um grupo.

- *"Desnacionalização"*, isto é, a perda, por parte de jovens imigrantes em cidades europeias, de ligação com sua comunidade de origem combinada com a falta de oportunidade ou de incentivo efetivo para assumir uma nova identidade europeia.

- *Tensões étnicas e religiosas* (além daquelas atualmente em conflagração), entre os malaios e os tailandeses na Tailândia, os muçulmanos e os budistas na Birmânia e os cristãos e muçulmanos na Nigéria.

A tecnologia será uma espada de dois gumes. Por um lado, facilitará as comunicações entre os terroristas, o recrutamento, a logística e sua capacidade de produzir impacto letal. Por outro lado, proporcionará técnicas mais sofisticadas que permitirão que as autoridades identifiquem e caracterizem ameaças — se o público assim lhes permitir. A tecnologia continuará a possibilitar que atores não estatais ocultem sua atividade e identidade. O uso de ferramentas cibernéticas para derrubar sistemas elétricos, por exemplo, poderá causar danos generalizados, alguns com consequências fatais. A tecnologia das comunicações também será fundamental para os atores não estatais recrutarem novos membros, realizarem operações financeiras e divulgarem mensagens. Tais avanços também reduzirão as barreiras tecnológicas que impedem o uso de armas de destruição em massa por terroristas e permitirão a proliferação da aquisição de armas letais e convencionais por grupos terroristas.

Um homem acende uma vela em frente ao restaurante "Le Carillon" em homenagem às vítimas do ataque terrorista de 13 de novembro de 2015 no Bataclan, em Paris

- A tecnologia descentralizará ainda mais a ameaça — de uma al-Qaeda organizada e controlada a uma militância jihadista fragmentada, por exemplo. Essa tendência representará desafios no combate ao terrorismo e transformará a natureza dos futuros planos e estratégias terroristas.

O FUTURO DA ORDEM INTERNACIONAL NA BALANÇA

A ordem internacional estabelecida após a 2ª Guerra Mundial levou à instalação das estruturas e instituições políticas, econômicas e de segurança de hoje. No entanto, está atualmente em questão, uma vez que o poder se ramifica globalmente, ocupando assentos na "mesa" de tomada de decisão internacional. Hoje, os poderes aspirantes procuram ajustar as regras do jogo e o contexto internacional de forma favorável aos seus interesses. Essa dinâmica complica a reforma das instituições internacionais, como o Conselho de Segurança da ONU ou as instituições de Bretton-Woods, e coloca em questão se os direitos civis, políticos e humanos — características de valores liberais e da liderança dos EUA desde 1945 — continuarão a apresentar o mesmo perfil. Normas entendidas como definitivamente estabelecidas serão cada vez mais ameaçadas, se as tendências atuais se mantiverem, e pode ser difícil obter consenso para construir novas normas — particularmente porque a Rússia, a China e outros atores, como ISIL, buscam moldar regiões e normas internacionais a seu favor. Algumas características da evolução da ordem internacional são claras:

- A concorrência geopolítica está aumentando, pois a China e a Rússia procuram exercer mais influência nas regiões vizinhas e promover uma ordem na qual a influência dos EUA não impere.

- Não obstante os Estados e organizações continuarem a moldar as expectativas dos cidadãos sobre a ordem futura, as preocupações nacionais e do público pressionarão cada vez mais os Estados no sentido de não separar a política internacional da doméstica.

- No curto prazo, isso resultará em menos compromisso com os conceitos de segurança e de direitos humanos existentes em alguns Estados, mesmo que alguns indivíduos e pequenos grupos defendam essas ideias através de novas plataformas, espaços e instituições.

- Os regimes autoritários provavelmente reinterpretarão e manipularão as normas de direitos humanos. Isso provavelmente levará à diminuição do consenso na arena internacional sobre as obrigações extraterritoriais dos Estados, como decidir quando aplicar conceitos como a Responsabilidade de Proteção — que poderiam ter consequências negativas para as sociedades civis domésticas e para a solução de conflitos humanitários.

- As normas e práticas que estão surgindo em resposta ao problema da mudança climática — e sua influência nas políticas de desenvolvimento internacionais e nacionais — são os candidatos mais prováveis a promover o estabelecimento de um conjunto de princípios comuns para o século XXI. A maioria das pessoas dos quarenta países pesquisados pela *Pew Research Center* afirma que a mudança climática é um problema sério, e 54% consideram um problema muito sério.

Imaginando uma surpresa
Manchete de jornal de 2019
México proíbe drones depois da última tentativa de assassinato
13 de maio de 2019 — Cidade do México

O governo mexicano anunciou hoje que passa a ser crime cidadãos particulares possuírem *drones*, após a quinta tentativa de assassinato por "bomba-*drone*" realizado por cartéis de drogas contra altos funcionários do governo em menos de três meses, o mais recente deles visando ao novo ministro do Interior.

É muito provável que, enquanto o internacionalismo estrito persistir, a concorrência traga a curto prazo uma maior desordem global e incertezas. À medida que os Estados dominantes limitam a cooperação a um subconjunto de questões globais, afirmando agressivamente seus interesses em questões regionais, as normas e instituições internacionais irão provavelmente se corromper e o sistema internacional se fragmentará em torno de esferas de influência regionais.

CAPÍTULO 4

Três cenários para o futuro distante: ilhas, órbitas, comunidades

Pensar no futuro além dos próximos cinco anos envolve tantas contingências que devemos considerar o modo como as tendências, escolhas e incertezas selecionadas podem tomar diferentes caminhos — conforme mostraremos através de um conjunto de histórias curtas, conhecidas como cenários. Embora nenhum cenário exclusivo possa descrever a totalidade dos futuros desenvolvimentos globais, eles podem retratar a maneira como as principais questões e tendências são capazes de moldar o futuro, do mesmo modo como os termos "Guerra Fria" e "Idade Dourada" definiram temas dominantes de eras passadas. Para nós, as três incertezas primárias que determinarão os próximos vinte anos giram em torno de:

- **Dinâmica nacional.** O modo como os governos e o público renegociarão suas expectativas uns com os outros, e como manterão a ordem política em uma era de grandes mudanças, marcadas por indivíduos empoderados e uma economia em rápida transformação;

- **Dinâmica internacional.** A maneira como as principais potências, juntamente com grupos e indivíduos seletos, estabelecem padrões de concorrência e cooperação; e

- **Transformações de longo e de curto prazo.** Em que medida os Estados e outros atores se prepararão no curto prazo para enfrentar questões globais complexas, como mudanças climáticas e tecnologias transformadoras.

Os três cenários — "Ilhas", "Órbitas" e "Comunidades" — ilustram a maneira como as tendências e escolhas podem vir a se combinar e criar possibilidades diferentes para o futuro. Esses cenários postulam respostas alternativas à volatilidade do curto prazo nos níveis nacional (Ilhas), regionais (Órbitas) e nacionais e transnacionais (Comunidades). Os cenários também consideram as possíveis respostas dos EUA a essas tendências — por exemplo, colocar as questões domésticas e econômicas dos EUA acima das relações externas, envolver a defesa dos interesses dos EUA no exterior ou ajustar práticas governamentais para tirar vantagem da proliferação de atores influentes. Embora não exista um único resultado, os cenários a seguir caracterizam os tipos de questões que os dirigentes políticos enfrentarão nos próximos anos.

METODOLOGIA DE ANÁLISE DOS CENÁRIOS

Bons cenários estão mais para arte do que para ciência. Os panoramas precisam ser fundamentados a fim de parecerem plausíveis, ao mesmo tempo em que devem ser imaginativos o bastante de modo a desafiar nossos pressupostos, uma vez que o mundo regularmente toma caminhos e se transforma de maneiras surpreendentes. Nenhum desses resultados, no entanto, pode ser considerado predeterminado. As escolhas que as pessoas fazem, individualmente e coletivamente, com intenção ou por acaso, continuarão a ser as maiores variáveis a determinar o curso dos eventos. Muitos outros panoramas poderiam surgir a partir das tendências que discutimos neste relatório, mas esperamos que os cenários que construímos estimulem a reflexão e o debate sobre o futuro.

Capítulo 4: Três cenários para o futuro distante: ilhas, órbitas, comunidades | 109

- Muitas vezes é difícil pensar criativamente sobre o futuro porque a tendência observada com relação ao passado recente e com os eventos atuais obscurece as avaliações. Desenvolver cenários alternativos permite incluir pressupostos não considerados sobre o futuro, revelando novas possibilidades e escolhas que, de outra forma, seriam difíceis de discernir.

- Os nossos cenários, bem como as dificuldades e oportunidades que eles representam, não se excluem necessariamente. O futuro provavelmente incluirá elementos de cada um deles, mas em níveis de intensidade diversos ou em diferentes regiões do mundo. Por exemplo, o futuro descrito no cenário das "Ilhas" pode levar alguns Estados a reagir ao aumento da instabilidade econômica e influência do Ocidente, tomando medidas para proteger seus próprios interesses, moldando o futuro conforme o cenário "Órbitas". Alternativamente, a incapacidade dos governos nacionais de gerir as mudanças econômicas e tecnológicas de forma eficaz pode trazer um papel de maior importância para os governos locais e atores particulares, criando as condições necessárias para consolidarmos o cenário "Comunidades".

- Estimulamos os leitores a considerar esses cenários em seu planejamento atual e futuro e iniciar um debate estratégico sobre como se preparar para os desafios e oportunidades que devem surgir. Os cenários devem ser reavaliados conforme surjam novos desenvolvimentos.

Ilhas

Este cenário investiga as questões em torno de uma reestruturação da economia global que levaria a longos períodos de crescimento lento, ou não, contradizendo o pressuposto de que os modelos tradicionais de prosperidade econômica e de expansão da globalização continuarão no futuro. O cenário enfatiza as dificuldades de governança com relação a atender as futuras demandas sociais pertinentes à segurança econômica e física, à medida que a resistência popular com relação à globalização aumenta, as tecnologias emergentes transformam o trabalho e o comércio e a instabilidade política se expande. Este cenário enfatiza as escolhas que os governos terão de fazer ao ajustar as mudanças às condições econômicas e tecnológicas que levam alguns a internalizar-se, a reduzir a cooperação multilateral e a adotar políticas protecionistas ou de outro cunho para encontrar maneiras de estimular novas fontes de crescimento econômico e produtividade. Neste cenário, um economista reflete sobre os vinte anos que se seguiram à crise financeira global de 2008:

"Os últimos vinte anos, nos quais confrontamos a globalização, a volatilidade financeira e a crescente desigualdade, transformaram o ambiente mundial. O aumento da dívida pública, o envelhecimento da população e a diminuição do investimento de capital exacerbaram as pressões negativas sobre as economias desenvolvidas. As exigências do público e dos empresários no sentido de obter proteção contra oscilações do mercado, tecnologias disruptivas, surtos de doenças e terrorismo levaram muitos países a se fechar para o exterior. A instabilidade política aumentou na proporção que a frustração pública cresceu em países que não conseguiram gerenciar a mudança. Muitos governos esforçaram-se para manter os serviços para a população, mas as receitas fiscais não conseguiram acompanhar as obrigações crescentes. Os segmentos das populações que obtiveram o *status* de 'classe média' antes da crise financeira foram os mais afetados e muitos retornaram a níveis moderados de pobreza. A globalização diminuiu quando os governos adotaram políticas protecionistas em resposta às pressões domésticas. A maioria dos economistas identifica os seguintes desenvolvimentos como fatores-chave que retardaram o crescimento econômico global e aceleraram a reversão de grande parte das tendências da globalização das décadas anteriores:

- **O aumento da desigualdade**, uma vez que a riqueza se concentrou mais e provocou tensões nas sociedades, levando a uma resistência popular à globalização.

- **A disseminação da inteligência artificial** e das tecnologias de automação afetaram mais o setor industrial do que economistas previram. Essa tendência desencadeou uma reação de grande número de trabalhadores deslocados, criando um círculo eleitoral que forçou alguns governos a deixar de participar de instituições e de acordos de comércio globais com os quais haviam anteriormente se comprometido.

- **Os padrões de comércio mudaram** quando os governos preferiram favorecer os blocos comerciais regionais e firmar acordos comerciais bilaterais, em vez de acordos globais. A ampla adoção de novas tecnologias, como a fabricação de aditivos (impressão

3-D), proporcionou, muitas vezes, aos produtores locais uma vantagem competitiva em relação aos fornecedores estrangeiros, o que reduziu o comércio global de produtos manufaturados.

- **O crescimento econômico global mais lento** baixou os preços da energia e colocou pressões adicionais sobre as economias dependentes da venda de energia como a Rússia, Oriente Médio e América do Sul, aumentando igualmente a concorrência entre os produtores de energia.

- **A China e a Índia permaneceram presas na 'armadilha de renda média'**, experimentando crescimento econômico estagnado, salários estacionados e decadência no padrão de vida porque não conseguiram gerar demanda doméstica suficiente para impulsionar o crescimento econômico quando o comércio exterior sinalizou esgotamento.

- **Os desafios domésticos e econômicos levaram os Estados Unidos e a Europa a se voltarem para si mesmos, interiorizando-se**. Os Estados Unidos e a UE adotaram políticas protecionistas para preservar as indústrias domésticas. As economias europeias sofreram devido ao declínio das exportações e da indústria de serviços. Alemanha e França encontraram terreno comum suficiente para manter a Zona Euro; no entanto, o estímulo fiscal renovado pouco contribuiu para revigorar o crescimento econômico nos países da periferia da Europa, e a falta de vontade política de aliviar as restrições trabalhistas prejudicou a capacidade dos Estados Unidos de manter ou aumentar sua competitividade internacional.

- **O aumento do roubo da propriedade intelectual** e os ataques cibernéticos levaram alguns governos a introduzir controles

CAPÍTULO 4: TRÊS CENÁRIOS PARA O FUTURO DISTANTE: ILHAS, ÓRBITAS, COMUNIDADES | 113

rigorosos que impediram o compartilhamento de informações e a cooperação via Internet.

- **A mudança das condições climáticas** desafiou a capacidade de resposta de muitos governos, especialmente no Oriente Médio e na África, onde as secas contínuas provocaram fome e reduziram o abastecimento de água, ao mesmo tempo em que as altas temperaturas impediram as pessoas de trabalhar ao ar livre. Grande número de refugiados deslocados de suas regiões não tem para onde ir, uma vez que a série de atentados terroristas dramáticos executados em países ocidentais levou esses governos a adotar rigorosas políticas de segurança que restringiram a imigração.

- **A pandemia global de 2023** reduziu drasticamente as viagens globais em um esforço para conter a propagação da doença, contribuindo para a desaceleração do comércio global e a diminuição da produtividade.

"A combinação desses eventos criou um mundo mais defensivo e segmentado, enquanto os Estados pressionados procuravam se afastar metafórica e fisicamente das dificuldades externas, tornando-se 'ilhas' em um mar de volatilidade. A cooperação internacional sobre questões globais — como o terrorismo, Estados falidos, a migração e as mudanças climáticas —, se desgastou, forçando os países mais isolados a defender seus próprios interesses. Além disso, a queda nos orçamentos de defesa e preocupações domésticas importantes levaram o Ocidente a não empregar força militar quando seus interesses vitais não eram ameaçados. Isso levou o sistema de aliança dos EUA a se atrofiar. A instabilidade aumentou em regiões da África, Oriente Médio e Ásia do Sul.

"Os desafios econômicos ainda estão presentes, mesmo vinte anos após a crise financeira de 2008, mas vários desenvolvimentos indicam que agora estamos entrando em uma nova era de crescimento econômico e de prosperidade.

Os avanços tecnológicos, como a inteligência artificial, a mecanização da aprendizagem, a fabricação de aditivos e a automação, embora tenham afetado os mercados de trabalho tradicionais, têm potencial para impulsionar a eficiência econômica e a produtividade, levando uma ampla gama de países a novas áreas de atividade e ao crescimento econômico. A percepção de que as soluções mais criativas e inovadoras são muitas vezes alcançadas através da cooperação homem-máquina, em lugar do uso apenas de máquinas, está contribuindo para reverter as perdas de emprego anteriores. Apesar disso, a oferta de oportunidades por meio de treinamento para profissionais deslocados de suas posições no mercado de trabalho não tenha sido bem-sucedida universalmente.

"Além disso, a desaceleração da globalização e do comércio está provocando uma nova geração de experimentação, inovação e empreendedorismo em âmbito local. Os custos crescentes das importações de alimentos e a maneira como os países taxaram a emissão de carbono também estimularam a produção agrícola local. Esses desenvolvimentos são mais proeminentes em sociedades que disponibilizam o acesso a recursos educacionais *on-line*, bem como ao conhecimento científico e técnico compartilhado entre as comunidades de empreendedores e tecnólogos unidos pela mentalidade comum. Alguns governos, no entanto, não estão preparados para responder aos aspectos de segurança relacionados à proliferação de novas tecnologias, o que também resultou no surgimento de organizações criminosas e terroristas capacitadas pela tecnologia e pelas novas metodologias a burlar os controles governamentais.

"A evolução das biotecnologias, da medicina e da farmacêutica também está abrindo espaço para novas indústrias e para uma maior produtividade, uma vez que o acesso ampliado aos cuidados médicos assegura que a mão de obra seja mais saudável. A expansão das populações em idade economicamente ativa como resultado das melhorias na saúde tem potencial de promover impulso econômico nos países com população envelhecidas. Uma proliferação de robótica e de inteligência artificial na medicina básica e de diagnóstico também está ajudando a disponibilizar tratamentos acessíveis de modo amplo, reduzindo o custo da assistência aos idosos nos países ricos.

CAPÍTULO 4: TRÊS CENÁRIOS PARA O FUTURO DISTANTE: ILHAS, ÓRBITAS, COMUNIDADES | 115

"A qualidade do crescimento econômico continuará a depender de novas tecnologias, da inovação local e do empreendedorismo. Continua a haver grande necessidade de programas governamentais para neutralizar futuros problemas econômicos e garantir o bem-estar social daqueles que são menos capazes de se adaptar. Abordar essas questões, porém, exige superar a polarização política que impediu muitos governos de cumprir os compromissos orçamentários necessários. O apoio contínuo do governo a esses esforços, através da revitalização do comércio de tecnologias, conhecimentos e recursos, também pode contribuir para transpor as lacunas econômicas que existem em âmbito doméstico e internacional".

AS IMPLICAÇÕES DAS ILHAS

Este cenário explora os desvios que poderão vir a ocorrer caso os governos não gerenciem as transformações das condições econômicas globais que têm levado ao aumento da desigualdade, à diminuição da taxa de crescimento nas economias desenvolvidas, às mudanças no trabalho e às divisões da sociedade. O cenário destaca a necessidade de os países ricos abordarem as consequências negativas resultantes das políticas econômicas passadas, e gerenciarem as tensões entre populismo e inclusão social. Os países mais bem-sucedidos serão aqueles cujos governos irão incentivar a pesquisa e a inovação; promover o compartilhamento de informações; manter educação de alta qualidade e aprendizado continuado em ciência, tecnologia, engenharia e matemática; fornecer treinamento profissional; e adotar políticas fiscais, de imigração e de segurança para atrair e reter indivíduos talentosos e especializados em alta tecnologia. Tais ações levariam a uma maior experimentação, inovação e empreendedorismo que ajudariam a impulsionar a produção doméstica e a criar empregos.

Alternativamente, os Estados que optarem por controlar o acesso à informação, por não honrar os direitos de propriedade intelectual e por desestimular a importação de profissionais especializados em alta tecnologia provavelmente não participarão das vantagens econômicas obtidas por meio dos avanços tecnológicos. A segurança será outra questão fundamental, pois esses avanços também criam impedimentos, uma vez que as novas tecnologias também facilitam a execução de ataques terroristas e de atividades criminosas.

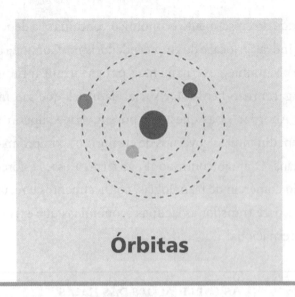

Órbitas

Este cenário explora um futuro onde se destacam tensões criadas pelas principais potências concorrentes ao buscarem afirmar suas esferas de influência, enquanto, ao mesmo tempo, esforçam-se para manter a estabilidade doméstica. O cenário examina como as tendências, a expansão do nacionalismo, a mudança dos padrões de gerir conflitos, as novas tecnologias capazes de interromper a produção e o abastecimento de bens e serviços, bem como prejudicar o funcionamento da infraestrutura, e a redução da cooperação global podem convergir para aumentar o risco de conflitos entre nações. Este cenário enfatiza escolhas políticas que reforçam a estabilidade e a paz ou, ao contrário, que exacerbam as tensões. Essas escolhas são exploradas através das memórias de um assessor de segurança nacional refletindo sobre sua avaliação do ambiente internacional que escreve em uma época próxima do final do segundo mandato do presidente Smith em 2032:

"No decorrer do mandato do presidente Smith, testemunhei uma série de desenvolvimentos, os quais despertam em mim a esperança de que o próximo presidente encontre o mundo em uma posição muito melhor. Não faz muito tempo, porém, que as crescentes tensões geopolíticas nos levaram à beira de um conflito internacional. A combinação entre valores concorrentes, países rivais,

CAPÍTULO 4: TRÊS CENÁRIOS PARA O FUTURO DISTANTE: ILHAS, ÓRBITAS, COMUNIDADES | 117

aumento dos contingentes militares, nacionalismo crescente e insegurança doméstica criou uma era de maior competição geopolítica entre as principais potências. No início dos anos 2020, a polarização da política e os encargos fiscais restringiram o envolvimento dos EUA no cenário mundial, levando os governos estrangeiros a concluir que os Estados Unidos estavam se movendo em direção a um período prolongado de contração. A China e a Rússia, em particular, consideraram esse momento uma boa oportunidade para afirmar sua influência sobre os países vizinhos, nas suas respectivas órbitas econômicas, políticas e de segurança regional. O Irã também tentou aproveitar a instabilidade no Oriente Médio para expandir sua influência na região.

"Em meados da década de 2020, esses desenvolvimentos levaram o sistema internacional a se voltar às esferas regionais contestadas. Os poderes principais tentaram garantir, nas suas regiões, influência econômica, política e de segurança. A China usou cada vez mais seu poder econômico e militar para influenciar o comportamento dos Estados vizinhos e para forçar concessões de empresas estrangeiras buscando acesso aos seus mercados. Índia, Japão e outros países adotaram políticas exteriores independentes e mais assertivas para combater a interferência chinesa em seus interesses, aumentando as tensões regionais na Ásia Oriental e do Sul. A Rússia também se afirmou com mais veemência na Ásia Central, com vistas a manter essa região sob a influência de Moscou e para confrontar a crescente presença da China.

"As tensões regionais aumentaram quando a China empreendeu amplos projetos de engenharia com o objetivo de alterar as condições ambientais locais, como desviar os principais rios, em detrimento dos países vizinhos. À medida que as condições ambientais na China se degradavam, Pequim considerou utilizar projetos de geoengenharia mais ambiciosos, como lançar toneladas de aerossol de sulfato na atmosfera para baixar a temperatura. Esses esforços desencadearam um debate internacional sobre a ética de um único Estado ao tomar medidas que afetam o ecossistema global — o que levou alguns países a ameaçarem a China com ações punitivas, se Pequim prosseguisse com os projetos de modificação climática.

"Quando o presidente Smith assumiu o poder há oito anos, houve um consenso geral entre os especialistas em segurança nacional de que, embora a concorrência geopolítica se intensificasse, os interesses econômicos e políticos evitariam o conflito militar direto. Este parecia ser o caso, já que a China, o Irã e a Rússia esquivavam-se dos conflitos militares diretos em favor de outros mecanismos, como coerção diplomática e econômica, propaganda, intrusões cibernéticas, guerras por procuração e aplicações indiretas do poder militar, tornando menos clara a distinção entre paz e guerra. A vítima mais frequente foi 'a verdade' usada como propaganda desses países — veiculada através de diversas mídias sociais, comerciais e oficiais –: uma 'verdade' distorcida, deturpada e fabricada sobre o que realmente estava acontecendo. Essas ações, porém, terminaram por prejudicar as normas internacionais sobre soberania e resoluções pacíficas de disputas e por confirmar as percepções de distanciamento dos EUA.

"O presidente decidiu, no início do seu primeiro mandato, que os Estados Unidos não conseguiriam mais fazer frente, e permitiu que esses desenvolvimentos continuassem sem a intervenção norte-americana. Ele concentrou-se em fortalecer as alianças dos EUA e empregou cada vez mais forças militares estadunidenses na manutenção das normas internacionais, como a liberdade de operações de navegação. No entanto, os esforços da China, do Irã e da Rússia em se prepararem para enfrentar conflitos militares tradicionais, ao implantar um maior número de armas avançadas, como sistemas de ataque de longo alcance para ameaçar as forças armadas rivais que operam em sua esfera regional, intensificaram a percepções global de crescente concorrência militar entre esses países e os Estados Unidos e seus aliados. Nós não percebemos plenamente no momento, porém, que Pequim, Moscou e Teerã estavam cada vez mais preocupados com sua posição doméstica devido ao estresse econômico e às tensões sociais, levando-os a acreditar que não poderiam abrir mão de seus interesses por conta dos desafios externos, temendo parecer fracos. A colisão entre um submarino autônomo chinês e um navio japonês da Guarda Costeira que patrulhava as ilhas de Senkaku, os ataques cibernéticos contra centros financeiros europeus atribuídos a *hackers* russos e a ameaça iraniana de usar

CAPÍTULO 4: TRÊS CENÁRIOS PARA O FUTURO DISTANTE: ILHAS, ÓRBITAS, COMUNIDADES | 119

seus mísseis balísticos cada vez mais precisos para atacar instalações de energia e dessalinização foram alguns dos pontos de destaque que quase deflagraram um conflito de maiores proporções.

"Foi preciso uma nuvem em forma de cogumelo erguida em um deserto no sul da Ásia para nos tirar de nossa complacência. Lembro-me bem como a crise entre a Índia e o Paquistão começou: o Segundo Tratado Sobre as Águas do Indo foi abandonado por ambos os lados, ao que se seguiu uma série de explosões em Nova Deli, que o Governo indiano rapidamente atribuiu a grupos extremistas com base no Paquistão. Islamabad negou envolvimento, mas ambos os lados começaram a mobilizar suas forças militares. Depois de alguns dias confusos de ataques cibernéticos que interromperam a capacidade de inteligência de ambos os lados, a situação escalou rapidamente. De acordo com uma investigação subsequente, sistemas de inteligência artificial que apoiam os líderes militares pioraram a crise ao interpretar os sinais de dissuasão como sinais de agressão. O resultado foi o uso de uma arma nuclear pela primeira vez em um conflito desde 1945.

"Com ajuda da China, os Estados Unidos rapidamente se mobilizaram para neutralizar a crise — tivemos sorte: o conflito não escalou em guerra nuclear total. Naquele ano, o presidente Smith recebeu o Prêmio Nobel da Paz conjuntamente com o presidente da China. Contudo, a guerra indo-paquistanesa de 2028 mostrou a todos os principais poderes o jogo perigoso em que estávamos envolvidos. Seguiu-se uma série de medidas no sentido de fortalecer a confiança e firmaram-se acordos de controle de armas com a China e a Rússia, colocando limites nas capacidades de armas. O sucessor de Putin também fez grandes progressos no sentido de reparar as relações das Rússia com a Europa em benefício da economia russa. Esses desenvolvimentos permitiram que os Estados Unidos e as demais potências construíssem uma base de confiança que possibilita a cooperação em outras questões de segurança, como a instabilidade na Coreia do Norte e no Oriente Médio.

"O próximo presidente dos EUA terá que lidar com um mundo onde a concorrência geopolítica ainda existe, mas onde as principais potências, visando sua autopreservação, cooperam entre si em áreas de interesse mútuo. Se não fosse o choque que todos sentiram pela proximidade da guerra nuclear no sul da Ásia, as escolhas do Presidente Smith e dos outros poderiam ter sido diferentes e levado a resultados muito diversos".

AS IMPLICAÇÕES DAS ÓRBITAS

Este cenário examina como o aumento da concorrência geopolítica poderia aumentar o risco de conflitos internacionais e ameaçar a ordem mundial baseada em normas. Destaca a importância das alianças e a prevenção dos conflitos na "zona cinzenta" que comprometem as normas internacionais e que podem levar a uma guerra entre as principais potências. Além disso, a implantação de novas capacidades, como armas hipersônicas, sistemas autônomos, armas espaciais e operações cibernéticas, introduz novas — e não compreendidas — dinâmicas que aumentam o risco de erros de cálculo. As crescentes tensões geopolíticas que produzem eventos desestabilizadores e aumentam os riscos para todos os países envolvidos podem incentivar os rivais a buscar um terreno comum para negociar medidas de fortalecimento da confiança para reduzir os riscos. Por exemplo, a perspectiva de um "chamado próximo" — em que ocorre um grande conflito militar ou um desastre natural significativo que aumente o impacto global negativo da mudança climática — pode obrigar as nações a trabalharem juntas para a autopreservação, levando a uma maior estabilidade na ordem internacional. Tal resultado, no entanto, não é certo e destaca a importância de gerenciar a crescente concorrência geopolítica de modo a reduzir o risco de erros de cálculo e a conflagração de guerras, deixando aberta a possibilidade de uma maior cooperação em questões de risco compartilhado.

Comunidades

Este cenário explora os problemas que surgem à medida que os muitos desafios econômicos e governamentais do futuro testarem a capacidade dos governos de enfrentar tais problemas, abrindo espaço para os Estados e atores privados, colocando em xeque os pressupostos sobre o futuro da governança. O cenário enfatiza as tendências associadas às mudanças na natureza do poder e aos avanços nas tecnologias de informação e comunicação (TIC) que empoderam uma ampla gama de atores influentes e identificam como tais tendências podem levar a escolhas que criarão oportunidades e obstáculos para o futuro da governança. É escrito a partir da perspectiva do futuro prefeito de uma grande cidade canadense em 2035, refletindo sobre as mudanças das duas décadas anteriores:

"Olhando em retrospectiva, o papel crescente da influência de grupos paralelos aos governos nacionais parece inevitável. Os governos nacionais se mostraram simplesmente menos capazes do que os governos estaduais e municipais de gerenciar certas necessidades públicas em um ambiente de rápida transformação, uma vez que as entidades locais estavam em melhor sintonia com grupos sociais e organizações comerciais cada vez mais poderosos. Além disso, à medida que a confiança pública nos líderes e nas instituições do governo nacional foi se desgastando, os serviços públicos mais críticos foram privatizados. As transações comerciais que não dependiam de intermediários governamentais tornaram-se mais comuns, e as pessoas ficaram cada vez mais confortáveis trabalhando para instituições não governamentais. Isso diminuiu ainda mais a capacidade dos governos de supervisionar e de gerar receita através de taxas e impostos.

"Embora as funções críticas do Estado, como a política externa, as operações militares e a defesa da pátria, continuassem sendo a prioridade dos governos nacionais, as populações passaram a depender cada vez mais das autoridades locais, movimentos sociais ou organizações religiosas para oferecer uma variedade crescente de serviços de educação, financeiros, comerciais, legais e de segurança. Ao mesmo tempo, as empresas aumentaram a abrangência da sua influência, atravessando fronteiras através de mecanismos de marketing cada vez mais sofisticados, da diferenciação de produtos e de programas de incentivo para desenvolver a lealdade do cliente. O envolvimento das empresas do setor privado na vida de seus empregados cresceu à medida que essas empresas expandiram a oferta de serviços como educação, saúde e habitação a eles. Grandes corporações multinacionais assumiram cada vez mais um papel na oferta de bens públicos e no financiamento de pesquisas globais.

"As pessoas passaram a definir cada vez mais suas relações e identidades através de grupos em desenvolvimento e interconectados não ligados aos canais do governo nacional. As tecnologias da informação e de comunicação são agora fundamentais para definir relacionamentos e identidades baseadas em ideias, ideologias, empregos e histórias comuns, em vez de terem a nacionalidade como fator de identidade. Além disso, os avanços nas biotecnologias provocaram distinções de classe em alguns países, separando aqueles que podiam pagar por modificações humanas daquelas pessoas que não eram artificialmente 'aprimoradas'.

"Como a capacidade de controlar e manipular a informação tornou-se uma fonte importante de influência, as empresas, grupos de defesa, fundos de assistência e governos locais foram muitas vezes mais aptos do que os governos nacionais a exercer o poder das ideias e explorar as emoções do público para conquistar o apoio da população. Em alguns casos, os governos cederam

Capítulo 4: Três cenários para o futuro distante: ilhas, órbitas, comunidades | 123

voluntariamente algum poder a essas redes de 'comunidades' sociais e comerciais na esperança de evitar divisões políticas e frustrações públicas e de garantir a oferta de serviços locais que os governos nacionais não podiam oferecer. Em outros casos, entidades não governamentais unidas conquistaram autoridade suficiente para desafiar as instituições nacionais.

"No Oriente Médio, uma 'geração perdida' de jovens árabes insatisfeitos, cujas experiências fundamentais foram moldadas pela violência, insegurança, exclusão e falta de oportunidades econômicas e educacionais — especialmente as mulheres — uniram-se através de redes de informação para desafiar as tradicionais estruturas de governo centralizado. A juventude árabe reivindicou, em muitos países, mais serviços e reformas políticas que lhes permitissem obter maior influência nas decisões políticas de seus governos. Além disso, houve uma ampla rejeição por parte de toda sociedade do extremismo religioso violento dos grupos terroristas que surgiram no cenário mundial no início do século XXI. Uma vez iniciados, esses movimentos se espalharam rapidamente por toda a região.

"A experiência do Oriente Médio se repetiu em outras regiões, mas nem sempre com os mesmos resultados. Por exemplo, em meio a uma acidentada sucessão de liderança, Moscou teve considerável dificuldade em manter o controle central quando os russos se uniram em protesto contra a corrupção governamental desenfreada e o poder dos oligarcas, exigindo reforma econômica e política. Alguns regimes tiveram sucesso ao firmar acordos de compartilhamento de poder com autoridades locais e alguns deles utilizaram recursos de fundações transnacionais e de fundos de assistência para atender às necessidades de suas sociedades. Outros governos recorreram à força para reprimir os protestos internos e empregaram tecnologias de informação avançadas para identificar e silenciar os dissidentes. O Partido Comunista da China adotou inicialmente essa abordagem, mas foi forçado a ajustar sua estratégia e a assumir compromissos, uma vez que a manutenção do poder através da força tornou-se mais difícil. Outros governos sucumbiram às pressões internas e foram fragmentados por conta das idiossincrasias étnicas, religiosas e tribais.

"O resultado foi uma confusão. Para atender às necessidades e demandas públicas em transformação, a governança evoluiu globalmente através de tentativa e erro. Os países mais ágeis e livres, como os Estados Unidos, adaptaram sua abordagem de governança ao engajamento público e passaram a formular políticas aproveitando o poder dos atores subnacionais e não estatais, aumentando a importância dos municípios e de outras formas de governo local. Os líderes municipais do mundo todo, como eu, trabalharam cada vez mais unidos, incentivando nossos governos nacionais a compartilhar informações e recursos e a desenvolver novas abordagens para problemas comuns, como mudanças climáticas, educação e redução da pobreza.

"Foi mais fácil para o Canadá, os Estados Unidos e outras democracias liberais que tinham uma tradição de liderança forte do setor público e privado ajustar-se a este novo estilo de governo — o que não ocorreu com os países de governo centralizado. Os regimes autoritários que resistiram à crescente difusão do poder e tentaram limitar e controlar as atividades das organizações não governamentais, por exemplo, enfrentaram movimentos populares generalizados que minaram sua autoridade. Nos piores casos, extremistas, grupos criminosos e guerrilheiros passaram a dominar áreas nas quais o governo nacional perdeu o controle.

"Com o tempo, as organizações comerciais e religiosas, grupos da sociedade civil e os governos municipais formaram coalizões multipartidárias de vários tipos — algumas delas incluíam os governos nacionais. Essas novas abordagens para resolver os desafios globais desenvolveram-se gradualmente em torno de valores comuns, como os direitos humanos. Os líderes dos governos estaduais, municipais e cívicos e as organizações comerciais e da sociedade civil agora participam rotineiramente de processos regionais e inter-regionais e das redes formadas sobre questões específicas para produzir alternativas que possam gerar mudanças positivas. Hoje, são os movimentos sociais, organizações religiosas, governos municipais e o público que impulsionam as agendas políticas dos governos nacionais. Retirado do antigo contexto de 'Guerra Fria', o termo 'Mundo Livre' agora define a rede formada por entidades estatais, subestatais e não estatais que trabalham em cooperação para promover o respeito pelas liberdades individuais, direitos humanos, reformas políticas, livre comércio adoção de políticas ambiental- mente sustentáveis e transparência da informação".

AS IMPLICAÇÕES DAS COMUNIDADES

Este cenário examina questões associadas ao futuro da governança. Nele, os governos precisarão elaborar políticas e processos que envolvam parcerias público-privadas com uma ampla gama de atores — líderes municipais, organizações não governamentais e a sociedade civil — para enfrentar os desafios emergentes. Grandes corporações multi- nacionais e fundos assistenciais, em particular, poderiam complementar cada vez mais o trabalho dos governos na prestação de serviços de pesquisa, educação, treinamento, assistência médica e de informações à sociedade.

Embora o Estado irá continuar a ser o principal agente a garantir a segurança nacional e outros elementos exclusivos do "poder duro"[25], sua capacidade de alavancar atores locais, privados e transnacionais aumentaria seus atributos e resiliência do seu aspecto de "poder brando"[26]. As democracias liberais que estimularem a governança descentrali- zada e as parcerias entre o público e o privado terão mais possibilidade de se adaptar ao novo contexto mundial. Nessas sociedades, a tecnologia possibilitará novas formas de interações entre o público e o governo, permitindo a tomada coletiva de decisões. Outros governos, no entanto, podem não se adequar, levando a uma variedade de resultados, inclusive o aumento do autoritarismo e a falência do Estado.

---

25. *Hard power* ("poder duro") é um conceito usado principalmente nas relações internacionais, e se refere à capacidade de um Estado, em termos do uso de meios militares e econômicos, para influenciar outros corpos políticos a cooperarem com o avanço de seus interesses.

26. *Soft Power* é um conceito desenvolvido por Joseph Nye da Universidade de Harvard e usado em relações internacionais para descrever a capacidade de atrair e cooptar em vez de coagir, usar a força ou oferecer dinheiro como meio de persuasão.

CAPÍTULO 5

O QUE OS CENÁRIOS DEMONSTRAM: CRIANDO OPORTUNIDADES ATRAVÉS DA RESILIÊNCIA

Ao examinarmos as tendências apresentadas nos três cenários percebemos que o mundo se tornará mais volátil nos próximos anos. Estados, instituições e sociedades estarão sob pressão vinda de todos os lados, devendo adaptar-se aos desafios sistêmicos e tomarem medidas antecipadamente. De um lado, a pressão para responder às mudanças climáticas, aos novos padrões e protocolos tecnológicos e ao terrorismo transnacional exigirão cooperação multilateral. Do outro, a incapacidade do governo de atender às expectativas de seus cidadãos com relação às desigualdades sociais e as políticas de identidade aumentará o risco de instabilidade. Responder a esses desafios de maneira eficiente exigirá não só recursos e capacidades, mas também vontade política. Além disso, a extensão desses desafios pode sobrecarregar a capacidade dos países e das instituições internacionais de solucionar problemas sugerindo uma maior atuação de atores públicos e privados.

Os cenários também destacam que as mesmas tendências que aumentam os riscos no curto prazo podem permitir melhores resultados a longo prazo, se a proliferação de poder e dos atores resultar em resiliência que permita administrar as maiores dificuldades e incertezas. Em um mundo onde as surpresas têm efeito considerável e ocorrem com mais frequência, os atores mais resistentes terão maior sucesso, pois têm melhores condições de se adaptar às transformações, de perseverar diante da adversidade e de agir rapidamente para corrigir erros.

Embora a resiliência ganhe importância em um mundo mais caótico, a medida tradicional de poder estatal raramente interfere na capacidade de rápida recuperação ou adaptação de um Estado. O colapso súbito da União Soviética e a perda de autoridade estatal depois da "Primavera Árabe" sugerem que os Estados podem ser frágeis a ponto de as formas convencionais de poder não bastarem.

- Por exemplo, considerando-se as medidas tradicionais de poder, como PIB, gastos militares e tamanho da população, a participação da China no poder global está aumentando. Esse país, porém, também exibe várias características, como governo centralizado, corrupção política e uma economia excessivamente dependente do investimento e das exportações líquidas para o crescimento, que indicam vulnerabilidade a futuros choques.

- Alternativamente, os Estados Unidos exibem muitos dos fatores que garantem a resiliência, como a governança descentralizada, a economia e a sociedade diversificadas, grande território, biodiversidade, fontes de energia seguras, alianças e capacidade de emprego de poder militar em âmbito global.

Os governos, as organizações e os indivíduos mais capazes de identificar oportunidades e de trabalhar de modo cooperativo terão sucesso, mas a abertura para a criação de novos padrões de cooperação está se tornando mais estreita. O desafio da ação coletiva fica mais pronunciado à medida que os problemas globais crescem. As escolhas a curto prazo feitas por indivíduos, organizações e Estados moldarão o modo como a atual crise de governança e de cooperação será abordada, ou determinarão se um longo período de falta de respostas, ou de respostas não coordenadas, para dirimir a incerteza e a volatilidade irá intensificar as tensões domésticas e internacionais. A gestão de alianças, a melhoria da governança nacional e das instituições internacionais e a abertura capaz de mobilizar uma ampla gama de organizações comerciais,

CAPÍTULO 5: O QUE OS CENÁRIOS DEMONSTRAM: CRIANDO OPORTUNIDADES ATRAVÉS DA RESILIÊNCIA | 129

religiosas, civis e de ativismo em todos os níveis de governo serão fundamentais para sustentar resultados positivos.

As questões que tratam das vulnerabilidades comuns e da necessidade de abordagens globais — como as mudanças climáticas e a expansão da ameaça terrorista — podem induzir os países a aumentar sua capacidade de rápida recuperação ou adaptação, particularmente se a cooperação for limitada. Tais questões também podem estimular os países a fortalecer instituições internacionais e outros fóruns transnacionais com o objetivo de desenvolver soluções e coordenar ações. Por sua vez, tais desenvolvimentos podem levar a uma nova era de engajamento global que inclua a atuação de governos nacionais, governos estaduais e municipais, empresas e grupos da sociedade civil trabalhando cooperativamente para enfrentar os desafios existenciais colocados à humanidade.

- Duas iniciativas de alto nível da ONU — a "Agenda de Desenvolvimento Sustentável" e a "Convenção-Quadro das Nações Unidas sobre a Mudança do Clima" — definem metas estratégicas amplas a serem desenvolvidas por meio da cooperação de governos e parcerias entre os setores público e privado. Esses esforços permitem que as partes aprimorem os programas ao longo do tempo e possibilitam a empresas e grupos da sociedade civil desempenhar um papel de relevo na elaboração das normas internacionais dos acordos de governança global.

- O aumento da resiliência em âmbito institucional também pode ser fomentado através do emprego de células, exercícios, tecnologias e processos de planejamento estratégico que acelerariam as respostas positivas durante as crises.

- A eleição do futuro secretariado geral das Nações Unidas também proporcionará oportunidades para articular a direção estratégica do sistema de agências das Nações Unidas e estimulará a repensar as prioridades à luz dos desafios que vão surgindo à medida que as lideranças e as nomeações mudam.

As desvantagens da globalização que levam alguns governos a adotar políticas protecionistas e nacionalistas também podem criar oportunidades no sentido de expandir a resiliência e a inovação em âmbito local. A desaceleração da globalização e do comércio e o advento das tecnologias de fabricação aditiva (impressão em 3-D) podem levar a uma maior ênfase na oferta de serviços, melhorando a autoconfiança das sociedades e dos grupos locais. Esses desenvolvimentos podem preparar o cenário para uma nova onda de empreendedorismo e manufatura que trará vantagens econômicas às comunidades locais. Governos e instituições acadêmicas — historicamente fonte de avanços científicos que possibilitam o desenvolvimento do setor privado — poderiam fomentar ações locais para promover produtividade e inovação, expandir o acesso público à educação, aos recursos de ciência e da tecnologia e realizar pesquisas.

As iniciativas para oferecer educação continuada à força de trabalho, garantir mobilidade e segurança aos trabalhadores e buscar a liderança tecnológica em diferentes áreas irão fortalecer a capacidade de os Estados responderem ou se adaptarem mais rapidamente aos avanços em tecnologia capazes de causar desequilíbrios no mercado de trabalho, como automação, análise de dados, inteligência artificial e biotecnologias. Essa resiliência mitiga o risco a curto prazo de encolhimento da taxa de empregos e dos mercados, e permitirá que as tecnologias produzam maior eficiência econômica e produtividade ao longo do tempo.

- A educação continuada oferecida por parcerias entre o setor público e o privado permitiria que as forças laborais adaptem-se às mudanças no mercado de trabalho e ao sentimento populista potencialmente difundido de que as elites ignoram o trabalhador médio. Tais iniciativas, semelhantes às do modelo de aprendizado

Avaliando a resiliência do Estado

Medir a resiliência, isto é, a capacidade de rápida recuperação ou adaptação, de um Estado provavelmente será melhor para determinar o sucesso ao enfrentar o caos e as dificuldades do futuro do que as medidas tradicionais de poder material. Os países bem-sucedidos no futuro provavelmente serão aqueles que já estão investindo em infraestrutura, produção de conhecimento e na construção de relacionamentos capazes de resistir ao choque, seja econômico, ambiental, social ou cibernético.

Entre os que aumentam a resiliência dos Estados, de acordo com pesquisas existentes, estão:

- **Governança:** os governos que forem capazes de fornecer bens e serviços, promover inclusão política, reforçar o estado de direito e ganhar a confiança de suas populações estarão melhor posicionados para absorver choques e movimentar sua população para responder com eficiência à crise.

- **Economia:** Os países com economias diversificadas, dívida pública gerenciável e reservas financeiras adequadas, setores privados robustos e mão de obra adaptável e inovadora serão mais resilientes.

- **Sistema social:** uma sociedade preparada, integrada e ordenada tende a ser coesa e resiliente para enfrentar mudanças inesperadas e desenvolver uma alta tolerância para lidar com a adversidade.

- **Infraestrutura:** a robustez da infraestrutura crítica de um país, inclusive as diferentes fontes de energia e as redes de comunicação, informação, de saúde e financeiras, diminuirá a vulnerabilidade do Estado tanto com relação a desastres naturais quanto a tentativas intencionais de interromper o funcionamento de serviços oferecidos por tais infraestruturas por meio de ciberataque ou de outro tipo de agressão.

- **Segurança:** os Estados com grande poder militar, capacidade de fazer as leis serem cumpridas, agentes capacitados a responder às emergências, boas relações entre civis e militares e alianças fortes provavelmente poderão se defender de ataques inesperados e restaurar a ordem doméstica após o choque ocasionado por um conflito.

- **Geografia e Meio Ambiente:** os Estados que têm um grande território, grande biodiversidade e boa qualidade de ar, alimentos, solo e água terão maior capacidade para enfrentar as catástrofes naturais.

profissional alemão, poderiam envolver a colaboração entre governos, setor privado e instituições educacionais — privadas ou públicas — para formar trabalhadores novos ou iniciantes, funcionários recém-deslocados e aqueles há muito tempo desempregados.

- As instituições acadêmicas poderiam desenvolver currículos através de consultas de acordo com a necessidade de empregadores em potencial, os quais incluiriam o ensino e o treinamento de habilidades específicas, criando conjuntos de trabalhadores totalmente preparados para as indústrias novas e em evolução, eliminando um problema comumente citado como fator de restrição à contratação de trabalhadores em muitas áreas de alta tecnologia. Esses esforços podem contribuir com as instituições acadêmicas para que permaneçam atualizadas e relevantes, além de reduzir a necessidade de assistência pública a longo prazo para trabalhadores em situação inativa.

Tais programas, que poderiam estimular a participação das empresas através de incentivos fiscais ou de subsídios salariais para novas contratações, beneficiariam em particular os países industrializados que adotaram rapidamente as novas tecnologias de produção, enfrentam a competição laboral mundial e o decréscimo populacional, mas que possuem população altamente educada e em idade de trabalhar. Essas iniciativas também podem proteger os direitos de propriedade intelectual, incentivar a criação de novas indústrias em comunidades que as patrocinem e preservar a liderança nacional na definição de protocolos e padrões tecnológicos.

A transparência será maior por conta da tecnologia de comunicação, promovendo resiliência, aumentando a visibilidade dos cidadãos nos processos governamentais, apoiando medidas anticorrupção e moderando impulsos polarizadores. A criação de organizações de mídia e de tecnologia que produzam relatórios objetivos e ofereçam suporte transparente para a confirmação de fatos seria um passo positivo no sentido de construir uma base de confiança no governo e nas instituições. Uma comunicação transparente e de maior abrangência, em conjunto com o ensino de técnicas para desenvolver o pensamento crítico, poderia reduzir os temores e ampliar a compreensão dos cidadãos sobre diferentes temas.

Com maior confiança, as populações historicamente excluídas, como as minorias, poderiam ter mais oportunidade de inclusão e de participar com maior liberdade dos debates da sociedade.

O estímulo para as sociedades problemáticas, como as do Oriente Médio, buscarem maior capacidade e velocidade de resposta ou de adaptação aos problemas atuais também exige a redução das forças que promovem o extremismo. As indicações relativas à frustração popular no Oriente Médio devido aos abusos do extremismo assumido como "islâmico" podem impulsionar as populações locais a rejeitar ideologias extremistas e, em vez disso, exigir novas reformas políticas. Em todo o Oriente Médio e norte da África, os extremistas que se afirmam islâmicos estão levando muitos a se afastarem do islamismo. Por exemplo, o Ennahda, o partido político no poder na Tunísia, anunciou recentemente a intenção de não mais se identificar com o islamismo, assumindo-se como democrata muçulmano, citando, em parte, a sensibilidade às conotações trazidas por esse estereótipo.

Os investimentos em dados, métodos, modelagem industrial e vigilância de sistemas críticos de suporte humano e natural — como infraestrutura, energia, água e qualidade do ar — podem levar ao desenvolvimento de novas tecnologias sustentáveis, aumentando a capacidade de resiliência tanto da comunidade como do meio ambiente. A provável demanda por tecnologias e serviços de mitigação por parte do setor privado levará alguns países e corporações a dominar esse novo mercado. A rentabilidade de tais desenvolvimentos poderia, por sua vez, substituir a necessidade de um desastre natural ou de outra crise qualquer para transformar as políticas sobre esta questão. Programas que fortaleçam a capacidade de resposta no curto prazo a crises e o desenvolvimento a longo prazo de sistemas climáticos e adaptativos minimizarão o potencial de haver perdas econômicas decorrentes das atuais pressões demográficas e ambientais. Os setores que irão mais se favorecer serão os de construção, energia, mineração, agricultura, seguros, finanças, pesquisa e desenvolvimento. Tais setores terão impacto local a internacional.

As sociedades mais resilientes também serão as que aproveitarão ao máximo o potencial dos indivíduos — inclusive o das mulheres e das minorias — para criar novas respostas e gerar cooperação. Tais sociedades estarão seguindo as correntes históricas, e não indo em direção contrária, e irão moldar o futuro com base no potencial e na capacidade humanos. Em todas as sociedades, mesmo nas circunstâncias mais sombrias, haverá aqueles que optarão por melhorar o bem-estar, a felicidade e a segurança dos outros — e que usarão tecnologias transformadoras para fazê-lo em grande escala. O contrário também será verdadeiro — as forças destrutivas serão fortalecidas como nunca antes. A escolha principal colocada aos governos e às sociedades é como combinar os recursos individuais, coletivos e nacionais de forma a promover a segurança, as expectativas e a prosperidade de modo sustentável.

OBSERVAÇÃO METODOLÓGICA

Tal como ocorreu com as edições anteriores do *Tendências Globais*[27], o Conselho Nacional de Inteligência procura inovar sua abordagem, empregar métodos de previsão rigorosos, trabalhar com perspectivas cada vez mais diversas e maximizar a relevância política. Construímos essa tradição para a produção do relatório atual, o sexto relatório global, incluindo vários elementos novos ao nosso processo analítico.

- Primeiro, examinamos as tendências regionais e, em seguida, agregamos essas avaliações para identificar uma dinâmica global mais ampla.

- Avaliamos as tendências emergentes e suas implicações em dois prazos: uma perspectiva de quase cinco anos que se concentrou nas

---

27 No Brasil, foram publicadas as edições lançadas em 2004 e 2008, pela Ediouro e Geração Editorial, respectivamente, com o nome de *Relatório da Cia* e *O Novo Relatório da Cia*, ambas com introdução de Heródoto Barbeiro e tradução e notas de minha autoria.

questões que a próxima administração[28] dos EUA enfrentará, e uma projeção de longo prazo, abrangendo os próximos vinte anos, a fim de fornecer subsídios teóricos a serem considerados no planejamento estratégico dos EUA. É por esse motivo que tiramos o ano do título[29].

- Desenvolvemos um novo conceito para pensar o "poder" geopolítico, afastando-nos dos métodos tradicionais, os quais enfatizam excessivamente o poder material baseado no Estado, como o Produto Interno Bruto e as despesas militares, e consideramos também aspectos não materiais do poder, como ideias e relacionamentos, o surgimento de organizações comprometidas, movimentos sociais e indivíduos.

- Utilizamos extensivamente simulações analíticas — empregando equipes de especialistas para representar os principais atores internacionais — a fim de explorar as trajetórias futuras nas diversas regiões do mundo, vislumbrar a ordem internacional futura, o ambiente de segurança e a economia global.

- Consideramos, igualmente, o potencial de crise em todas as regiões e áreas, desenvolvendo uma apreciação dos tipos de descontinuidades que provavelmente provocarão mudanças fundamentais na atual conjuntura. Estas descontinuidades são destacadas no texto como notícias fictícias do futuro.

Inicialmente, analisamos as premissas utilizadas no planejamento bipartidário dos EUA desde 1945 a fim de identificar entre tais pressupostos os que

---

28 A administração Trump.

29 Os outros traziam no título a pergunta, que o relatório buscava responder, "Como será o mundo em 20XX", sendo que XX representa o ano duas décadas depois do lançamento do relatório.

estão mais ou menos propensos a sofrer pressão do contexto estratégico que já se delineia. Esses exercícios nos ajudaram a priorizar quais questões deveriam ser avaliadas, os países a serem visitados e as pessoas a serem consultadas, permitindo administrar o escopo da pesquisa. Em última análise, o nosso estudo com horizonte de realização de dois anos sobre as principais tendências e incertezas levou-nos a mais de trinta e cinco países e a ter reuniões com mais de 2.500 indivíduos — o que nos possibilitou compreender como elas são hoje e avaliar as prováveis escolhas que as elites e o público em geral irão fazer frente a tais condições futuras. As entrevistas com altos funcionários e estrategistas de todo o mundo nos levou a entender o desenvolvimento da intenção estratégica e dos interesses nacionais das grandes potências. Visitamos e trocamos correspondência com centenas de cientistas naturais e sociais, formadores de opinião, figuras religiosas, representantes empresariais e industriais, diplomatas, especialistas em desenvolvimento e estivemos também com mulheres, jovens e organizações da sociedade civil de todo o mundo. Completamos esta pesquisa solicitando comentários sobre nossa análise preliminar através de mídias sociais, em eventos como o *South Interactive Festival*, e através de *workshops* e das revisões dos rascunhos feitas por especialistas.

Como nos relatórios *Tendências Globais* anteriores, desenvolvemos vários cenários com o objetivo de descrever como as principais incertezas e propensões que estão se delineando podem se combinar e produzir futuros alternativos. Os cenários também exploram as escolhas fundamentais que os governos, as organizações e os indivíduos podem fazer em resposta às tendências em desenvolvimento, escolhas estas que podem realinhar as trajetórias atuais, criando oportunidades para se moldar futuros mais promissores.

Finalmente, apresentamos o relatório *Tendências Globais: o paradoxo do progresso* como um subsídio para se compreender a complexidade do mundo e seu potencial de provocar irregularidades graves e iminentes. O projeto reflete nossa própria avaliação das propensões e implicações, como analistas profissionais que somos, buscando espelhar ao máximo a realidade como a percebemos neste estudo. As conclusões não representam a política oficial do governo dos EUA ou a posição da comunidade de inteligência norte-americana. Nós apresentamos este relatório com a modéstia de reconhecer plenamente a audácia da tarefa e a possibilidade de haver erros — os quais assumimos como de nossa inteira responsabilidade. Acreditamos, porém, que, ao compartilhar com o mundo nossa avaliação do futuro próximo e das próximas décadas, oferecemos um ponto de partida para compreender os riscos e as oportunidades que estão por vir.

GLOSSÁRIO

Clima: compreende as médias, a variabilidade e outras estatísticas do clima ao longo de várias décadas ou mais, enquanto "tempo" refere-se condições de curto prazo da atmosfera em uma região específica. O clima[30] concerne a dias muito quentes ou frios ou chuvosos, enquanto os eventos climáticos extremos incluem ocorrências prolongadas, inundações, ondas de calor, ondas frias e tempestades tropicais intensas.

Mudança climática: reflete as mudanças que não são aleatórias no clima por meio de mensurações tomadas ao longo de várias décadas.

Variabilidade/variação climática: reflete a forma como o clima flutua acima ou abaixo dos valores médios a longo prazo. Utilizamos os termos "países desenvolvidos" e "países em desenvolvimento" para diferenciar nações amplamente industrializadas com renda *per capita* relativamente alta daquelas em que a industrialização e

---

30 *Weather*, no original. Em inglês há três termos distintos para se referir aos fenômenos climáticos: *climate*, *weather* e *time*, empregados no trecho acima. Em português usamos as palavras "clima" e "tempo", significados também abrangidos em inglês por *weather*, que também pode significar "exposição ao clima". Assim, *weather* foi traduzido neste trabalho como clima ou condição/ões climática/s.

a riqueza são mais limitadas. Para os fins deste estudo, os "países em desenvolvimento" são aqueles incluídos no grupo "mercados emergentes e países em desenvolvimento" do FMI, definidos como todos os países além das economias avançadas dos Estados Unidos, Canadá, Europa Ocidental, Japão, Coreia do Sul, Austrália e Nova Zelândia. Embora o Banco Mundial use termos mais precisos para caracterizar o desenvolvimento econômico — e é provável que mais organizações façam o mesmo —, preferimos manter os termos tradicionais, dado seu uso convencional generalizado, inclusive pelas Nações Unidas e empresas.

Globalização: processo de interação e integração entre pessoas, empresas e governos do mundo todo, impulsionada pelo fluxo do comércio, capital, de pessoas, ideias e informações através das fronteiras. Adotamos a definição de **governança** proposta pelos pesquisadores do Banco Mundial, entendida como "as tradições e instituições pelas quais a autoridade de um país é exercida". Isso inclui "o processo pelo qual os governos são selecionados, monitorados e substituídos; a capacidade do governo para efetivamente formular e implementar políticas sólidas; e o respeito dos cidadãos e do Estado pelas instituições que governam as interações econômicas e sociais entre tais atores".

Deslocado interno[31] (IDP, conforme sigla em inglês) é uma pessoa — ou grupos de pessoas — forçada ou obrigada a fugir ou a abandonar sua casa ou local de residência como resultado de conflitos armados, situações de violência generalizada, violações de direitos humanos, desastres naturais ou causados pelo homem, e que permanece em seus país de origem.

---

31 Ver nota 6

Sistema internacional: refere-se à distribuição de poder e interações entre países, bem como o conjunto de instituições, regras e normas que orientam tais interações. O termo ordem internacional é frequentemente usado para caracterizar a natureza dessas interações, tipicamente associada a tipos específicos de ordem, como a ordem internacional criada após 1945, a qual se baseia em normas internacionais.

Islâmico: descreve um movimento ou abordagem com o objetivo de ampliar o relevo do papel do Islã na política e, por vezes, em outros aspectos da vida pública; tal abordagem pode ou não ser violenta.

Principais economias (ou grandes economias): são as maiores economias do mundo — os Estados membros do G7: Estados Unidos, Japão, Alemanha, Reino Unido, França, Itália e Canadá, além da China. Estas não são as "maiores economias", porque o Brasil e a Índia ultrapassaram o Canadá e a Itália em termos nominais, e vários países adicionais — Rússia, Indonésia, México, Coreia do Sul e Arábia Saudita — suplantam alguns membros do G7 em termos de paridade de poder de compra. No entanto, usamos esse agrupamento para refletir um equilíbrio entre o tamanho econômico nacional e a riqueza *per capita*, bem como os desafios demográficos comuns.

Migrante: qualquer pessoa que esteja se deslocando por uma fronteira internacional ou que entrou em um país distante de seu local de residência, independentemente do: 1) *status* legal da pessoa; 2) do deslocamento ser ou não voluntário; 3) das causas que levaram ao deslocamento; ou 4) da duração da estadia.

Migração é o movimento de uma pessoa ou de um grupo de pessoas, seja através de uma fronteira internacional ou dentro de um país.

A migração é um movimento popular, abrangendo qualquer tipo de deslocamento de pessoas, qualquer que seja seu tamanho, constituição e causas. Inclui refugiados, pessoas deslocadas, migrantes econômicos e pessoas que se deslocam para outros fins, inclusive para buscarem se reunir com a família dispersada.

Nacionalismo: ideologia baseada na premissa de que a lealdade e a devoção de um indivíduo para com a nação ultrapassam outros interesses individuais ou de grupos. Uma nação é um grande grupo de pessoas unidas por descendência, história, cultura ou idioma comum, vivendo em um determinado Estado ou território. Uma nação pode ou não ser um Estado.

Nativismo: promoção dos interesses dos habitantes nativos ou estabelecidos contra aqueles recém-chegados ou imigrantes e que também pode ser expressado como a ênfase exagerada nos costumes ou locais tradicionais em oposição às influências externas.

Populismo: programa político que promove a pessoa comum, o povo, geralmente em contraste com as elites. Os apelos populistas podem ser de esquerda, de direita ou ainda combinar elementos de ambos. O populismo pode designar movimentos democráticos e autoritários e tipicamente promove uma relação direta entre o público e a liderança política.

Refugiado: pessoa que, de acordo com a Convenção de Refugiados da ONU de 1951, "devido a um temor bem-fundamentado de perseguição por razões de raça, religião, nacionalidade, por pertencer a determinado grupo social ou possuir certas opiniões políticas, está fora do seu país de origem ou nacionalidade e é incapaz ou, devido a esse temor, não está disposto a submeter-se à proteção do país em questão".

ANEXOS

Os próximos cinco anos por região

Introdução

O projeto *Tendências Globais* é produzido a partir de ampla pesquisa e o envolvimento direto com diversas regiões e diferentes temas. Esses subsídios são produzidos para que sirvam como blocos de construção, ampliando nossa compreensão de modo a poder avaliar com maior segurança os riscos e oportunidades estratégicas em âmbito mundial nos próximos vinte anos. Este anexo inclui dois importantes elementos fundamentais para o relatório *Tendências Globais*:

- A primeira seção, "Os próximos cinco anos", representa uma visão geral sistemática, ao longo de um horizonte de cinco anos, das tendências em cada região do mundo, com foco nos principais efeitos das transformações que já estão em andamento.

- A segunda seção, "As principais tendências globais", explora esses efeitos de primeira ordem ao longo de um horizonte de vinte anos; a análise é organizada em torno de questões como demografia, economia, governança e segurança, em vez de ser orientada por região geográfica.

LESTE E SUDESTE DA ÁSIA

O Leste e o Sudeste asiáticos são a região mais diversificada do mundo em termos étnico culturais. Trata-se da zona mais propensa a ganhar importância econômica e estará no centro da cooperação pela saúde da economia mundial e da concorrência geopolítica no futuro próximo. Para a China, muitos fatores já estão intensificando as incertezas políticas: a economia está desacelerando; o esforço de Pequim para promover sua primazia na Ásia; uma força de trabalho reduzida como resultado do envelhecimento populacional; e a concentração de poder nas mãos do presidente Xi. Tais fatores lançam uma sombra sobre a manutenção da paz e da prosperidade da região, uma vez que a China está profundamente integrada na economia global e é a alavanca econômica da região, embora coopere de modo seletivo, procurando moldar as normas e regras internacionais, com o objetivo de promover seus interesses. As reivindicações de soberania da China sobre questões como o Mar da China Meridional estão provocando reações de seus vizinhos e agitando o sentimento nacionalista em casa — fatores que poderiam reduzir a margem de manobra de Pequim. A relação entre a concorrência por segurança, a estabilidade do regime e a cooperação econômica irá fundamentar a maioria das relações regionais, o que incluirá oposição vinda dos poderes médios e Estados menores à influência chinesa, os quais, porém, também tentarão evitar sacrificar as oportunidades econômicas com a China. O risco de uma economia chinesa menos robusta é um complicador adicional. As ações dos Estados Unidos e do Japão em relação à China — e em menor grau de potências emergentes como a Índia e a Indonésia

—, moldarão igualmente a percepção de cada país da região quanto aos riscos e oportunidades que surgirão.

- É improvável que as **disputas territoriais e marítimas** da região, que há muito estão sendo questionadas, sejam resolvidas nos próximos cinco anos; ao contrário, devem aumentar ainda mais a tensão, levando a pedidos de intervenção dos EUA, complicando o amadurecimento e a ação de instituições regionais, como a Associação das Nações do Sudeste Asiático (ASEAN). Uma nova escalada de tensão em torno de qualquer uma das dificuldades enfrentadas pela Ásia provavelmente prejudicaria a segurança econômica, levando à diminuição do investimento e da cooperação econômica na região.

- **Pequim** pode avaliar que a China tem uma "janela de oportunidade estratégica" para garantir uma maior influência na região que está se fechando, levando o país a agir antes que uma maior pressão contra a sua ascensão se desenvolva como resultado de ações estratégicas na região por parte dos EUA, da evolução da política de defesa do Japão, da nova liderança de Taiwan e da percepção de uma identidade distinta daquela da China continental, do programa nuclear da Coreia do Norte e dos próprios desafios econômicos que a China enfrenta. As visões dos outros países sobre a China provavelmente irão variar conforme o comprometimento de Pequim no cumprimento das regras internacionais amplamente aceitas.

- Um **Japão** cada vez mais autossuficiente expandirá seu envolvimento internacional — potencialmente aumentando sua participação em assuntos de segurança regionais e questões globais e tornando-se um parceiro mais forte dos Estados Unidos —, devido a suas robustas relações econômicas, especialmente no Sudeste

Asiático. A crescente incerteza com relação ao Leste Asiático — impulsionada principalmente pelo progressivo poder e assertividade da China — está levando Tóquio a repensar as restrições do pós-guerra em suas políticas de segurança e a criar capacidade para estabelecer um regime de autodefesa coletivo.

- É provável que a Índia se insira ainda mais nas questões econômicas e de segurança do Leste e do Sudeste Asiático, especialmente se sua relação com o Japão continuar a se fortalecer. As ambições da China e o desrespeito pelos interesses da Índia alimentam a disposição de Nova Deli — juntamente com o Japão e os Estados Unidos — para buscar o equilíbrio e a autodefesa. Embora a crescente preocupação ocidental com o livre-comércio esteja limitando as opções, um acordo semelhante à Parceria Transpacífico (TPP[32], conforme sigla em inglês), mas que incluísse a Índia, poderia transformar esse país em um curinga econômico, potencializando sua integração econômica com os Estados Unidos e outras economias importantes do Pacífico, contribuindo para impulsionar a reforma e o crescimento econômico domésticos e reforçando sua capacidade de assumir um papel econômico regional mais assertivo.

- A **Indonésia** tem a maior população muçulmana do mundo e parte da maior biodiversidade do planeta e pode assumir um papel global de relevo, alavancando uma resposta em nome do Islã contra a influência de redes terroristas globalizadas ou liderando a gestão das principais florestas primárias do mundo, mesmo que continue a enfrentar o desafio de governar um arquipélago vasto e

---

32 Acordo de livre-comércio estabelecido entre doze países banhados pelo Oceano Pacífico para reger uma variedade de questões política e econômicas. Os países signatários são: Brunei, Chile, Nova Zelândia, Singapura, Austrália, Canadá, Japão, Malásia, México, Peru, Estados Unidos e Vietnã.

remoto. A queima das florestas indonésias contribui com o aumento das emissões globais de carbono, com a poluição atmosférica e incrementa as taxas de óbitos causado por doenças em todo o Sudeste Asiático. Na Malásia, transformações nas políticas raciais e religiosas do país democrático de maioria muçulmana poderiam promover a democratização, a estabilidade social e os serviços de saúde da região. A Malásia e a Indonésia, como outros Estados muçulmanos, enfrentam a influência do islã salafista que enfatiza as práticas islâmicas sufis tradicionais, alimentando a tensão nessas sociedades multiétnicas e multirreligiosas. A Tailândia e as Filipinas estão lutando com problemas de governança, demonstrando uma tendência para a "regra do homem mais forte".

- Grandes transformações econômicas, demográficas e pressões urbanas — provocadas pela migração contínua para as cidades — provavelmente se tornarão mais significativas nos países asiáticos nos próximos cinco anos e exigirão respostas políticas. O envelhecimento das populações impulsionará a demanda pelos sistemas de saúde da região a fim de enfrentar doenças crônicas, o que, por sua vez, implica em aumento da necessidade de financiamento dos governos. A desigualdade econômica poderia ampliar a insatisfação do público na China e em outros lugares da região, particularmente porque as empresas enfrentam uma maior concorrência dos produtores da região e de outros lugares que produzem com baixo custo. Pequim enfrentará pressão para satisfazer as aspirações e demandas das suas classes médias e dos afluentes ou, então, será forçado a administrar a frustração desse público.

- As **mudanças climáticas** provocarão, através de fenômenos climáticos intensos, tsunamis, aumento do nível do mar e inundações, os países do Leste e do Sudeste Asiático, cujas populações se concentram nas zonas costeiras. O estresse contínuo reduzirá a resiliência até mesmo para responder a eventos climáticos menores. De acordo com as pesquisas do *Pew Institute*, as populações da China, Malásia e Filipinas consideram a mudança climática a principal ameaça às suas vidas, enquanto os indonésios, japoneses e sul-coreanos colocam as mudanças climáticas entre as três principais ameaças a suas existências. Os temores sobre a segurança hídrica e a segurança alimentar também estão entre as preocupações ambientais da região, a exemplo das recentes secas no Camboja, Laos e Tailândia, que destacam essa tendência. A cooperação nas questões hídricas será crucial, tendo em vista que se trata de uma região demasiadamente povoada, com países como a Birmânia, Camboja, China e Laos disputando direitos sobre sistemas fluviais — o que aumenta ainda mais a lista de disputas regionais.

- Na **saúde pública**, vários países da região são considerados focos críticos para o surgimento de um vírus de gripe com potencial pandêmico. O vírus aviário altamente patogênico H5N1 é endêmico em aves selvagens da China, Indonésia e Vietnã e é altamente letal para humanos. Outro vírus altamente patogênico é o H7N9, também presente em aves silvestres chinesas, sendo que, desde 2013, tem havido aumento no número de casos de infecção de humanos.

A relevância geopolítica da região nos próximos cinco anos: os rumos da China. Todos os países da região têm aproveitado as perspectivas econômicas e políticas da China. Nos próximos cinco anos, veremos se Pequim poderá continuar a aumentar os padrões de vida e expandir o número de indivíduos a receber benefícios econômicos, ao mesmo tempo em que realiza transformações estruturais em sua economia, desloca-se de um sistema econômico baseado na exportação para uma economia voltada para o consumidor e a oferta e demanda de serviços, e encontra seu equilíbrio no comércio global, deixando de

148 | RELATÓRIO DA CIA - A NOVA ERA

ser um grande consumidor de matérias-primas. Além do comércio e dos laços comerciais, a China agora figura fortemente nos planos de desenvolvimento dos países da região; a maioria das populações do Leste Asiático — e muitos do Sul da Ásia, Ásia Central e Europa — simpatizam com o investimento chinês, proporcionando a Pequim uma forma de promover sua influência no exterior. No entanto, qualquer falha por parte de Pequim no cumprimento de suas promessas de parceria econômica — como aquelas assumidas com o Banco Asiático de Investimento em Infraestrutura (AIIB, conforme sigla em inglês) e os projetos *One Belt, One Road* — pode prejudicar a confiança das populações estrangeiras no envolvimento com a China e afetar a reputação global dessa nação, bem como seus esforços para desenvolver mercados no interior do país e na sua região ocidental.

O maior teste político de Pequim reside na questão da capacidade de atender um público cada vez mais empoderado e comprometido, que espera um governo responsável, exige mobilidade social e crescimento contínuo, sem, porém, comprometer a estabilidade da sociedade ou o controle do Partido Comunista Chinês. O recente aumento de vigilância e do uso de tecnologias de comunicação avançadas por parte de Pequim e seu contínuo desrespeito aos direitos humanos refletem um fortalecimento do controle social e uma rejeição permanente ao pluralismo e a quaisquer alternativas políticas que não sejam o Partido Comunista Chinês.

- **A tensão religiosa e étnica** também irá testar a capacidade de Pequim de acomodar e tolerar o que historicamente tem visto como uma ameaça à sua autoridade. As populações muçulmanas e cristãs, que já são consideráveis na China, deverão aumentar ainda mais nas próximas duas décadas. O governo monitora e restringe os assuntos muçulmanos na província de Xinjiang, exacerbando o ressentimento dos moradores em relação a Pequim, e as dezenas de milhares de cristãos que professam sua fé nas "igrejas domésticas" subterrâneas também enfrentam perseguições frequentes do governo. O Tibete, onde o crescimento da população é o mais rápido da China, pode ser palco de agitações semelhantes às que ocorreram no passado.

- **As questões de saúde terão grande relevância nos próximos anos**. Os níveis crescentes de renda na China estão mudando os padrões de vida, aproximando-os dos modelos de consumo ocidentais. Como resultado, o índice de doenças crônicas, como obesidade, cardiopatias e câncer, está aumentando. Além do rápido envelhecimento da população em geral, milhões de pessoas cultivam hábitos pouco saudáveis, o que levará à expansão antecipada de doenças não transmissíveis, afetando a eficiência do atendimento do sistema nacional de saúde da China e comprometendo a capacidade do governo de investir em infraestrutura médica e treinar pessoal em número suficiente.

- Os **problemas ambientais** irão piorar. Em muitas regiões do país, o governo de Pequim enfrenta dificuldades para abastecer a população com água em quantidade e qualidade suficientes. A degradação de importantes recursos agrícolas e a considerável contaminação industrial pioraram a qualidade do ar em muitas cidades; ocorreram protestos locais quando essas condições se tornaram intoleráveis. O câncer e outras doenças provocadas por problemas do meio ambiente são tão graves em algumas partes do país que não são sequer necessários métodos avançados para diagnosticar a situação.

Esses desafios ocorrerão em um período de desaceleração econômica, de transformação estrutural da economia chinesa e de endividamento, tanto doméstico como internacional, desde a crise financeira global de 2008-09. Ao mesmo tempo, a liderança chinesa está centralizando cada vez mais o poder e promovendo uma campanha anticorrupção que, embora seja de aceitação popular, alienou o segmento composto pelos chineses mais ricos. Tal panorama doméstico contribuirá para determinar se a crescente influência da China na Ásia e no mundo trará novo vigor e eficácia ao sistema internacional ou se produzirá choques econômicos sistêmicos com mais risco de conflito regional.

- A resposta a esses desafios produzirá um resultado que deverá repercutir no modo como a **China** irá abordar seus vizinhos da Ásia Oriental. Uma transição econômica suave e promovida com habilidade e uma liderança mais unificada reforçariam a confiança de Pequim em suas negociações com o Japão, Filipinas e Vietnã. Da mesma forma como essas nações são suscetíveis de defender sua soberania territorial, corporações estrangeiras, universidades e indivíduos irão complicar o ajuste da China a essa situação, pois pressionarão em busca de proteção contra o roubo de propriedade intelectual e cibernética, assim como o não cumprimento de normas e manipulação de mercado.

- Pequim também ganhará **influência e respeito internacional** se suas novas iniciativas de investimento multilaterais conseguirem produzir aumento no nível do emprego e nos salários no país e no exterior. Contudo, o investimento multilateral também pode ameaçar a influência da China no exterior, especialmente se o envolvimento com regimes corruptos da África der origem ao tipo de ressentimento popular que os Estados Unidos enfrentaram no Oriente Médio.

- Da mesma forma, Pequim poderia se beneficiar ao assumir um papel de liderança, auxiliando a região a **gerenciar as emissões de gases de efeito estufa** e promovendo iniciativas para resistir ao aumento do nível do mar, da poluição, das condições climáticas extremas e da perda de biodiversidade. As questões ambientais continuarão a ser as principais preocupações relativas à qualidade de vida e incentivarão o ativismo da sociedade civil em toda a região, gerando oportunidades para os governos inovarem e melhorarem sua capacidade de resposta.

- À medida que a população étnica russa do Extremo Oriente encolhe drasticamente e as cidades do leste russo permanecem em grande parte vazias, seria natural que o interesse e o apetite chineses se voltassem para o norte, intensificando a fricção na área. Um grande número de chineses já está se infiltrando na região, com diferentes objetivos, vistos de entrada e interesses comerciais.

- Se Pequim mantiver seus laços com Islamabad e Pyongyang de forma mais eficaz, em resposta às ameaças prolongadas no Afeganistão e ao programa nuclear da Coreia do Norte, esse desenvolvimento terá um impacto significativo na paz e na estabilidade do Sul e do Nordeste da Ásia.

Outras considerações: gerenciamento de parceria. Para os Estados Unidos, o gerenciamento de parcerias e alianças será a sua principal tarefa na Ásia Oriental, com a participação em acordos de livre-comércio, como a Parceria Transpacífica (TPP), que tem potencial para promover a diversificação na região, mitigando a dependência excessiva da China. No entanto, muitos participantes asiáticos da TPP, bem como elites empresariais, parte do públicos e líderes políticos em alguns países veem a China mais como um celeiro de oportunidades do que como uma ameaça, e desconfiam da abordagem e do compromisso dos EUA com a TPP. O tamanho da China, o nível de desenvolvimento e suas necessidades particulares, como recursos diversos e bens de capital de alta qualidade, tornam esse país uma importante perspectiva econômica para outras nações da região, que irão buscar oferecer bens e serviços a esse mercado e procurar tê-lo como fonte de investimento e local de produção em formas e graus que os Estados Unidos não podem concorrer.

- **Os aliados e parceiros dos EUA** também estão incertos sobre a capacidade de os EUA recuperarem o "equilíbrio" da região; isso se deve às preocupações domésticas e internacionais de Washington, além de possíveis restrições de recursos.

- No **Nordeste da Ásia**, Pequim, Tóquio e Seul permanecerão economicamente interdependentes, mesmo que aprimorem suas capacidades de segurança. Tais países precisarão administrar os riscos de segurança de forma resoluta e evitar a dinâmica relacionada aos dilemas de segurança e a deflagração de conflitos que pode ocorrer quando medidas defensivas são interpretadas como ações ofensivas.

- É possível que a postura política e as questões históricas de longa data venham a prejudicar o aprofundamento das relações entre Japão e Coreia do Sul nos próximos cinco anos, apesar de alguns progressos. A frustração dos sul-coreanos com relação à relutância da China em controlar a Coreia do Norte levará Seul a cooperar com Tóquio e Washington, apesar de que a Coreia do Sul continuará a ver a China como um parceiro crucial para o turismo, o comércio e o investimento. Entrementes, o Japão continuará a buscar um envolvimento diplomático e de segurança mais ativo na região e no mundo. A economia do Japão, embora estagnada em termos agregados, continua a ser a terceira maior do mundo e, apesar do encolhimento da população economicamente ativa, continua a fornecer ganhos materiais para a maior parte da população idosa.

No **Sudeste Asiático**, a crescente interdependência econômica será o pano de fundo de um cenário de rivalidade nos altos níveis de poder, de conflito interno, de radicalização religiosa e de incerteza política doméstica, o que poderá a provocar atrito entre os que defendem a democratização e os que adotam o autoritarismo. Qualquer combinação entre esses elementos poderia fazer pairar estagnação, autoritarismo e instabilidade em uma comunidade regional hoje aberta, estável e em desenvolvimento — mas esses resultados continuam a ser improváveis. O nacionalismo continuará a ser uma força poderosa, mas é improvável que perturbe a crescente integração econômica da região.

- A Índia, a Indonésia e o Vietnã se tornarão jogadores muito mais proeminentes na Ásia, em parte devido aos avanços trazidos pelo desenvolvimento que experimentaram, relações comerciais em rápido crescimento e perfis demográficos mais favoráveis do que os de seus concorrentes. O plano de integração econômica na região será estabelecido pela comunidade econômica da ASEAN[33], cujos objetivos são: a liberalização do comércio, harmonização e melhorias dos procedimentos aduaneiros, comerciais e de serviços; liberalização do investimento e do mercado de capitais; e interconexão de infraestruturas.

- Os **desafios de segurança** motivarão a expansão contínua e o potencial de emprego de recursos militares na região. Com o crescimento econômico nos níveis atuais ou próximos dos atuais, os países da região irão aumentar os gastos militares, em parte por razões domésticas e em parte para se proteger da China, bem como das incertezas sobre a intenção dos EUA para a região. As disputas nos mares do Leste e do Sul da China continuarão, e os países da ASEAN destinarão maiores recursos para conter o radicalismo islâmico.

---

33 Associação de Nações do Sudeste Asiático, bloco econômico criado em 1967 com sede em Jacarta composto por dez países dessa região (Tailândia, Filipinas, Malásia, Cingapura, Indonésia, Brunei, Vietnã, Mianmar, Laos, Camboja). O objetivo principal do bloco é o desenvolvimento econômico, mas apresenta também propostas nos campos sociais e culturais.

- As **deficiências de governança** afetam os regimes autoritários e democráticos da região, e ambas as orientações continuarão a ter dificuldades para implementar políticas, enfrentar a corrupção e gerenciar relacionamentos muitas vezes problemáticos entre os decisores das políticas nacionais e os funcionários responsáveis pela execução de tal política em âmbito local. A capacidade dos governos de fornecer bens públicos e de atender à crescente demanda por melhor padrão de vida influenciará fortemente os níveis de estabilidade na região.

PENSANDO UMA CHINA REEQUILIBRADA

"Reequilibrar" a China, de uma economia orientada para os investimentos e exportação para uma voltada ao consumo doméstico, exigirá anos de ajuste com consequências de longo alcance para a vida cotidiana do país, bem como para seus parceiros econômicos em todo o mundo. Pequim há muito tem estimulado o crescimento por meio de investimentos excepcionalmente elevados em infraestrutura e equipamentos, muitos dos quais foram subutilizados ou eram ineficazes. Este modelo é agora insustentável, embora será difícil substituí-lo em pouco tempo por um baseado no crescimento promovido pelo consumo interno.

- Em 2015, o investimento da China representou mais de 40% do seu PIB, muito além da média de 30% das outras economias asiáticas em desenvolvimento, média esta que tem sido constante. Essa alta despesa em investimento não tem precedentes entre as principais economias em tempos de paz.

- Mesmo com o crescimento real do investimento de apenas 1% ao ano — o que aconteceu pela última vez em 1990, um ano após a crise da Praça Tiananmen —, para equiparar o equilíbrio entre o consumo e o investimento da China com os de seus pares asiáticos, seria preciso um aumento de 8% ao ano no consumo público e privado durante uma década inteira.

Mesmo que Pequim conseguisse reequilibrar sua economia, a mudança descontinuaria padrões de longa data da economia doméstica da chinesa.

- Um maior consumo por parte da população ampliaria as oportunidades para as empresas privadas, que respondem mais à demanda do consumidor do que a das empresas estatais, mas aumentaria a pressão sobre Pequim para fazer melhorias que têm sido proteladas durante muito tempo na legislação da proteção de direitos de propriedade intelectual e no desenvolvimento do financiamento ao consumidor.

- Igualmente importante, a redução do relevo das empresas estatais chinesas voltadas para a indústria pesada enfraqueceria uma das principais alavancas de controle da economia por parte do governo, algo que Pequim mostrou pouca disposição para realizar nos últimos anos.

- O consumo por parte da população é relativamente baixo na China por causa das elevadas taxas de poupança individuais, que provavelmente não deverão mudar, a menos que Pequim fortaleça os programas da rede de segurança social, especialmente os benefícios de saúde e aposentadoria. No entanto, tais aumentos concorrerão contra os gastos com modernização militar e segurança doméstica.

O reequilíbrio da economia chinesa certamente manteria o país na posição de um dos principais protagonistas da economia mundial, além de prepará-lo para o crescimento em longo prazo. Contudo, com as transformações, a China se tornaria um parceiro comercial substancialmente diferente, tanto na região como no mundo em geral.

- Com menos foco nas infraestruturas e na indústria pesada, as importações da China poderiam incluir menos bens de capital — como máquinas e equipamentos de manufatura — e menos matérias-primas, como o minério de ferro e cobre, que são mais utilizados na produção de bens de investimento do que de bens de consumo. Isso representou quase US $ 800 bilhões, ou 47% das importações totais da China em 2015, com a Alemanha, o Japão e os exportadores de matérias-primas de todo o mundo entre os maiores fornecedores.

- Com o setor de consumo mais desenvolvido, certamente haveria maiores importações de bens de consumo, alimentos e produtos agrícolas, categorias que em 2015 representavam apenas cerca de US $ 90 bilhões, ou menos de 6% das importações da China. Em todo o mundo, excluindo a China, os principais exportadores desses produtos são os Estados Unidos e Alemanha (no caso de bens de consumo) e os Estados Unidos e os Países Baixos (para alimentos e produtos agrícolas); esses exportadores mais competitivos provavelmente obteriam maiores ganhos com um significativo aumento da demanda da China. Mesmo que uma economia chinesa orientada para o consumo pudesse atender às suas próprias necessidades, a demanda por tais produtos aumentaria em todo o mundo, beneficiando os produtores da China e de outros países.

- O efeito do reequilíbrio nas importações chinesas de bens intermediários — peças usadas para produção e montagem de bens para exportação ou uso doméstico — é menos claro. Uma parte substancial dos bens de consumo que a China produz agora provavelmente atrairia um setor da demanda doméstica em rápido crescimento, embora a produção de baixo valor agregado do país enfrentasse uma crescente concorrência de outros países, inclusive de outras nações do Leste Asiático, bem como do Sul da Ásia e mesmo da África.

Pequim possui amplos recursos que podem ajudar a suavizar a transição usando o governo e direcionando as despesas das empresas estatais para sustentar o crescimento, enquanto os esforços para impulsionar o consumo interno se concretizam, talvez por um período de cinco anos. Mas a transição — e o desequilíbrio que a promove — irá se tornar mais dispendiosa e terá maiores interrupções quanto mais for adiada. Nos próximos anos, mesmo com o crescimento debilitado, Pequim provavelmente terá a melhor janela de oportunidades.

- Nos próximos vinte anos, a idade média da China aumentará de trinta e sete para quase quarenta e seis anos e continuará a aumentar rapidamente a partir daí, uma vez que a população economicamente ativa diminuirá em função do envelhecimento. As idades de aposentadoria da China foram estabelecidas no início da década de 1950, quando a expectativa de vida era muito baixa, e um debate sobre a alteração desses arranjos está em andamento, mas o aumento dos custos de saúde para o envelhecimento da população pesará nos cofres públicos.

ANEXOS: OS PRÓXIMOS CINCO ANOS POR REGIÃO | 157

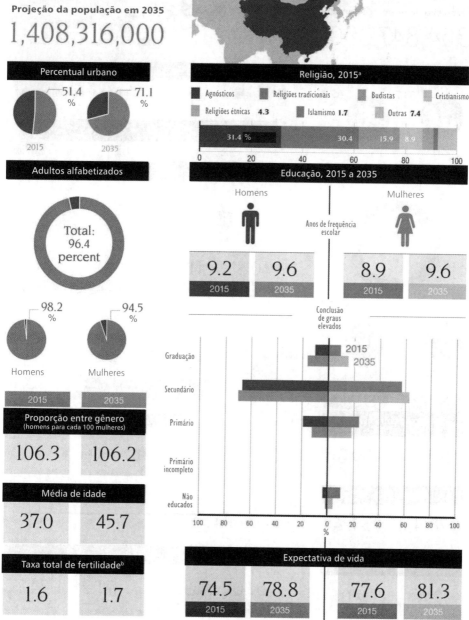

a) As estimativas relativas à afiliação religiosa são baseadas em dados da Base de Dados de Religião Mundial e são arredondadas para o décimo mais próximo do porcentual.

b) A taxa total de fertilidade é o número médio projetado dos filhos nascidos de uma mulher se ela viver até o final de seus anos de idade fértil.

Nota: Os dados demográficos são apresentados para os países os quais se estima que tenham a maior população em cada região em 2035.

INDONÉSIA

Projeção da população em 2035

304,847,000

Percentual urbano

53.7 % — 2015
65.2 % — 2035

Religião, 2015[a]

■ Islamismo ■ Cristianismo ■ Religiões étnicas **2.3** ■ Budistas **1.6** ■ Outras; **4.7**

79.3 % 12.1

0 — 20 — 40 — 60 — 80 — 100

Adultos alfabetizados

Total: 95.4 %

97.1 % — Homens
93.8 % — Mulheres

2015	2035
Proporção entre gênero (homens para cada 100 mulheres)	
101.4	99.8

Média de idade	
28.4	33.2

Taxa total de fertilidade[b]	
2.4	2.0

Educação, 2015 a 2035

Homens — Anos de frequência escolar — Mulheres

Homens		Mulheres	
10.3	11.6	10.4	11.7
2015	2035	2015	2035

Conclusão de graus elevados

2015
2035

Graduação
Secundário
Primário
Primário incompleto
Não educados

100 — 80 — 60 — 40 — 20 — 0 % — 20 — 40 — 60 — 80 — 100

Expectativa de vida

Homens		Mulheres	
67.0	69.8	71.2	74.7
2015	2035	2015	2035

a) As estimativas relativas à afiliação religiosa são baseadas em dados da Base de Dados de Religião Mundial e são arredondadas para o décimo mais próximo do porcentual.

b) A taxa total de fertilidade é o número médio projetado dos filhos nascidos de uma mulher se ela viver até o final de seus anos de idade fértil.

Nota: Os dados demográficos são apresentados para os países os quais se estima que tenham a maior população em cada região em 2035.

Ásia do Sul

Nos próximos cinco anos, a Ásia do Sul passará por tremendas mudanças internas e externas que irão determinar a segurança e a estabilidade política na região, como a diminuição planejada das forças internacionais no Afeganistão; o aprofundamento das relações entre os Estados Unidos e a Índia; os planos de desenvolvimento do oeste da China sob a iniciativa *One Belt, One Road*[34]; e as incursões do Estado Islâmico do Iraque e do Levante[35] (EIIL) e de outros grupos terroristas. O Sul da Ásia também enfrentará desafios contínuos colocados pela turbulência política — particularmente o esforço do Paquistão para manter a estabilidade —, bem como pelo extremismo violento, pelas divisões sectárias, falhas da governança, terrorismo, política de identidade, preocupações ambientais crescentes, sistemas de saúde falhos, desigualdade entre gêneros e pressões demográficas.

Tais fatores provavelmente prolongarão os atrasos da integração econômica e das reformas políticas que a região tanto precisa para capitalizar os ganhos de desenvolvimento das últimas décadas.

---

34 O Cinturão Econômico da Rota da Seda (*Silk Road Economic Belt*) e a Rota Marítima da Seda do século XXI, mais conhecida como a *One Belt and One Road Initiative* (Iniciativa Um Cinturão, Uma Estrada), é uma estratégia proposta pelo líder supremo da China, Xi Jinping, com o objetivo de interligar e aumentar a cooperação entre os países euro-asiáticos.

35 Organização jihadista islamita de orientação salafita e wahhabita que opera majoritariamente no Oriente Médio. O EIIL afirma autoridade religiosa sobre todos os muçulmanos do mundo e aspira tomar o controle das regiões de maioria islâmica.

- Os governos de toda a região terão dificuldade em atender às crescentes expectativas do público, devido às urgentes tensões ambientais e urbanas já em andamento. A criação de condições que promovam iniciativas em âmbito individual e comunitário para desenvolver e enfrentar a corrupção provavelmente estimulará o progresso.

- Em termos geopolíticos, a maior esperança da região é a capacidade da Índia de usar seu potencial econômico e humano para impulsionar o comércio e o desenvolvimento regional. Ao mesmo tempo, as perspectivas incertas do Afeganistão, o extremismo mais a violência no Paquistão, e o risco sempre presente de guerra entre a Índia e o Paquistão provavelmente representarão o maior desafio para desobstruir o potencial da região.

A relevância geopolítica da região nos próximos cinco anos: concorrência. Apesar dos problemas persistentes como o extremismo violento e a tensão entre as duas potências nucleares — a Índia e o Paquistão — a relevância global da região está mudando, já que o Irã se abre economicamente após o alívio das sanções e a China volta-se para desenvolver o oeste de seu território. A Índia também é um fator cada vez mais importante na região à medida que as forças geopolíticas começam a remodelar sua importância para a Ásia, e os Estados Unidos e a Índia se aproximarão mais do que nunca em sua história.

Nova Deli será vítima de seu próprio sucesso, uma vez que a crescente prosperidade da Índia pressiona ainda mais seus problemas ambientais. Por exemplo, para fornecer eletricidade a 300 milhões de cidadãos que no momento não têm acesso a esse serviço, será preciso aumentar substancialmente a emissão de carbono, o que implicará em mais poluição, caso essa eletricidade seja produzida por usinas de carvão ou gás. Nova Deli reforçará sua cooperação no comércio regional e investirá em infraestrutura em Bangladesh, Birmânia, Irã, Nepal e Sri Lanka. Essa cooperação poderia incentivar a estabilidade e a prosperidade em grande parte da região, particularmente se a Índia engajar o apoio dos partidos políticos da região.

- **A insegurança na fronteira afegã-paquistanesa** — turbulência política, insurgências resilientes e pouca segurança na fronteira — juntamente com o conflito do Afeganistão e a presença de grupos extremistas violentos — serão os principais agentes a causar instabilidade regional. Mais de trinta grupos extremistas violentos ameaçam a estabilidade regional, e as drogas continuarão a ser uma importante fonte de receita para atores não estatais, inclusive para grupos jihadistas baseados no Afeganistão. A ameaça de terrorismo por parte de grupos como Lashkar-e-Tayyiba, Tehrik-i-Taliban do Paquistão, a al-Qaeda e de seus afiliados —, assim como a expansão do EIIL e a simpatia pela sua ideologia — continuarão a ser os principais responsáveis pela insegurança na região.

- Grande parte da Ásia do Sul terá um enorme aumento na população jovem, ampliando a necessidade de educação e de criação de empregos. De acordo com uma estimativa, a Índia sozinha precisará criar até 10 milhões de empregos por ano nas próximas décadas para acomodar pessoas recém-ingressadas na força de trabalho. A falta de oportunidades como resultado da falta de recursos, aliada à discriminação social, poderia contribuir para a radicalização de um segmento da juventude da região. Além disso, a generalizada seleção pré-natal de sexo está contribuindo para tornar a faixa juvenil do país desproporcionalmente masculina, com o potencial de trazer consequências importantes para a estabilidade social, já que inúmeros cientistas sociais enfatizam a correlação entre homens jovens sem perspectiva e violência.

- Além disso, o Paquistão, incapaz de acompanhar a intrepidez econômica da Índia, buscará outros métodos para manter uma aparência de equilíbrio. Procurará se relacionar com um conjunto diversificado de parceiros estrangeiros, a partir dos quais pode obter assistência econômica e de segurança e desenvolver um poderio nuclear significativo, expandindo seu arsenal nuclear e meios de ataque, podendo inclusive obter armas nucleares de "campo de batalha" e outras a serem usadas a partir do mar. Em seus esforços para reduzir a militância, Islamabad também enfrentará múltiplas ameaças à segurança interna, bem como uma degradação gradual do equipamento utilizado nessas operações, redução de recursos financeiros e um debate sobre as transformações necessárias para reduzir o espaço do extremismo. Embora seja improvável que o extremismo violento apresente uma ameaça à existência do Paquistão enquanto Estado durante esse período, terá implicações negativas na estabilidade regional.

Outras considerações: meio ambiente, saúde e urbanização. Os países do sul da Ásia com governos fracos estão mal preparados para responder à variedade de desafios atuais e de curto prazo que resultarão da urbanização contínua. A região está se tornando cada vez mais urbana, com uma megacidade em desenvolvimento que se estenderá de Nova Deli a Islamabad — com interrupções impostas pela política de fronteira. O subcontinente pode vir a ter três das dez maiores cidades do mundo e dez entre as cinquenta maiores. O simples fornecimento de serviços para essas populações florescentes já seria um grande desafio para qualquer país e pode sobrecarregar os governos do sul da Ásia que têm seus recursos comprometidos, mas áreas urbanas desse tamanho também produzem novas vulnerabilidades sociais, políticas, ambientais e de saúde, como, por exemplo, criar aberturas para novos movimentos políticos e incentivar o apoio às organizações religiosas à medida que os grupos díspares entram em contato.

- A **poluição** quase inevitavelmente aumenta com a urbanização, no atual estágio de desenvolvimento da Ásia do Sul, produzindo condições atmosféricas que prejudicam a saúde humana e a

Anexos: Os próximos cinco anos por região | 163

agricultura, aumentando os custos financeiros da vida urbana. No Sul da Ásia estão quinze das vinte e cinco cidades mais poluídas do mundo, e, na Índia, mais de vinte cidades têm a qualidade do ar ainda pior que a de Pequim. As decisões relativas à gestão de resíduos também afetarão significativamente a qualidade de vida urbana; extensas populações vivendo em grande proximidade e com serviços limitados podem intensificar os desafios de saúde e ampliar a disseminação de doenças infecciosas.

- Embora as megacidades muitas vezes contribuam para o crescimento econômico nacional, elas também geram **fortes contrastes entre ricos e pobres,** e facilitam a criação de novas identidades, ideologias e movimentos. Nas cidades do Sul da Ásia estão as maiores favelas do mundo, e a crescente conscientização sobre a desigualdade econômica da qual essas comunidades resultam poderia levar a uma agitação social. À medida que os migrantes das regiões mais pobres se deslocam para áreas com mais oportunidades, a concorrência por educação, emprego, habitação ou recursos pode inflamar o preconceito étnico presente, como já aconteceu em partes da Índia.

- As populações que recentemente passaram por um processo de urbanização tendem a ser **mais religiosas.** No Paquistão e em Bangladesh, as pressões da vida urbana podem reforçar os movimentos islâmicos políticos: o grupo islâmico mais antigo e profundamente enraizado de ambas as nações, o Jamaat-e Islami, é uma organização em grande parte de origem urbana. O Hindutva, o movimento nacionalista hindu, também é um fenômeno predominantemente urbano na Índia: o partido político Hindutva mais radical, Shiv Sena, governou o centro comercial indiano de Mumbai durante grande parte das últimas quatro décadas. Em 2050, a Índia deve superar a Indonésia e passar a deter a maior população muçulmana do mundo, levantando questões sobre estabilidade diante do sectarismo resultante. A ameaça do terrorismo e a ideia de que os hindus estão perdendo sua identidade em sua própria terra natal contribuíram para o crescente apoio ao Hindutva, às vezes com manifestações violentas e atos de terrorismo. O maior partido político da Índia, o Partido Bharatiya Janata, está levando cada vez mais o governo a incorporar a orientação do Hindutva na política, provocando uma maior tensão entre a importante minoria muçulmana, bem como na maioria muçulmana do Paquistão e de Bangladesh.

As mudanças climáticas quase certamente atingirão o Sul da Ásia sob a forma de temperaturas mais elevadas que afetarão a saúde humana e a segurança alimentar. O aumento das concentrações de gases de efeito estufa e a poluição localizada de aerossóis têm a capacidade de alterar os padrões de precipitação. Quase metade da população mundial vive em áreas afetadas pelas monções do sul da Ásia, e mesmo desvios pequenos na época e na intensidade das monções podem ter grandes repercussões para a agricultura regional. A produção agrícola, a disponibilidade de água e geração de energia hidrelétrica, mais a estabilidade do fornecimento desses produtos serão substancialmente reduzidas pelo início tardio da monção. Por outro lado, o aumento da precipitação em algumas áreas, entre elas Bangladesh, pode agravar as inundações e impulsionar a emigração.

- As mudanças climáticas podem levar a um derretimento mais rápido das geleiras do Nó de Pamir[36], que alimentam os rios do norte do Paquistão e da Índia. As tempestades tropicais somadas

---

36 O Nó de Pamir deriva seu nome da cordilheira Pamir, situada na Ásia Central e formada pela união das cordilheiras Tian Shan, Karakorum, Kunlun, e Indocuche, onde estão algumas das montanhas mais altas do mundo. O "nó" refere-se justamente à convergência dessas cadeias de montanhas nessa região.

a um aumento do nível do mar, mesmo que modesto, poderiam reduzir a já escassa massa de terra de Bangladesh, comprometendo os recursos de água doce e levando as pessoas a imigrarem para a Índia e a Birmânia, exacerbando os conflitos étnicos e regionais.

- A Índia e o Paquistão também estão vulneráveis a uma variedade de eventos climáticos extremos. Entre os principais exemplos estão as grandes inundações que devastaram o Paquistão em 2010, monções imprevisíveis que diminuíram a segurança alimentar, e ondas de calor em 2015 que mataram mais de 1 mil pessoas no Paquistão e 2,5 mil na Índia. Uma mudança nos padrões das monções que exacerbaram as condições vistas nos últimos anos — quando as "inundações do século" têm sido cada vez mais frequentes — poderia sobrecarregar as barragens de represas do Paquistão, país que já luta para conter as enchentes provenientes das montanhas e desfiladeiros desmatados. Enquanto isso, à medida que as Maldivas e outras ilhas do Pacífico desaparecerem gradualmente, a conscientização do público sobre os riscos em longo prazo do aumento do nível do mar irá aumentar.

- A mudança nos padrões de precipitação pode alterar os ecossistemas hídricos, de forma a criar picos de doenças perigosas relacionadas com a água, ou ligadas à água, como a malária, a cólera e a poliomielite. Os tsunâmis e as inundações podem expor milhões a águas residuais, a outras águas contaminadas e a inúmeras doenças, o que torna os investimentos em sistemas de tratamento mais modernos e resistentes de água vitais para a saúde e a segurança públicas.

166 | RELATÓRIO DA CIA – A NOVA ERA

ÍNDIA

Projeção da população em 2035

1,585,350,000

Percentual urbano

32.7 % — 2015

42.1 % — 2035

Religião, 2015[a]

■ Hindu   ■ Muçulmanos   ■ Cristianismo **4.7**   ■ Religiões étnicas **4.0**   ■ Outras **4.4**

72.5 %   14.4

0   20   40   60   80   100

Adultos alfabetizados 2015

Total: **72.2** %

80.9 % — Homens

63.0 % — Mulheres

2015   2035

Educação, 2015 a 2035

Homens | Mulheres

Anos de frequência escolar

Homens 2015	Homens 2035	Mulheres 2015	Mulheres 2035
8.7	9.9	7.4	9.5

Conclusão de graus elevados

2015
2035

Graduação
Secundário
Primário
Primário incompleto
Não educados

100 80 60 40 20 0 20 40 60 80 100
%

Proporção entre gênero
(homens para cada 100 mulheres)

2015	2035
107.6	106.6

Média de idade

2015	2035
26.6	32.8

Taxa total de fertilidade[b]

2015	2035
2.4	2.0

Expectativa de vida

2015	2035	2015	2035
66.9	71.7	69.8	75.3

a) As estimativas relativas à afiliação religiosa são baseadas em dados da Base de Dados de Religião Mundial e são arredondadas para o décimo mais próximo do porcentual.

b) A taxa total de fertilidade é o número médio projetado dos filhos nascidos de uma mulher se ela viver até o final de seus anos de idade fértil.

Nota: Os dados demográficos são apresentados para os países os quais se estima que tenham a maior população em cada região em 2035.

Oriente Médio
e Norte da África

A agitação política será uma constante no Oriente Médio e no Norte da África nos próximos cinco anos, uma vez que as populações exigem mais das elites, e as guerras civis e por procuração provavelmente continuarão a ser travadas em vários Estados falidos. É provável que haja disputas entre as forças religiosas e políticas, uma vez que os baixos preços da energia têm enfraquecido as instituições. Tais disputas provavelmente envolverão concorrência por segurança entre o Irã, a Arábia Saudita, a Turquia, Israel e talvez o Egito, e poderiam abarcar a China, a Rússia e os Estados Unidos. A liderança endêmica e o distanciamento entre a elite e as massas quase certamente persistirão em muitos países da região durante os próximos cinco anos. Os desafios socioeconômicos e populares irão piorar, e a tensão arraigada nos legados regionais de autoritarismo, repressão e a dependência da região podem alimentar as reivindicações de grupos subnacionais, particularmente os curdos, por maior representação.

- O desafio central para a região é impulsionar o crescimento e criar condições políticas e oportunidades econômicas para os **jovens em idade de trabalho.** Se isso não for feito de modo que o potencial das pessoas seja reconhecido e de forma consoante com as crenças tradicionais, a ausência de justiça e de respeito continuará a favorecer o desespero e a violência. Em casos extremos, a ausência de dignidade pode contribuir para a radicalização religiosa, muitas vezes em paralelo com o surgimento do secularismo que o mundo árabe experimenta através da globalização, das políticas externas ocidentais e das mídias sociais, que os crentes religiosos conservadores consideram ofensivas.

A turbulência dos últimos anos interrompeu um período de progresso significativo na redução da pobreza e na capacitação individual. A extrema pobreza da região diminuiu gradualmente desde 1987, com o maior progresso concentrado na Argélia, Jordânia, Marrocos e Egito. A proporção da população que vive abaixo da linha de pobreza no Egito, por exemplo, diminuiu de 12% em 1981 para apenas 2% em 2005, embora a agitação, sem dúvida, tenha interrompido ou mesmo revertido esse progresso nos países mais afetados. Do mesmo modo, o Irã, desde 1979, reduziu a pobreza e expandiu suas taxas de alfabetização e sua classe média. Sem assistência externa, países que têm sido menos voláteis, mas que têm grandes populações de refugiados, particularmente o Líbano e a Jordânia, provavelmente também verão essa tendência de melhoria começar a se reverter à medida que os refugiados onerarem ainda mais os já limitados recursos econômicos e continuarem a sobrecarregar os sistemas de saúde. Enquanto isso, os baixos preços do petróleo estão espremendo os orçamentos e as economias das nações do Golfo, limitando sua capacidade de socorrer países estrategicamente críticos, como o Egito, ou oferecer ajuda aos outros.

- A região não produziu um crescimento autogerado por conta das dinâmicas revolucionárias e contrarrevolucionárias no Egito; guerras civis no Iraque, Líbia, Síria e Iêmen, mais o persistente conflito israelo-palestino são fatores que prejudicaram os esforços no sentido de proporcionar oportunidades políticas e econômicas significativas.

- A ferramenta usual da região para gerenciar o descontentamento do público — subsídios e outros pagamentos em dinheiro, financiados pelos lucros petrolíferos e pela assistência externa — está vacilante com os preços do petróleo bem abaixo dos níveis pré-2014, improváveis de se recuperar. Após quase uma década de excedentes de capital — parte dos quais foram encaminhados para Estados não-petrolíferos através de assistência — e de grandes investimentos e fluxos de remessas, a região terá um déficit de capital perceptível. Os Estados petrolíferos mais ricos membros do Conselho de Cooperação do Golfo (GCC) usarão suas reservas para fazer frente à despesa doméstica, mas terão menos para destinar à assistência a outros países. Os produtores de nível médio, como a Argélia e o Iraque, irão se esforçar para continuar a bancar a paz social, aumentando o risco de ter de recorrer a medidas de repressão para conter os dissidentes. O Egito, a Jordânia, o Líbano e a Tunísia receberão menos assistência do Golfo, agravando as condições econômicas e aumentando o risco de instabilidade nesses países. Os Estados não árabes e não petrolíferos de Israel e Turquia poderiam escapar a essas pressões, mas não possuem nem uma economia suficientemente grande, nem vínculos regionais fortes o bastante para serem uma importante fonte de crescimento da região.

Nos próximos cinco anos, os Estados que não forem capazes de atender às demandas populares de segurança, educação e geração de emprego continuarão a ser um terreno fértil para a **radicalização violenta**. O apoio a elementos religiosos conservadores e sectários poderia expandir, reduzindo a tolerância histórica a grupos minoritários e preparando o terreno para um impulso violento no sentido de criar uma região mais homogênea. Alternativamente, as ações dos extremistas ainda poderiam enfraquecer o radicalismo e estimular mais cidadãos a se mobilizar em torno das instituições do Estado.

- O conflito civil e a menor receita proveniente do petróleo estão aumentando a pressão sobre as estruturas de governança da região, resultando em um **declínio na governança como um todo** e na oferta de serviços. Períodos prolongados de conflito também estão tendo impacto nas instituições: de 2004 a 2014 — com a guerra civil e as mudanças de regime no Iraque, Síria, Iêmen e Líbia —, as avaliações dos Estados regionais nos Indicadores de Governança do Banco Mundial diminuíram nas áreas-chave da voz e responsabilidade[37], estabilidade política e ausência de violência, eficácia do governo, estado de direito e controle da corrupção.

- À luz dessas **anomalias da governança central**, os indivíduos e as tribos provavelmente terão um papel maior no debate político, organizando e mobilizando em âmbito subnacional. A criação de conselhos locais e municipais nos países destruídos pela guerra da Síria e da Líbia exemplifica essa tendência.

A relevância geopolítica da região nos próximos cinco anos: contágio e **concorrência.** O progresso em direção a uma estrutura de segurança regional provavelmente será, na melhor das hipóteses, limitado, com um cenário de violência em grande escala, guerras civis, falta de autoridade e crises humanitárias que já persistem há muitos anos. Da mesma forma, a região será moldada por atores estatais e não estatais que procuram vantagem política e estratégica para suas próprias interpretações religiosas, mas que também trabalham para manipular as visões e o comportamento de círculos mais amplos de crentes.

- A **intensidade da violência** no Levante e na Península Arábica ameaça fragmentar ainda mais a região, criando condições

---

37 O termo "voz e responsabilidade" refere-se à medida em que os cidadãos de um país podem participar na seleção de seu governo, bem como o nível de sua liberdade de expressão.

políticas e econômicas distintas nas regiões do Golfo, Levante e Magrebe, e contagiando através de ideias e movimentos islamistas radicais transnacionais a África Subsaariana, Europa e Ásia Central, do Leste e do Sul.

- Essa região é especialmente **vulnerável ao estresse provocado pela escassez de água** e à tensão local, nacional e transnacional sobre o acesso aos recursos hídricos. Mesmo os países mais ricos da região, que usam usinas de dessalinização para abastecimento de água, enfrentarão problemas se essas usinas forem comprometidas.

É improvável que os males da região estejam contidos, fazendo com que as crescentes crises humanitárias e a vitimização civil continuem a comprometer as normas internacionais de conflitos e de direitos humanos. A forte promoção dessas normas pelo Ocidente sem apoio suficiente ou suporte material enfraquece ainda mais o Ocidente aos olhos dos públicos árabes. A percepção nas capitais da região de que os Estados Unidos não são um parceiro confiável — seja devido ao eixo dos EUA e Ásia, ou por conta da decisão de Washington de não apoiarem Mubarak e outros líderes árabes em 2011 — abriu a porta à concorrência geopolítica com a Rússia e possivelmente com a China, para restringir o cumprimento por parte dos Estados árabes dos compromissos com Washington. Em meio a conflitos persistentes, os fluxos de refugiados persistirão — embora alguns possam ser forçados a procurar destinos diferentes de uma Europa cada vez mais inóspita.

O Irã, Israel, a Arábia Saudita e, possivelmente, a Turquia podem permanecer poderosos e influentes em relação aos Estados da região que estão enfrentando instabilidades, mas estarão em desacordo, um com o outro, em uma série de questões, além de muitos deles terem problemas domésticos que podem afetar suas aspirações regionais. O poder crescente do Irã, as capacidades nucleares e o comportamento agressivo continuarão a ser uma preocupação para Israel, a Arábia Saudita e alguns outros estados do CCG. Essas preocupações são exacerbadas pela natureza sectária da competição regional iraniana e saudita, com retórica desumanizante e acusações de heresia que aumentam a tensão em toda a região.

- Os riscos de instabilidade em países árabes, como **Egito, Argélia e Arábia Saudita**, certamente aumentarão em longo prazo, especialmente se o preço do petróleo permanecer baixo. Riad está iniciando algumas reformas econômicas, sociais e políticas. Esses esforços são significativos e podem aumentar a criação de emprego para jovens sauditas, mas também podem chegar tarde demais para satisfazer as expectativas populares. Além disso, as reformas visam o desenvolvimento de uma Arábia Saudita que pode competir com os exportadores asiáticos e africanos emergentes como uma opção de baixo custo, ou com países desenvolvidos em serviços, e será extremamente difícil realizarem suas expectativas. A falta de clareza sobre uma transição saudita para o rei Salman, após a morte de seu antecessor, o rei Abdullah, em 2015, também contribuirá para aumentar a incerteza sobre as perspectivas para o esforço de reforma.

- **A demanda global pelos recursos energéticos da região** — especialmente por parte dos países asiáticos — continuará a garantir o interesse e o envolvimento internacional na região, mas os poderes externos não terão vontade nem capacidade para "arrumar" os numerosos problemas da região e alguns serão arrastados para as guerras locais, prolongando, provavelmente, os conflitos atuais e futuros.

- **Israel, Arábia Saudita e alguns outros Estados do CCG estão preocupados** com o fato de o Irã poder usar recursos do Plano de

Ação Conjunto Global[38] (JCPOA, conforme sigla em inglês) a fim de incrementar as atividades regionais que irão corroer ainda mais a estabilidade regional. Em longo prazo, esses Estados também ficarão sensíveis ao comportamento do Irã, uma vez que as restrições à atividade nuclear iraniana estão suspensas sob o processo do JCPOA. A tensão entre o Irã e os países da região aumentará se Teerã usar seus robustos recursos financeiros e militares para afirmar seus interesses na região por meio de agressão, ou se os vizinhos do Irã temerem que Teerã procure retomar o desenvolvimento de armas nucleares.

- O retorno das políticas das grandes potências à região, com o renovado envolvimento russo, será outra força poderosa a afetar a dinâmica futura. Desde que chegou ao poder em 2000, o presidente russo Putin procurou projetar o poder de seu país na região. O apoio militar e de inteligência de Moscou a Damasco pode sugerir que aberturas à formação de alianças com outros ex-aliados soviéticos, como o Iraque e o Egito, estariam no horizonte.

- **Outras considerações.** A pressão demográfica e econômica, tal como se manifestou nos levantes da "Primavera Árabe", provavelmente permanecerá sem solução e poderá piorar, se a turbulência prolongada provocar uma grande fuga de cérebros. O desemprego juvenil — um dos grandes desafios há anos, resultado do perfil

---

38 Acordo internacional firmado em julho de 2015 entre o Irã, o P5+1 e a União Europeia que prevê que o Irã elimine 98% de suas reservas de urânio enriquecido e reduza em aproximadamente dois terços o número de centrifugadores de gás num período máximo de treze anos; o país não deve ainda construir usinas especializadas em energia nuclear durante o mesmo período de tempo; reformar outras usinas para evitar riscos de proliferação; e garantir acesso regular à Agência Internacional de Energia Atômica (AIEA) às usinas nucleares iranianas. Em troca, o acordo prevê que o Irã deverá ter as sanções dos Estados Unidos, União Europeia e do Conselho de Segurança das Nações Unidas suavizadas.

demográfico da região — e a ausência de diversificação econômica afetarão ainda mais o crescimento econômico, a melhoria dos padrões de vida e a integração na economia global para a maioria dos países da região. Os recursos terrestres e hídricos, já criticamente limitados, possivelmente serão ainda mais afetados pela urbanização, o crescimento populacional e as mudanças climáticas. Uma melhor gestão e o alívio nas sanções estimularam o crescimento econômico iraniano, mas não se sabe se a expansão da economia seria capaz de promover uma reforma política.

- **Uma nova geração perdida de crianças marcadas pelos conflitos** sem acesso à educação ou à assistência médica adequadas provavelmente produzirá novas populações vulneráveis à radicalização. A instabilidade contínua deve piorar ainda mais as condições das mulheres em toda a região, a julgar pelo aumento do abuso e da represália misógina visto nos últimos anos. Especificamente, o fraco crescimento econômico e a preocupação com o emprego podem impulsionar a expansão do extremismo baseado na identidade. Os jovens árabes questionados na oitava pesquisa anual de *Burson-Marsteller* em 2016 rejeitaram de forma esmagadora o surgimento do chamado Estado islâmico, mas simultaneamente observaram que a falta de empregos e oportunidades era o principal motor de recrutamento do grupo.

- À luz dessas dinâmicas, **o interesse revigorado no destino da Cisjordânia e Gaza** poderia emergir como uma força de galvanização entre as populações árabes. Os eventos recentes que têm dominado a mídia — inclusive a guerra civil na Síria e o surgimento do Estado islâmico — também têm provocado o movimento de refugiados palestinos e estão despertando preocupações sobre a insuficiência de apoio financeiro ao povo da Palestina. Estudos palestinos sugerem que os residentes de Gaza ainda precisam de US$ 3,9 bilhões para ajudar na reconstrução e recuperação de áreas destruídas no conflito entre o Hamas e Israel em 2014. Suas necessidades são de interesse do resto da população árabe da região: em uma pesquisa realizada em 2011 pelo Centro Árabe para Estudos de Pesquisa e Políticas, mais de 80% dos mais de 16 mil entrevistados em todo o mundo árabe observaram que a questão palestina era uma causa de todos os árabes, e não apenas dos palestinos.

Os riscos de **crises ambientais**, como a seca, temperaturas extremas e poluição, também permanecerão elevados. Os recursos terrestres e hídricos já estão criticamente limitados e provavelmente serão ainda mais afetados pela urbanização e os efeitos das mudanças climáticas.

- **No Iêmen, as zonas de conflito, os altos preços da água e as infraestruturas danificadas** agravaram os já sombrios problemas relativos ao abastecimento hídrico, deixando 80% da população sem acesso a fontes confiáveis de água potável. Sem infraestrutura adequada, a água armazenada para uso doméstico pode se contaminar e expandir os *habitats* de reprodução de mosquitos, malária, dengue e cólera.

- Na **Jordânia**, o afluxo de refugiados da **Síria** forçou o governo a sobrecarregar o uso de aquíferos que já estão em declínio. O **Egito** enfrentará problemas resultantes do desenvolvimento da região, que aumenta o consumo da água do Nilo, particularmente porque a Etiópia começa a encher o reservatório da Grande Represa do Renascimento Etíope.

- A poluição atmosférica urbana na região permanecerá entre as piores do mundo, particularmente no **Irã** e na **Arábia Saudita**.

Os problemas de **saúde pública** na região também serão graves. O Egito é um dos países em que o vírus da gripe aviária altamente patogênica é endêmico em aves silvestres e apresenta um risco para os seres humanos. Desde 2012, a Arábia Saudita tem contornado um surto de síndrome respiratória do Oriente Médio (coronavírus MERS) e existe uma preocupação constante de que o vírus possa sofrer mutações e tornar-se cada vez mais contagioso. Um surto mais disseminado pode contribuir para aumentar a instabilidade, caso não for controlado.

No entanto, apesar dessas pressões, um cenário de baixa probabilidade e mais benéfico para a região pode surgir, se os mercados de petróleo se aquecerem e os preços começarem a aumentar. Os líderes do Irã e da Arábia Saudita seriam menos pressionados a se concentrarem em uma competição sem resultados na participação do mercado de petróleo, o que poderia resultar em uma redução de sua retórica sectária. As melhores relações bilaterais poderiam pôr um fim em suas guerras por procuração e ajudar a estabilizar a região, estimulando o surgimento de condições para que os movimentos de base ofereçam uma alternativa convincente e construtiva ao autoritarismo ou ao EIIL e ao extremismo islâmico. Um diálogo público genuíno e um desenvolvimento econômico compatível com as normas religiosas e outras, culturais, poderiam dirimir as frustrações que deflagraram as revoltas árabes de 2011.

ANEXOS: OS PRÓXIMOS CINCO ANOS POR REGIÃO | 177

EGITO

Projeção da população em 2035

125,589,000

Percentual urbano

43.1 % — 2015
48.9 % — 2035

Religião, 2015[a]

- ■ Muçulmanos
- ■ Cristianismo
- ■ Agnósticos **0.6**
- ■ Ateus **0.1**

90.9 %   8.4

0 — 20 — 40 — 60 — 80 — 100

Adultos alfabetizados 2015

Total: **75.8** %

83.6 % — Homens
68.1 % — Mulheres

2015 — 2035

Proporção entre gênero
(homens para cada 100 mulheres)

102.1 — 101.8

Média de idade

24.7 — 27.2

Taxa total de fertilidade[b]

3.3 — 2.6

Educação, 2015 a 2035

Homens — **Mulheres**

Anos de frequência escolar

Homens		Mulheres	
11.1	12.7	11.0	12.8
2015	2035	2015	2035

Conclusão de graus elevados

- Graduação — 2015 / 2035
- Secundário
- Primário
- Primário incompleto
- Não educados

100 — 80 — 60 — 40 — 20 — 0 — 20 — 40 — 60 — 80 — 100
%

Expectativa de vida

69.2	72.5	73.6	77.1
2015	2035	2015	2035

a) As estimativas relativas à afiliação religiosa são baseadas em dados da Base de Dados de Religião Mundial e são arredondadas para o décimo mais próximo do porcentual.

b) A taxa total de fertilidade é o número médio projetado dos filhos nascidos de uma mulher se ela viver até o final de seus anos de idade fértil.

Nota: Os dados demográficos são apresentados para os países os quais se estima que tenham a maior população em cada região em 2035.

África Subsaariana

Nos próximos cinco anos, a população da África Subsaariana[39] se tornará mais jovem, mais urbana, com maior mobilidade, maior grau de educação e estará mais conectada em rede. As taxas projetadas de crescimento da população para a região são as mais altas do mundo. Sem soluções iminentes para problemas de longa data — como a desigualdade entre os gêneros que está em grande parte aumentando a taxa de fertilidade — e a grande expansão da população, isso tudo vai sobrecarregar a produção de alimentos e os recursos hídricos, a capacidade de os governos oferecerem serviços de saúde e educação e de investirem em infraestrutura urbana. Essas condições também impulsionarão a migração nas áreas onde o crescimento econômico for insuficiente para sustentar a população. Como resultado, uma população jovem, urbana e em rede se tornará o motor do dinamismo econômico e político, apesar do enfraquecimento das tendências geopolíticas e econômicas que impulsionaram o forte desempenho da região na última década. Ao mesmo tempo, uma população de jovens urbanos com acesso à educação fortalecerá as tendências existentes de afiliação religiosa e de protestos, movidos pela insatisfação com a corrupção, o aumento

---

39 Também chamada África Negra, corresponde à parte do continente africano situada ao sul do Deserto do Saara, uma barreira natural que divide a África em duas regiões consideravelmente distintas em termos humanos e econômicos: ao norte do Saara há uma organização socioeconômica e religiosa muito semelhante à do Oriente Médio; ao sul, há uma conjuntura política caracterizada, em geral, por governos autoritários e corruptos, notórios por negligenciar as condições socioeconômicas dos seus países. Nos últimos anos, porém, verifica-se uma tendência democratizadora em toda a região, com eleições multipartidárias realizadas regularmente.

da inflação, o alto nível de desemprego e o mau desempenho do governo. Em tais condições, os problemas de segurança irão aumentar, a tensão étnica se expandirá e o extremismo religioso, particularmente o islamismo radical e o cristianismo fundamentalista, se difundirá ainda mais.

É provável que a região tenha um fraco crescimento econômico e a criação de empregos seja insuficiente, o que valorizará a boa governança ao mesmo tempo em que abalará ainda mais as capacidades da maioria dos governos, uma vez que muito poucos implementaram políticas e têm infraestrutura — ou a força de trabalho capacitada — para assegurar que o "dividendo demográfico" resulte em crescimento econômico. A demanda chinesa por *commodities* — uma fonte inesperada de lucro para os exportadores africanos nos últimos anos — irá diminuir à medida que a economia da China esfria, e os fluxos de auxílio externo podem se retrair por conta de as economias dos países desenvolvidos permanecerem desaquecidas e de as crescentes necessidades humanitárias em outros países competirem com a região na disputa por doadores estrangeiros.

- **Mobilização em massa, urbanização e afiliação religiosa.** Dada a expansão da democracia — há mais governos democraticamente eleitos na África hoje do que desde a descolonização no início da década de 1960 —, as populações africanas lançarão mão, cada vez mais, de protestos e de ações políticas para moldar a orientação de seus governos e impulsionar a transformação da sociedade. No entanto, alguns especialistas alertam que o processo democrático está paralisado ou até mesmo se reverteu; a maioria dessas jovens democracias permanece fraca, corrupta e os Estados são muito fragmentados — inclusive a última adição, o Sudão do Sul[40]. O processo de aprofundamento democrático em médio e longo prazo dependerá do sucesso de um número crescente de organizações da sociedade civil em desafiar resultados eleitorais, enfrentar políticas

---

40 O Sudão do Sul tornou-se um Estado independente em 9 de julho de 2011.

econômicas impopulares, políticas de segurança exageradas, abusos de direitos humanos e emendas constitucionais indesejadas. A
este respeito, as crescentes populações urbanas da África tornam-
-se cruciais para a democratização, porque a grande maioria dos
membros das organizações da sociedade civil viverá nas cidades.

- A rápida urbanização também deve colocar pressão sobre a infraestrutura e esse desenvolvimento se somará à maior visibilidade
da corrupção e alimentará a frustração pública com relação às
negligências dos governos em fornecer serviços. Os habitantes
urbanos de primeira geração tendem a ser mais religiosos do que
as gerações subsequentes, e a urbanização aumentará a filiação
religiosa, possivelmente dando origem a conflitos movidos por
religião. A urbanização também pode impulsionar a participação
pública na governança, aumentar a tensão entre os grupos políticos ou servir como um mecanismo de construção das nações que
ajudará a integrar o mosaico de etnias e religiões de África. Essas
possibilidades divergentes evidenciam a importância de apoiar
os esforços de governança voltados ao desenvolvimento da África
efetuados através de instituições regionais e sub-regionais como a
União Africana, a Comunidade Econômica dos Estados da África
Ocidental, a Comunidade Africana Oriental e a Comunidade de
Desenvolvimento da África do Sul.

Ameaças à segurança complexas. Embora tenham sido feitos esforços
significativos para enfrentar a destruição promovida por grupos como al
Shabab, Boko Haram, EIIL, Ansar al Shari'a e Al Qaeda nas Terras do Magrebe
Islâmico[41], os governos africanos continuarão a enfrentar as ameaças colocadas

---

41 *Shabab*, grupo militante islâmico baseado na Somália alinhado com a Al-Qaeda; *Boko Haram*,
grupo terrorista extremista islâmico com sede no nordeste da Nigéria, também ativo no Chade,

por rebeldes e grupos extremistas. Muitas forças armadas nacionais e regionais, quase certamente, não terão financiamento, pessoal e treinamento para lidar com esses desafios, especialmente porque os rebeldes e terroristas podem facilmente adquirir armas e outros recursos, a partir de redes internacionais pelas muitas fronteiras africanas mal patrulhadas. Os africanos continuarão a contribuir com tropas para a manutenção da paz internacional e regional, mas algumas dessas operações bem-intencionadas são mecanismos sem efeito, utilizados para enfrentar ameaças de segurança complexas, realizando uma tarefa árdua sob mandatos que flagelam a manutenção da paz, a estabilização, a contrainsurgência, o antiterrorismo, a prevenção de atrocidades e a construção do Estado. Alguns países que contribuem com tropas provavelmente continuarão a contar com missões multilaterais de manutenção da paz para treinar e financiar seus militares, mas os recentes acontecimentos, quando forças de manutenção da paz cometeram atrocidades, podem prejudicar o engajamento multilateral.

- **Radicalização**. A maior parte da África Subsaariana continuará a rejeitar ideologias violentas e radicais, mas aqueles que adotam tais movimentos são cada vez mais capazes de causar transtornos, também ao divulgar mensagens generalizadas, em parte através do uso de mídias sociais. Os grupos radicais, que prometem ferrenha oposição ao governo e oferecem recompensas em dinheiro, irão apelar a indivíduos marginalizados, privados de direitos. Por exemplo, na disputa dos grupos da oposição pelo poder na República

---

no Níger e no norte dos Camarões, com ligações com o Estado Islâmico do Iraque e Levante. Desde que a atual insurgência começou em 2009, além de assassinar dezenas de milhares de pessoas, deslocou 2,3 milhões de indivíduos de suas casas e foi classificado como o grupo terrorista mais mortal do mundo pelo Índice de Terrorismo Global em 2015; EIIL, Estado Islâmico do Iraque e Levante (vide nota 34); *Ansar al Shari'a* é o nome adotado por diversos grupos ou milícias islâmicas radicais que atuam em pelo menos oito países. Embora compartilhem nomes e ideologia, não possuem uma estrutura de comando unificada; *Al Qaeda nas Terras do Magrebe Islâmico*, antes chamado Grupo Salafista para Pregação e Combate, é uma organização terrorista internacional de origem argelina, criada em 1997.

Centro-Africana, milícias cristãs já levaram dezenas de milhares de muçulmanos a fugir de suas casas. A qualidade das ações dos Estados a esses desafios será crucial. As respostas militares e extrajudiciais — como se vê na África Ocidental e Oriental — só complicam e aumentam tal tendência. É provável que melhores resultados possam ser obtidos a partir de medidas para mitigar a situação, da melhoria da capacidade do Estado na coleta e análise de informações, da transparência judicial, da descentralização política, do policiamento, do desenvolvimento da comunidade, do envolvimento dos jovens e de iniciativas de geração de emprego que reduziriam drasticamente as fontes das quais os grupos extremistas recrutam seus membros.

- **Enfraquecimento da Demanda**. A maior parte das economias da África permanecerá vulnerável às oscilações dos preços internacionais das *commodities* e à demanda chinesa e ocidental. A maioria dos exportadores de *commodities* africanos não são suficientemente diversificados para resistir a uma queda nos preços de seus produtos, embora alguns países africanos que não são produtores de *commodities* se beneficiem dos preços baixos. Após quinze anos de taxas de crescimento sem precedentes, a expansão econômica africana desacelerou para 3,8% em 2015, em grande parte devido ao enfraquecimento da demanda chinesa e de outros países por *commodities* como cobre, petróleo e gás. Nigéria e Angola — os maiores exportadores de petróleo da região que, juntos, somam cerca de um quinto da população da África — foram afetadas e poderiam levar anos para desenvolver fontes de receitas alternativas ao petróleo. Esse esforço provavelmente forçaria ambos os governos a cortar gastos, podendo inclusive não investir na educação e em outros programas necessários para preparar suas grandes e jovens populações para ocupar seu espaço na economia global moderna.

- **Riscos ambientais, ecológicos e de saúde.** A maioria dos mosaicos de savanas, florestas, pastagens, desertos, recursos de água doce de África, seus milhões de habitantes e os inúmeros ecossistemas enfrentam graves ameaças provenientes das mudanças ambientais naturais e humanas. Muitos desses desafios transcendem as fronteiras nacionais e as capacidades dos Estados agir individualmente e exigem uma ação multinacional coordenada, mas os países com problemas provavelmente não verão as questões ambientais e de saúde humana como suas prioridades.

- As pressões ambientais colocadas pelas populações, pelo gado e pela perda de terras aráveis associadas a secas e inundações recorrentes levarão a uma maior degradação da fertilidade do solo e da cobertura vegetal na região. A desertificação ameaça a África Subsaariana mais do que qualquer outra região do mundo, e o desmatamento — aumentando na região ao dobro da taxa mundial — afeta negativamente os *habitats*, a saúde do solo e a qualidade da água, particularmente na África Central. Cerca de 75 a 250 milhões de pessoas na África enfrentarão estresse hídrico grave, o que provavelmente levará à migração. A combustão incontrolada, o uso de madeira e de carvão vegetal para cozinhar, a industrialização e o uso generalizado de gasolina com chumbo contribuem para aumentar a poluição atmosférica, enquanto a gestão de resíduos é deficiente em todo o continente.

- Apesar dos grandes avanços na conscientização do público do mundo todo sobre a crítica **ameaça que os humanos representam à vida selvagem** — particularmente para os elefantes e rinocerontes —, os grandes lucros obtidos por criminosos continuam a estimular a caça ilegal e o tráfico, levando esses animais próximos da extinção. As ricas zonas piscosas nas costas da África Ocidental estão sendo rapidamente esgotadas pela pesca comercial e ilegal. A intensificação da criação de porcos e da avicultura contribui para o surgimento de novas doenças zoonóticas que representam riscos econômicos e de saúde para os africanos e, em alguns casos, para o resto do mundo.

Os efeitos políticos dessas tendências variam consideravelmente nos quarenta e nove países da região, com alguns avançando para a descentralização, enquanto outros vivem a centralização e o autoritarismo no estilo do de Ruanda. A maioria dos líderes permanecerá transigente e focada na sua sobrevivência, e não na reforma política ou econômica. A transição de uma geração a outra na política, pela qual muitos países africanos passarão nos próximos cinco anos, será um indicador da segurança e da estabilidade futuras, com países que manterão o *status quo* arriscando provocar instabilidade e aquelas nações que passarão o poder para a geração seguinte, a qual provavelmente estará melhor equipada para administrar as transformações provocadas pela tecnologia e pelo desenvolvimento. Essas transições também são suscetíveis de alimentar divisões étnicas, aumentando as possibilidades de surgimento de conflitos.

- **O investimento em capital humano — especialmente nas mulheres e nos jovens** — e em instituições que promovam o desenvolvimento humano e a inovação será fundamental para melhorar as perspectivas futuras da região. A expansão da classe média da região, a melhoria dramática da expectativa de vida nas duas últimas décadas, a vitalidade da sociedade civil, a disseminação de instituições e de um *ethos* democrático, mais o declínio da incidência da AIDS indicam as muitas possibilidades positivas que existem na África.

Relevância geopolítica da região nos próximos cinco anos: competição em governança. Nos próximos cinco anos, a África Subsaariana continuará a ser uma zona de experimentação importante para governos, corporações, organizações não-governamentais (ONGs) e indivíduos que procuram melhorar as condições de desenvolvimento do continente e o eventual acesso aos seus mercados. A maioria dos países africanos se concentrará em questões domésticas e se esforçará em consolidar os avanços obtidos nos últimos quinze anos e resistir às graves adversidades geopolíticas e econômicas que os ameaçam. O fluxo de migrantes econômicos que deixarão a África aumentará se a geração de emprego permanecer baixa, devido às taxas de crescimento global mais fracas, e à medida que o estresse ambiental rural e o rápido crescimento da população aumentarem as populações urbanas. As atividades relacionadas à segurança e medidas de antiterrorismo aumentarão na região em curto prazo, enquanto o islamismo militante e o extremismo cristão continuarão a se espalhar nos enclaves regionais e até em algumas cidades.

A região pode muito bem tornar-se uma arena de competição geopolítica e por recursos, uma vez que as elites políticas farão diferentes escolhas de governança. O aumento da afiliação religiosa em muitas partes da África pode estimular a resistência a algumas normas e instituições liberais, refletindo as dúvidas da população com relação ao liberalismo internacional e ao ressentimento com o Ocidente por buscar impor sua moral à África.

- **A fragilidade das instituições** políticas formais em muitos Estados africanos sugere que persistirá a vacilação entre políticas democráticas e autoritárias, particularmente quando o engajamento internacional diminui, arriscando a provocar grande instabilidade política. A diminuição de ajuda à África por parte dos EUA e do Ocidente será particularmente preocupante à luz da expansão relativa da influência da China, embora o papel da China na região permaneça incerto. A força econômica e o interesse pelos recursos africanos fizeram da China uma importante fonte de financiamento para as infraestruturas e os significativos investimentos comerciais de empresas chinesas contribuíram para aumentar a influência de Pequim na região, mas o resfriamento recente da demanda chinesa por matérias-primas — e a má reputação das empresas chinesas como empregadores — pode diluir essa influência. A Rússia não tem sido um jogador importante na África desde o colapso da União Soviética, e é improvável que tenha capacidade ou desejo de se envolver de forma significativa na região. A política europeia para a África Subsaariana provavelmente será limitada por restrições econômicas, mas poderia aumentar a ajuda econômica como um meio barato de diminuir o fluxo de imigrantes.

- A **agenda internacional de direitos humanos** para a África quase certamente irá debilitar-se, uma vez que cálculos realistas indicam que o foco se concentrará na Europa e América do Norte. Os líderes africanos continuarão a ver o Tribunal Penal Internacional como tendencioso com relação aos africanos e podem se tornar mais assertivos na rejeição do Tribunal.

- A geração de eletricidade e as tecnologias que tornam a infraestrutura feita com tijolos e argamassa obsoletas, como a impressão em 3D, que dispensam a construção de fábricas de grande escala, trazem a promessa de benefícios econômicos significativos e atrairão o interesse de importantes atores públicos e privados. O investimento em infraestrutura básica será fundamental para o crescimento econômico e o retorno dos investimentos bem gerenciados em infraestrutura será elevado, devido ao forte potencial de crescimento da África em comparação com outras regiões. Um ambiente de baixos rendimentos em outros continentes poderia tornar a África atraente para os investidores estrangeiros, incrementando as potencialidades econômicas e políticas em todo o continente.

Outras considerações. A população africana terá a taxa de crescimento mais alta do mundo nos próximos cinco anos. As taxas de fertilidade se contraíram mais lentamente do que muitos demógrafos anteciparam, diminuindo de 5,54 crianças por mulher em 1995 para 4,56 em 2015. A queda global pode refletir o sucesso relativo dos Objetivos de Desenvolvimento do Milênio das Nações Unidas, especialmente nas áreas de saúde e educação para mulheres. As regiões centrais da África permanecerão entre as mais jovens do mundo e, se a oferta de oportunidades e a governança forem insuficientes, serão as mais ameaçadas pela violência e instabilidade.

- As **condições de desenvolvimento**, que melhoraram significativamente nos últimos quinze anos, provavelmente diminuirão ou até se deteriorarão se o continente não reduzir a corrupção e desenvolver o processo de decisão e a formulação de políticas microeconômicas nesse difícil ambiente geopolítico e econômico. As questões relacionadas com a pobreza persistente são o problema mais urgente da África Subsaariana. A expectativa de vida na África é de sessenta anos, o que representa uma melhoria significativa em comparação há duas décadas, mas ainda é a mais baixa do mundo. A falta de acesso a água potável, saneamento e infraestrutura de saúde aumenta o risco de rápida propagação de doenças transmissíveis, que vão de parasitas intestinais ao Ebola. Apesar dos ganhos substanciais na mitigação do impacto da AIDS com ajuda internacional, ainda há 19 milhões de africanos infectados, mais do que em qualquer outra região do mundo. Além do HIV, outros indicadores destacam a contínua fragilidade da saúde pública do continente. As taxas de mortalidade materna diminuíram recentemente, mas continuam altas, e os indicadores da saúde infantil para crianças menores de cinco anos são ainda pior: apenas em 2015, 5,9 milhões de crianças menores de cinco anos morreram, uma taxa de quase 16 mil por dia; 83% dessas mortes foram causadas por infecções, complicações neonatais ou mal estado nutricional.

- Os progressos realizados contra a AIDS e a eventual contenção da saída do Ebola da África Ocidental em 2014 destacam o potencial dos novos desenvolvimentos na saúde através de parcerias entre os Estados africanos e a comunidade internacional. A África Subsaariana tornou-se o campo de provas estratégico da saúde mundial, com grandes agências de assistência concentrando seus esforços contra muitas frentes de doenças. O escopo operacional dessas iniciativas abrange dezenas de governos nacionais e numerosas agências internacionais e ONGs e afeta milhões de africanos. O gerenciamento e a implementação dessas redes operacionais serão um excelente teste de governança responsável e efetiva para os governos africanos e seus parceiros de desenvolvimento.

- **A África impulsará o ritmo global da migração rural para as cidades.** Algumas cidades africanas tentaram limitar o movimento para as áreas metropolitanas, devido à preocupação com a infraestrutura e a capacidade de acomodar o aumento da população, mas outros reconhecem os benefícios potenciais da urbanização, e a tendência continuará em grande parte sem restrições. Por exemplo, Acra, Ibadan e Lagos formaram um corredor de desenvolvimento urbano para vincular o comércio nessas três cidades, criando oportunidades de crescimento que, por sua vez, geram empregos. Até 2020, Lagos (14 milhões de pessoas) e Kinshasa (12 milhões) serão maiores e mais congestionadas do que o Cairo. Em muitos países africanos, mesmo as comunidades que, ora, são pequenos centros comerciais, crescerão e se tornarão cidades. A Nigéria, por exemplo, terá em breve 100 cidades com mais de 200 mil habitantes.

NIGÉRIA

Projeção da população em 2035

293,965,000

Percentual urbano

47.8 % — 2015
60.8 % — 2035

Religião, 2015[a]

- Cristianismo
- Muçulmanos
- Religiões étnicas
- Agnósticos **0.3**

46.2 % | 45.9 | 7.6

(escala: 0 – 20 – 40 – 60 – 80 – 100)

Adultos alfabetizados 2015

Total: **59.6** %

Homens 69.2 %
Mulheres 49.7 %

Proporção entre gênero
(homens para cada 100 mulheres)

2015	2035
103.8	104.4

Média de idade

2015	2035
17.9	20.0

Taxa total de fertilidade[b]

2015	2035
5.6	4.3

Educação, 2015 a 2035

Anos de frequência escolar

	Homens		Mulheres	
	2015	2035	2015	2035
	7.6	11.1	7.3	10.9

Conclusão de graus elevados

- Graduação
- Secundário
- Primário
- Primário incompleto
- Não educados

(2015 / 2035)

Expectativa de vida

	Homens		Mulheres	
	2015	2035	2015	2035
	52.7	58.2	53.4	59.6

a) As estimativas relativas à afiliação religiosa são baseadas na Base de Dados de Religião Mundial e são arredondadas para o décimo mais próximo do porcentual.

b) A taxa total de fertilidade é o número médio projetado dos filhos nascidos de uma mulher se ela viver até o final de seus anos de idade fértil.

Nota: Os dados demográficos são apresentados para os países os quais se estima que tenham a maior população em cada região em 2035.

RÚSSIA E EURÁSIA

Nos próximos cinco anos, a liderança russa continuará seu esforço para restaurar o *status* de grande potência da Rússia através da modernização militar, da maior participação no cenário internacional com objetivo de ampliar a influência russa e limitar a ascendência ocidental, do uso de bravatas nucleares e do aumento do nacionalismo. Em sua visão de mundo, Moscou permanece ameaçada e reagirá quando acreditar que precisa proteger os interesses nacionais da Rússia — como na Ucrânia em 2014[42] — ou para reforçar sua influência no exterior, como na Síria. Tais esforços permitiram ao presidente Putin garantir o apoio popular em casa, apesar das condições econômicas difíceis e das sanções impostas à Rússia, e ele continuará dependendo de medidas coercivas e do controle de informações para neutralizar os divergentes. Moscou também continuará a usar a retórica antiocidental — e uma ideologia nacionalista que evoca a força imperial e moral do povo russo — para gerenciar a vulnerabilidade doméstica e promover seus interesses.

A ideologia, as políticas e as estruturas do Kremlin — e seu controle da economia — gozam de apoio popular e da elite, apesar da repressão significativa da sociedade civil e das minorias.

- Esse **amálgama de autoritarismo, corrupção e nacionalismo** representa uma alternativa ao liberalismo ocidental que muitos

---

42 Os protestos, manifestações e motins pró-russos na Ucrânia realizados por ultranacionalistas pró-Rússia e grupos antigovernamentais, também chamados de "Primavera Russa", ocorreram nas principais cidades das regiões oriental e meridional da Ucrânia, como reação ao Euromaidan e em paralelo à Crise na Crimeia. Os protestos nos oblasts de Donetsk e Luhansk se intensificaram e se transformaram em uma "insurgência separatista", abrindo caminho para um conflito armado no leste do país. Foi detectada a presença de cidadãos russos participando de tais ações.

dos autócratas e revisionistas do mundo acham atraente. Na visão de Moscou, o liberalismo é sinônimo de desordem e de decadência moral, e movimentos pró-democracia e experiências eleitorais são percebidos como tramas ocidentais para enfraquecer os baluartes tradicionais da ordem e abalar o Estado russo. Para combater as tentativas ocidentais de enfraquecer e isolar a Rússia, Moscou irá aceitar a ascensão de Pequim em curto prazo, mas, em última instância, vai recusar essa posição antes de se tornar um parceiro menor da China — o que seria contrário à autoimagem da Rússia de grande nação.

A insegurança, a decepção e a desconfiança russas com relação à ordem global liberal estão firmemente enraizadas na expansão simultânea da NATO e da União Europeia na sequência da Guerra Fria, motivando as suas ações no exterior; o uso de táticas militares de "zona cinzenta", que desencadeia deliberadamente condições de guerra e paz, provavelmente continuará. Contudo, os vários movimentos da Rússia nos últimos anos — na Geórgia, na Ucrânia e na Síria e através do apoio aos partidos populistas de extrema direita na Europa — levantam três questões importantes:

Quais dos princípios da ordem internacional do século XX a Rússia aceitará no século XXI?

Até onde a Rússia vai defender um "mundo russo", promovendo a centralidade da civilização russa e a rejeição dos valores liberais ocidentais?

Quais desafios, se houver, às atuais fronteiras políticas da Eurásia, a Rússia enfrentará na defesa de sua esfera de influência percebida?

Relevância geopolítica da região nos próximos cinco anos: revisionismo, de novo. A agressiva política externa da Rússia será fonte de considerável volatilidade nos próximos cinco anos. Moscou quase certamente continuará buscando zonas de segurança territorial em suas fronteiras, inclusive no Ártico, e para proteger os governos autoritários simpatizantes, particularmente os que estão em sua periferia. Esta assertividade reforçará as visões contrárias à Rússia nos países bálticos e em partes da Europa Oriental, aumentando o risco de conflito. Moscou irá cooperar internacionalmente de forma a melhorar a influência geopolítica da Rússia e estimular o avanço em questões de importância para o Kremlin, como a não proliferação nuclear; ao mesmo tempo, desafiará as normas e regras que considerar prejudiciais aos seus interesses. Moscou acredita que tem pouca participação no estabelecimento das normas da economia global e, embora a economia desaquecida seja fonte de debilidade estratégica, a administração russa tomará medidas para enfraquecer a influência dos EUA e da Europa sobre a criação e a aplicação de tais normas. Moscou irá testar a OTAN e a determinação europeia, buscando minar a credibilidade ocidental. A Rússia tentará explorar as divisões entre o norte e o sul da Europa e provocar uma cisão entre os Estados Unidos e a Europa.

- O **governo de Putin continuará a dar prioridade aos gastos militares** e a promover a modernização, enfatizando a dissuasão estratégica, mesmo diante da estagnação da economia ou de um cenário de recessão econômica.

- **A Rússia continuará a reagir às medidas de dissuasão da OTAN** e a uma maior presença militar no Báltico e na Europa Central, mesmo que tal presença não seja permanente. Moscou também permanecerá altamente sensível ao envolvimento dos EUA nessas regiões, a qual os russos consideram pertencer à sua legítima esfera de influência.

- As **robustas operações cibernéticas** da Rússia quase certamente representarão uma ameaça crescente para o Ocidente, pois visam reduzir a dependência da tecnologia ocidental e melhorar suas capacidades de guerra indireta e assimétrica.

- Dada a centralidade dos Estados Unidos nos assuntos globais, a Rússia também continuará a dedicar recursos aos **esforços no sentido de fazer as políticas dos EUA penderem a seu favor.**

Se as táticas de Moscou vacilarem, sua influência geopolítica pode se enfraquecer ao longo do tempo, e a Rússia pode sofrer instabilidade doméstica. Em ambos os aspectos, as perspectivas econômicas adversas — os preços mais baixos do petróleo, sanções ocidentais, produtividade estagnada, baixa taxa demográfica, problemas crônicos de migração de fuga de cérebros e incapacidade de diversificar em setores de alta tecnologia — provavelmente prejudicarão as ambições de Moscou no longo prazo. As reformas econômica e política — a solução usual para esses problemas — não serão promovidas na Rússia de Putin.

- Um novo declínio no *status* pode resultar em uma atitude internacional **mais agressiva, em vez de menos enérgica,** embora as **crescentes dificuldades econômicas** e o desejo de evitar um âmbito de ação demasiadamente extenso acabem por abrandar a capacidade da política externa de Putin, senão suas ambições.

- No entanto, **a população russa mostrou-se resoluta diante de condições difíceis** e pode não desistir de apoiar Putin. Na medida em que o Kremlin continuar a reforçar a fé do povo na grandeza da Rússia, a revolta em larga escala poderá ser evitada.

Outras Considerações: Eurásia. Como a Rússia, muitos governos da Eurásia detêm o controle das reformas necessárias e são caracterizados pelo baixo desempenho econômico e grande corrupção. Também são altamente vulneráveis à influência russa — o que inclui a dependência de remessas russas, propaganda de apoio a esses governos e vínculos militares e culturais. A dependência de Moscou, as instituições políticas frágeis, os altos níveis de corrupção e a repressão aumentam o risco de colapsos na região, como o que ocorreu na Ucrânia. Neste contexto, três desenvolvimentos potencialmente transformadores se tornarão evidentes nos próximos cinco anos:

- **O aumento do envolvimento chinês na região** — através de investimentos, do desenvolvimento de infraestrutura e da emigração para a Ásia Central, como mostrado na iniciativa *One Belt, One Road* de Pequim — testará a disposição da Rússia de se adequar à grande ambição de poder da China. Os interesses da China na região continuarão a ser predominantemente econômicos, mas os objetivos políticos e de segurança podem tornar-se mais fortes, se Pequim se deparar com a intensificação do extremismo doméstico. A Rússia — tendo pouco a oferecer em termos econômicos além de matérias-primas, tecnologia militar e oportunidades de trabalho para migrantes, apesar da iniciativa da União Econômica Eurasiana — procurará aprofundar a integração política e de segurança na região, podendo levar alguns países a entrar em conflito.

- **A resolução do conflito da Ucrânia** teria repercussões em toda a região. Uma Ucrânia orientada para o Ocidente que reduza a corrupção sistêmica que tem atormentado o país desde sua independência em 1991, e que implemente reformas que produzam pelo menos um crescimento modesto, servirá como poderoso exemplo a demonstrar o insucesso da atual estratégia russa para a região. Se a intervenção da Rússia na região de Donbas resultou em fracasso econômico e político na Ucrânia, ela pode, porém, fortalecer os sistemas autoritários em toda a região e enfraquecer a determinação dos Estados que procuram aproximar-se do Ocidente a fazê-lo.

- A Rússia continuará **buscando desestabilizar qualquer governo ucraniano** que tente se integrar ao Ocidente através da UE ou da OTAN. Moscou também continuará a usar uma série de medidas — desde incentivos financeiros para governos simpáticos usarem para apoiar partidos políticos e promover campanhas de desinformação, até a intervenção militar — para apoiar forças antiocidentais em outros Estados da região.

- **As transições de liderança no Cazaquistão e no Uzbequistão** — países que há muito tempo têm funcionado como âncoras de estabilidade na Ásia Central — trarão preocupações para Moscou. É improvável que as sucessões conduzam a mudanças dramáticas na forma como esses países têm sido governados, mas o prolongado conflito interno entre as elites pode aumentar o potencial de surgimento de crises desestabilizadoras, criando aberturas na segurança que os extremistas islâmicos poderiam explorar.

RELATÓRIO DA CIA - A NOVA ERA | 197

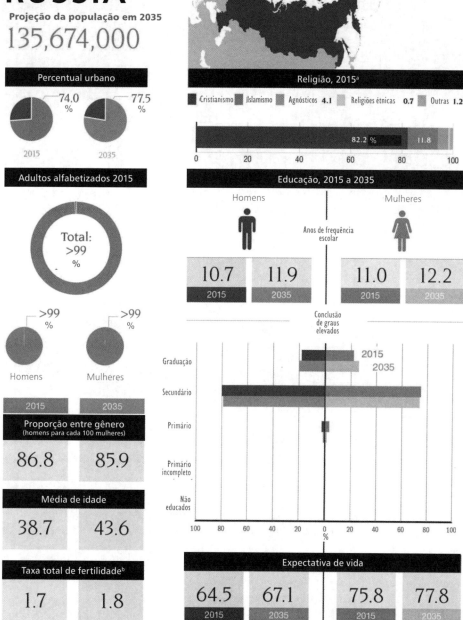

a) As estimativas relativas à afiliação religiosa são baseadas na Base de Dados de Religião Mundial e são arredondadas para o décimo mais próximo do porcentual.

b) A taxa total de fertilidade é o número médio projetado dos filhos nascidos de uma mulher se ela viver até o final de seus anos de idade fértil.

Nota: Os dados demográficos são apresentados para os países os quais se estima que tenham a maior população em cada região em 2035.

EUROPA

Nos próximos cinco anos, a Europa lidará com o possível desmantelamento do projeto europeu, ao mesmo tempo em que a ordem social estabelecida após a 2ª Guerra Mundial continuará a ser abalada por fluxos migratórios rápidos vindos de sua periferia — instável e muitas vezes ameaçadora — e pelas pressões resultantes de uma economia globalizada que está fomentando a desigualdade econômica. As organizações regionais que moldam a Europa — a UE, a zona do euro e a OTAN, em particular — mantiveram a influência europeia no cenário global até o momento, apesar da diminuição da participação do PIB e da população mundial, mas a crise existencial da UE, exemplificada pelo voto a favor do Brexit provavelmente continuará, pelo menos nos próximos anos.

Embora a UE tenha ajudado os governos a produzir uma prosperidade comum, a proporcionar segurança econômica e paz, a falta de uma união fiscal da zona do euro para harmonizar com sua moeda única deixou, desde a crise financeira de 2008, os Estados mais pobres endividados e com perspectivas de crescimento diminuídas. Além disso, a UE não conseguiu criar a sensação de que todos os cidadãos da Europa compartilham um destino comum, deixando, em tempos econômicos difíceis, a união vulnerável ao ressurgimento do nacionalismo entre os países-membros.

- **O futuro da UE e da zona do euro**. Os partidos políticos, os líderes nacionais e os funcionários da UE continuarão a discordar sobre as funções e os poderes adequados da união, bem como sobre a certeza de que seja correto manter a ênfase atual da zona do euro em conservar a disciplina orçamentária e sobre os saldos das contas correntes sem dar aos Estados membros maior margem de manobra para impulsionar o crescimento, e concordam menos ainda sobre as soluções pan-europeias com relação às diferenças de crescimento e problemas do setor bancário. Com as restrições políticas em vigor, apesar do crescimento lento e contínuo, os governos da UE e nacionais enfrentarão perda de apoio do público, particularmente se a união não puder enfrentar adequadamente as migrações e os desafios trazidos pelos terroristas.

- **Uma periferia ameaçadora**. O perigo representado por uma Rússia mais beligerante, a ameaça do extremismo islâmico e as repercussões das crises no Oriente Médio e na África irão alarmar cada vez mais o público, e não conseguirão angariar apoio para dar uma resposta coordenada. A Rússia ameaça a Europa diretamente através de propaganda, campanhas de desinformação e apoio financeiro para partidos contrários à UE e aos EUA. Por outro lado, o EIIL inspirou e treinou combatentes estrangeiros, alguns dos quais voltaram para a Europa e aumentaram a ameaça de ataques perpetrados por terroristas europeus.

- **Pressões demográficas**. A periferia instável continuará a levar um número considerável de refugiados e migrantes à Europa, complicando a capacidade de resposta dos governos nacionais e das instituições da UE, causando tensão entre os Estados membros e as instituições da UE, além de estimular o apoio aos partidos e grupos xenófobos. Ao mesmo tempo, o envelhecimento das populações europeias criará uma crescente necessidade de novos trabalhadores. As instituições da UE e os governos nacionais continuarão a tentar impor limites à migração e encontrar formas de melhor integrar os imigrantes e seus filhos.

- **Governos nacionais enfraquecidos**. Uma das pedras angulares sobre a qual a Europa do pós-guerra foi construída foi o pacto social, que recebeu apoio popular, para a construção de uma ordem econômica internacional liberal em troca das garantias do estado de bem-estar social. Essa negociação promoveu a estabilidade em termos de crescimento econômico e a democracia representativa. O aumento da volatilidade eleitoral nos últimos 30 anos na Europa e a fraca recuperação da região da crise financeira de 2008 estão prejudicando esse pacto. Novos partidos populistas, tanto da direita como da esquerda, estão aproveitando a insatisfação pública com o crescimento lento, a diminuição dos benefícios sociais, a oposição à imigração e o declínio na distância ideológica entre a esquerda e a direita.

Relevância geopolítica da região nos próximos cinco anos: união incerta. O *status* da Europa como jogador global baseou-se na unidade, nas capacidades materiais e na ampla consistência em objetivos e perspectivas geopolíticas comuns aos Estados membros, especialmente França, Alemanha e Reino Unido. Ao menos nos próximos cinco anos, a necessidade de reestruturar as relações europeias à luz da decisão do Reino Unido de deixar a UE provavelmente prejudicará a influência internacional da região e poderá enfraquecer a cooperação transatlântica. Esperamos uma maior asserção por parte da Rússia e tentativas deliberadas de dividir o projeto europeu. Embora improvável, o sucesso russo em recuperar o domínio político em Kiev ou minar a estabilidade no Báltico prejudicaria a credibilidade da UE e da OTAN.

- O problema de uma **política externa cada vez mais independente e multidirecional adotada pela Turquia** e suas tendências não democráticas, pelo menos em médio prazo, contribuirá para aumentar as correntes desintegradoras na Europa e representará uma ameaça à coerência da OTAN e da cooperação entre a OTAN e UE.

- No centro do projeto europeu reside a ideia de que a Europa representa a paz, a tolerância, a democracia e a diversidade cultural e que apenas através da união os países europeus podem evitar as batalhas divisórias que atormentaram sua história. Uma das razões pelas quais a maioria dos governos dos Estados membros da UE tanto se esforçou para manter a Grécia na região do euro em 2015 foi a sua determinação em impedir o desmantelamento do projeto europeu. Uma série de questões representam **graves ameaças ao futuro da UE**, o que inclui o processo Brexit e as suas consequências em outros países da Europa, o fracasso dos principais Estados membros da UE em implementar reformas econômicas necessárias, o insucesso da UE em estimular o crescimento em toda a região, o malogro de não conseguir coordenar as políticas para refugiados e o crescente nativismo, que é particularmente virulento em alguns dos seus novos Estados membros. Essas tensões poderiam levar a um rompimento rancoroso que reforçaria o declínio econômico e, ainda mais, poderiam conduzir a um retrocesso democrático.

Outras considerações. Os próximos cinco anos podem oferecer oportunidades para a governança regional. O Brexit poderia estimular a UE a redefinir como ela se relaciona com os Estados membros e com o público europeu. Se o Brexit levar os funcionários da UE e os líderes dos Estados membros a promover políticas que revelem os benefícios da cooperação, e se os líderes europeus encontrarem uma saída amigável para o Reino Unido que permita que Londres continue a trabalhar em estreita colaboração com seus equivalentes continentais em questões internacionais, a Europa poderia progredir. Apesar do aumento da insatisfação pública com a tomada de decisões europeias, os líderes europeus ainda se mostram mais capazes de encontrar uma causa comum e elaborar políticas comuns do que os líderes de qualquer outra região. Eles ainda têm oportunidade de forjar uma UE mais efetiva, que respeite mais as sensibilidades do público sobre a questão da identidade nacional e a tomada de decisões. Além disso, as democracias bem institucionalizadas da região possuem estruturas e verificações que podem conseguir reduzir os efeitos provocados por líderes populistas ou extremistas.

- Apesar dos **desenvolvimentos antidemocráticos** na Hungria e na Polônia, as limitações institucionais diminuíram o impacto provocado por partidos nativistas ou populistas de direita que entraram no governo em democracias europeias mais estabelecidas, como a Áustria e a Finlândia. O desenvolvimento de sistemas judiciais sólidos que praticam a revisão judicial substantiva — introduzida em grande parte da Europa após a 2ª Guerra Mundial — permanece incompleto nas novas democracias, mas mesmo na Hungria, houve resistência às políticas governamentais vistas como tendo transposto as normas aceitas.

- A **França e a Alemanha continuam empenhadas** em trabalhar em conjunto, apesar das diferentes orientações e preferências políticas, como a cooperação extremamente estreita entre a chanceler alemã Merkel e o presidente francês, Hollande, sobre a recuperação da Grécia, a política da UE em relação à Ucrânia e a cooperação em tecnologia de comunicação.

- Resta saber se Merkel, tendo liderado a resposta da Europa à maioria das crises da última década, recuperará o seu ímpeto político depois de não conseguir apoio — tanto na Alemanha como na UE — para a adoção de uma abordagem mais acolhedora aos imigrantes sírios. Embora outros países europeus não tenham se sentido confortáveis com o papel da Alemanha, é difícil ver outro líder como capaz de equilibrar as ações e respostas da região.

O ESPAÇO

Há pouco tempo, o espaço era domínio apenas das superpotências, mas hoje abriga um conjunto de atores em expansão, cujo número provavelmente crescerá nos próximos cinco anos. Embora apenas treze das setenta agências espaciais governamentais tenham capacidade para lançar espaçonaves ao espaço, muitas nações participam de uma ampla gama de atividades espaciais, desde a operação de satélites, até o envio de astronautas para a Estação Espacial Internacional, a bordo de naves espaciais russas ou chinesas. As missões são cada vez mais multinacionais e multissetoriais, conferindo senso coletivo sobre a propriedade do espaço como não se percebia há décadas.

- Exploração espacial multinacional. Um número crescente de países agora patrocina missões em um esforço para contribuir com o aumento do conhecimento científico sobre nosso sistema solar. Com a missão *Mars Orbiter* em 2014, a Índia foi a primeira nação a colocar uma sonda espacial em uma órbita marciana na sua primeira tentativa. Pouco depois naquele mesmo ano, após uma viagem de dez anos pelo espaço, a sonda da Agência Espacial Europeia, *Rosetta*, alcançou o Cometa 67P / *Churyumov-Gerasimenko* e aterrou seu módulo *Philae* em sua superfície, a primeira realização desse tipo na história humana. Em 2015, os Estados Unidos construíram o *Dawn*, a primeira nave espacial planejada para explorar os planetas anões *Vesta* e *Ceres*, e proporcionou ao mundo o primeiro sobrevoo em Plutão e suas luas com o *New Horizons*[43]. Entre as missões planejadas para os próximos cinco anos está a missão japonesa de ida e volta ao asteroide *Ryugu*, o projeto chinês de pousar no lado escuro da lua, uma missão conjunta entre a EU e o Japão para Mercúrio, a missão dos Emirados Árabes Unidos de colocar uma sonda na atmosfera marciana, e o Telescópio Espacial *James Webb* da NASA, que pode revolucionar todas as áreas da astronomia.

---

43. Missão não-tripulada da NASA designada para estudar o planeta-anão Plutão e o Cinturão de *Kuiper*. Foi a primeira espaçonave a sobrevoar Plutão e a fotografar suas pequenas luas *Caronte, Nix, Hydra, Cérbero* e *Estige* em julho de 2015, após cerca de nove anos e meio de viagem interplanetária. A nave ainda deverá sobrevoar o objeto 2014 MU69.

- Comercialização. O espaço não é mais apenas para os governos. Alimentado em parte pelo fascínio dos lucros futuros, bem como o vazio criado pelos orçamentos cada vez menores de agências espaciais como a NASA, empresas privadas como *Space-X*, *Blue Origin* e *Virgin Galactic* montaram programas sérios que podem em breve lançar humanos ao espaço. A *Planetary Resources* é uma empresa que visa a mineração em asteroides, enquanto a *Bigelow Aerospace* promete lançar no mercado *habitats* espaciais infláveis. Embora a plena viabilização dessas indústrias esteja a décadas de acontecer, os próximos cinco anos verão a realização dos primeiros testes que provocarão interesse de indivíduos particulares em ir ao espaço.

- Novos Sistemas Globais de Navegação por Satélite (GNSS, conforme sigla em inglês). Espera-se que o sistema de navegação por satélite *Galileo* da UE alcance sua capacidade operacional total até 2020, oferecendo avanço significativo às capacidades de posicionamento global, operando com maior precisão, maior cobertura global e em latitudes mais altas. O *Galileo* vai se associar ao GPS dos EUA, ao GLONASS da Rússia, ao *BeiDou* da China e a sistemas regionais implantados pela Índia e Japão. Os dispositivos que podem processar simultaneamente sinais de múltiplas constelações GNSS provavelmente oferecerão novas capacidades – como a precisão mais aprimorada, o posicionamento do ponto de vista interno e do eixo z, e antiobstrução – para mais de 4 bilhões de usuários em todo o mundo que dependem do posicionamento global baseado em espaço.

- Detritos espaciais. Mais de 500 mil fragmentos espaciais são atualmente rastreados em sua órbita terrestre, alguns orbitando à incrível velocidade de 28 mil km/h. Milhões de outros fragmentos são pequenos demais para serem rastreados, mas representam perigo para satélites vitais ou outro tipo de nave espacial. Para que seja possível uma expansão da presença espacial global, uma ação internacional para identificar e financiar a remoção dos detritos mais ameaçadores pode, em breve, ser necessária.

- A militarização do espaço. À medida que o espaço se torna cenário de interesses internacionais, passa a ser mais disputado. O imenso valor estratégico e comercial dos ativos provenientes do espaço exterior fará com que as nações compitam cada vez mais pelo acesso, uso e controle do espaço. A implantação de tecnologias antissatélites, projetadas para desativar ou destruir intencionalmente satélites, pode intensificar a tensão global. Uma questão-chave será se os países que exploram o espaço, em particular a China, a Rússia e os Estados Unidos, podem concordar com um código de conduta estabelecido para a atividade espacial.

Anexo: As principais tendências globais

Alterações populacionais por região, 2015-2035

De acordo com projeções da ONU, a população mundial deve aumentar em cerca de 20% entre 2015 e 2035. No entanto, essa expansão demográfica será distribuída de forma desigual. A população da África, com a renda *per capita* média de apenas cerca de US$ 5 mil, apesar da série de economias dinâmicas e crescentes no continente, aumentará em quase três quintos. Em contrapartida, a população da Europa, com uma renda média mais de seis vezes maior que a da África, diminuirá se não houver entradas substanciais de migrantes de outras regiões.

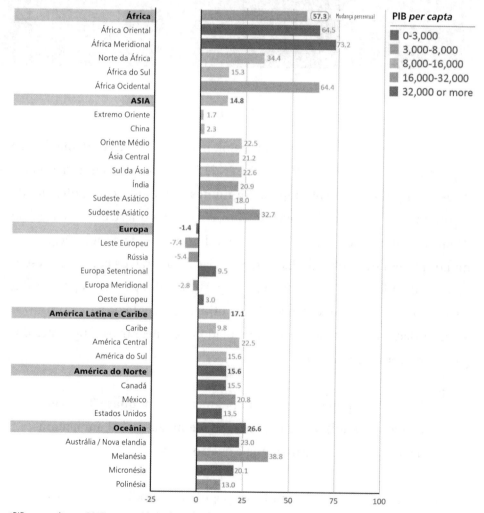

ªPIB *per capita* em 2015 com paridade de poder de compra (PPP) em dólares. Fontes: dados da população da ONU (projeção média); Fundo Monetário Internacional.

Gente

Em 2035, a população mundial será maior, mais velha e mais urbana do que hoje, mas essa transformação irá ocorrer de forma desigual em todas as regiões, com um crescimento rápido em muitas economias com potencial de expansão, mas ainda em desenvolvimento, em contraposição com um cenário de crescimento lento — ou mesmo com a diminuição de populações — em muitos países desenvolvidos. Essas tendências desafiarão os países em desenvolvimento a fornecer infraestrutura e oportunidades para suas populações em expansão e as nações desenvolvidas a utilizar a tecnologia para minimizar a necessidade de empregar novos trabalhadores e integrar os imigrantes dos países em desenvolvimento.

- Em 2035, a população mundial aumentará **em quase 20% chegando a 8,8 bilhões**, enquanto a idade média global aumentará de trinta, em 2015, para trinta e quatro anos.

- Até então, mais de **três quintos da população mundial deverão viver em áreas urbanas**, um aumento aproximado de 7% a partir de 2016.

ANEXOS: AS PRINCIPAIS TENDÊNCIAS GLOBAIS | 209

Transformação na estrutura etária de países-chave (2015-2035)

Estrutura etária (média de idade)	Países selecionados						
	PROJEÇÃO 2015				PROJEÇÃO 2035		
JOVEM (25 anos ou menos)	Níger	14.8	Quênia	18.9	Níger	15.7	Afeganistão	24.3
	Uganda	15.9	Iraque	19.3	Uganda	18.9	Etiópia	24.3
	República Democrática do Congo	16.9	Iêmen	19.3	República Democrática do Congo	19.4	Iêmen	24.5
	Afeganistão	17.5	Paquistão	22.5	Afeganistão	20.0		
	Nigéria	17.9	Egito	24.7	Nigéria	21.9		
	Etiópia	18.6			Etiópia	22.6		
INTERMEDIÁRIO (26 a 35 anos)	África do Sul	25.7	Turquia	29.8	Paquistão	26.8	Venezuela	33.6
	Índia	26.6	Israel	30.3	Egito	27.2	México	35.1
	México	27.4	Vietnã	30.4	África do Sul	30.2		
	Venezuela	27.4	Tunísia	31.2	Israel	32.5		
	Indonésia	28.4	Brasil	31.3	Índia	32.8		
	Irã	29.5			Indonésia	33.2		
MADURO (36 a 45 anos)	China	37.0	Canadá	40.6	Turquia	37.0	Nova Zelândia	41.0
	Austrália	37.5	Coreia do Sul	0.6	Tunísia	38.0	Reino Unido	42.7
	Nova Zelândia	38.0	Cuba	41.2	Vietnã	39.0	França	43.3
	Estados Unidos	38.0	França	41.2	Brasil	39.3	Rússia	43.6
	Rússia	38.7	Espanha	43.2	Austrália	40.6	Canadá	44.4
	Polônia	39.6			Estados Unidos	40.8	China	45.7
	Reino Unido	40.0			Irã	40.9		
PÓS-MADUROS (46 anos ou mais)	Alemanha	46.2			Cuba	48.0	Japão	52.4
	Japão	46.5			Polônia	48.2		
					Coreia do Sul	49.4		
					Alemanha	49.6		
					Espanha	51.5		

Fonte: Divisão de População da ONU, World Population Prospects, revisão de 2015 (dados médios por faixa etária).

ÁREAS DE PREOCUPAÇÃO

Nas próximas duas décadas, há cinco tendências demográficas que podem provocar instabilidade doméstica e fricções políticas entre países: Estados com população cronicamente jovem; migrações entre países e entre regiões; transições que ocorrerão através de fases demográficas; envelhecimento populacional avançado; e crescimento diferente entre as maiorias e as minorias. A dinâmica de cada uma dessas tendências é descrita abaixo, com exemplos de regiões / países onde a tendência provavelmente será mais relevante nos próximos cinco e nos vinte anos seguintes.

Países com população cronicamente jovem. Os países com estrutura etária *jovem* são os mais vulneráveis à violência da política interna, seja essa violência perpetrada por atores estatais ou não estatais, e muitos governos mantidos com patrocínio externo estão mal equipados para atender às demandas da alta taxa de fertilidade, rápido crescimento urbano — tipicamente sem meios fiscais suficientes para planejar e acomodar tal crescimento — e uma população de jovens adultos subempregados.

- Conforme se observou nos últimos quarenta anos, os países com população jovem que sofrem violência política prolongada e disfunção institucional arriscam-se atrair a intervenção de poderes regionais e extrarregionais.

- Nas regiões onde há mais países com população jovem — e onde os governos não conseguiram conter ou suprimir insurgências — a violência armada tem se espalhado periodicamente para fora das fronteiras do país de origem, atingindo a região e espalhando--se para além dela.

De acordo com projeções do Centro Internacional de Programas do Centro do Censo dos EUA (USCB-IPC) e da Divisão da População da ONU, os atuais

Anexos: As principais tendências globais | 211

países com população cronicamente jovem — a região do Sahel da África; África equatorial; Iraque-Síria; Iêmen, Somália; e o Afeganistão-Paquistão — assim continuarão nos próximos cinco anos, e esse quadro deverá permanecer até 2035.

- As projeções das Nações Unidas sugerem que o **Egito vai sair da categoria de países jovens** até 2030, o **Paquistão**, em 2035 e o **Iêmen** deve deixar essa categoria até 2040. No entanto, as previsões passadas de crescimento feitas para os três países foram mais otimistas do que acabaram por se revelar — o que pode ocorrer novamente.

Migração em massa. Regiões com países jovens e varridos por conflitos foram fonte de migrações nas últimas décadas e continuarão a ser até 2035, o que sugere a continuação do estresse político nos países receptores dessa população e a interrupção periódica dos fluxos mais ordenados e mais facilmente acomodados de trabalhadores imigrantes e de turistas em tais países. Os fluxos de imigrantes dos países jovens devastados por conflitos provavelmente representarão a maior preocupação para os Estados receptores desses migrantes, que devem suportar custos financeiros, sociais e políticos significativos, ao terem que acomodar e integrar novos membros na sociedade — ou lidar com as tensões de populações mal-integradas.

- Mesmo os fluxos previsíveis de migrantes econômicos podem causar problemas para os países de origem e de destino. Os países de origem dos migrantes enfrentam a perda de seus profissionais e técnicos qualificados mais promissores; além dos custos de integração mencionados, os migrantes legítimos que estão evadindo suas regiões ou sobrecarregando os controles das fronteiras dos países receptores — ou viajando por rotas não autorizadas de migração — podem ajudar a transformar as rotas de migração em vias de contrabando, tráfico humano e infiltração de terroristas.

Durante os próximos cinco anos, mesmo os "Estados de linha de frente" relativamente estáveis que estão ao redor dos conflitos em curso no Oriente Médio — a Turquia, o Líbano e a Jordânia, com a Europa do Sul e Central na segunda linha de países afetados — terão de enfrentar tais pressões. O Alto Comissariado das Nações Unidas para os Refugiados (ACNUR) adverte que o número de situações "prolongadas" de refugiados — atualmente em número de trinta e dois, e com uma duração média de vinte e seis anos — aumentou demasiadamente desde o início da década de 1990. Sua duração torna cada vez mais provável que os "assentamentos temporários" para acomodar refugiados em "Estados de linha de frente" se tornem cidades permanentes, mas sem o conjunto completo de infraestrutura, atividade econômica diversificada e instituições de governança das cidades bem-planejadas e gerenciadas.

- Durante os próximos vinte anos, sem crescimento econômico e desenvolvimento suficientes para manter a estabilidade, **o grupo de países jovens do Sahel poderia desencadear fluxos** de migrantes que afetariam a Argélia, Gana, Quênia, Marrocos, Senegal e Tunísia, e os conflitos na África Central equatorial poderiam deslocar migrantes para o Botswana, Quênia, África do Sul e Tanzânia. O Irã precisaria absorver mais migrantes, se os conflitos nos grupos de países jovens do eixo Iraque-Síria, e Afeganistão-Paquistão não diminuírem.

Grandes populações em idade de trabalho. Os países com grandes populações em idade de trabalho — chamados de "janelas de oportunidade demográfica" — aproveitam tipicamente o melhor serviço de saúde materna e infantil, o aumento do investimento educacional e da permanência na escola, o abrandamento da expansão da força de trabalho e, em alguns casos, a acumulação de poupança familiar ou de ativos para impulsionar ainda mais o crescimento econômico. A China e a Coreia do Sul, que recentemente deixaram esta janela, expandiram o capital humano, criaram setores de tecnologia produtiva, transformaram suas cidades em motores de crescimento viável e funcionais e acumularam riqueza privada e fundos soberanos.

- Desde a década de 1970, a janela demográfica tem sido associada à **emergência e à estabilidade das democracias liberais**, como se viu no Brasil, no Chile, na Coreia do Sul e em Taiwan, no final da década de 1980 e nos anos 1990, e mais recentemente na Tunísia. Esse padrão sugere que, nos próximos anos, um ou mais dos principais países de fase intermediária — um grupo que inclui a Argélia, Colômbia, Equador, Marrocos, Mianmar e Venezuela — poderia desenvolver uma democracia.

- As taxas de natalidade persistentemente altas entre os Estados jovens de forma crônica indicam que relativamente poucos países africanos de alto crescimento demográfico passarão para a categoria intermediária nos próximos cinco anos, embora várias regiões com população jovem na Ásia — entre elas as cinco ex-repúblicas soviéticas da Ásia Central — e na América Latina irão fazer essa transição, com o potencial de preparar o cenário para um forte desempenho econômico nos próximos anos.

Envelhecimento populacional nos países desenvolvidos. As projeções da USCB-IPC e da ONU sugerem que até 2035 os países com estruturas de idade "pós-maduras" expandirão do cenário atual, em que apenas o Japão e a Alemanha estão nessa situação, para um grupo que compreenderá os países do Leste, Centro e Sul da Europa, grande parte da Ásia Oriental e Cuba, com a possibilidade de a China ser incluída nesse grupo. Esses Estados deverão ajustar, porém manter, os quadros institucionais desenvolvidos durante seus períodos estruturalmente favoráveis, como as redes de segurança social, democracia liberal e capitalismo global. Desse modo, poderão permanecer sustentáveis em meio aos desafios que se desenrolarem em seus estágios de pós-maturidade.

- Em todas as regiões, **o declínio populacional do grupo básico de recrutamento militar** pressionará mais os governos a considerar estabelecer estruturas militares menores, tecnologicamente sofisticadas, empregar soldados profissionais e forjar alianças militares mais abrangentes.

Os governos dos países no estágio pós-maduro já estão tentando se ajustar. O declínio das populações jovens em idade de trabalho na Europa, no Japão e na Coreia do Sul levaram os governos a subsidiar esforços para impulsionar a produtividade por trabalhador, com medidas que incluem locais de trabalho descentralizados e em rede, maior uso da robótica e apoio à educação continuada. Os esforços para aumentar a participação da força de trabalho incluem incentivos para atrair mulheres e grupos sub-representados para participar da força qualificada de trabalho e subsidiar o cuidado e manutenção infantil. Os governos já adotaram medidas como expandir o quadro de trabalhadores veteranos em tempo parcial e aumentaram as idades de aposentadoria para manter as pessoas trabalhando mais tempo e reduzir o número de dependentes mais velhos.

- Na Europa durante os próximos cinco anos, **os esforços para reverter as idades de aposentadoria** e liberalizar as regras de local de trabalho provavelmente continuarão a encontrar rígida resistência. Embora a imigração tenha sido considerada como uma maneira de compensar a deficiência e ajudar a manter o estado de bem-estar social, essa solução é agora uma "carta fora do baralho" em termos políticos. Os residentes dos países com populações envelhecidas do Leste Asiático, onde os benefícios sociais são tipicamente menos generosos do que na Europa, podem estar mais dispostos a contribuir mais com as reformas nas pensões e nos serviços de saúde, mas ainda esperam que o governo garanta a manutenção dos padrões de vida.

- Os países onde os governos são politicamente incapazes de diminuir os benefícios das pensões e da saúde pública enfrentarão dificuldades fiscais, levando a cortes na educação ou em outros investimentos para suas diminuídas populações jovens — o que minaria ainda mais suas perspectivas econômicas. Os esforços para mudar das pensões estatais financiadas pelo empregador para os programas baseados em poupança pessoal irão aliviar a pressão sobre as finanças do governo, mas deixarão as **aposentadorias dos indivíduos vulneráveis** com possibilidades de perda por conta da volatilidade dos mercados financeiros, com a possibilidade de provocar apelos de intervenção do governo após crises financeiras.

Crescimento desigual entre as maiorias e as minorias. Nos países multiétnicos ou naqueles cujo crescimento populacional é aumentado pela imigração, as diferenças nas taxas de crescimento populacional podem agravar as disparidades sociais e políticas entre membros do grupo majoritário, geralmente mais bem-educados e mais prósperos, e minorias etnorreligiosas que tipicamente possuem taxas de fertilidade mais altas. Limitar a participação política e econômica e as oportunidades educacionais dos grupos minoritários — e encorajar a sua segregação residencial — pode ampliar as disparidades de crescimento e prosperidade entre a população e aumentar a tensão entre os grupos — um fenômeno que os demógrafos políticos denominam *dilema de segurança demográfica da minoria*.

- Essas brechas de crescimento muitas vezes se tornam **instrumentos de retórica política** — para ambos os lados —, exagerando as diferenças. Isso pode ter impacto entre as gerações, uma vez que grandes lacunas podem causar mudanças visíveis na composição étnica entre as populações mais jovens em idade escolar, cuja educação é subsidiada pela maioria dos contribuintes e pode ser comprometida se for orientada por políticos hostis.

- Devido a essa dimensão política, os **efeitos das mudanças na composição étnica** nos próximos vinte anos são potencialmente maiores nas democracias eleitorais, particularmente quando a liderança política do grupo dominante trabalha para evitar a perda de poder eleitoral desse grupo. Tais mudanças estão ocorrendo em Israel, onde a maioria atual de judeus seculares e tradicionalmente religiosos deverá perder poder de voto nas próximas duas décadas diante do rápido crescimento entre judeus ultraortodoxos, judeus religiosos nacionais e israelenses palestinos.

- Da mesma forma, no Sudeste da Turquia, a **população curda em rápido crescimento poderia obter mais poder eleitoral** à medida que se tornar maior e mais eficientemente organizada. As mudanças também estão ocorrendo nos Andes Centrais, uma vez que as populações indígenas compõem uma parcela crescente do eleitorado.

Urbanização contínua. A população urbana mundial superou a população rural há uma década e continua a crescer impulsionada por causas naturais e pela migração, enquanto o crescimento da população rural tem sido constante nos últimos anos. A urbanização moldará a dinâmica social e a política global, mas seus efeitos provavelmente serão desiguais e dependerão da capacidade dos países de administrar as tensões políticas, econômicas e sociais que o crescimento urbano provoca.

Com um planejamento adequado, a urbanização pode fornecer a configuração, a base populacional e a oportunidade para o crescimento sustentável, permitindo que governos, empresas e indivíduos reduzam os custos de transação, ofereçam infraestrutura e serviços públicos mais eficientes, bem como maior geração e difusão do conhecimento. Por algumas estimativas, as "megarregiões" mundiais — redes de áreas metropolitanas que compartilham sistemas ambientais e topografia, infraestrutura, vínculos econômicos, assentamentos e padrões de uso da terra — representam 66% da atividade econômica mundial e proporcionam 85% de toda a inovação tecnológica e científica. As cidades mal ordenadas e os centros urbanos, no entanto, podem servir de incubadoras de pobreza, desigualdade, crime, poluição e doenças. As decisões a curto prazo sobre infraestrutura para o desenvolvimento das megacidades também determinarão sua vulnerabilidade a eventos extremos e mudanças climáticas.

- O aumento da **urbanização produz novos movimentos sociais e políticos**, concentrando os estresses sociais sem capacidade adequada para responder às demandas de infraestrutura. Em particular, a urbanização sem desenvolvimento econômico suficiente e a consideração da sustentabilidade ambiental contribuem para aumentar a pobreza e condições de vida precárias. Tais estresses provocaram apelos de mudança social e redistribuição de recursos que aumentam a volatilidade no nível político local e provocam repercussão regional.

- Mesmo que o desenvolvimento das cidades seja eficiente, as áreas urbanas apresentarão dificuldades para os planejadores e para os governos — em alguns casos até mesmo na Europa — financiar infraestrutura, transporte, energia, água potável e ar limpo, sistemas de abastecimento de alimentos estáveis e serviços de saúde.

O CRESCENTE DESEQUILÍBRIO ENTRE OS GÊNEROS

Durante os próximos vinte anos, as mulheres terão mais acesso à educação, ao controle de natalidade e sua participação nos mercados de trabalho será mais igualitária, o que sugere que as taxas de natalidade continuarão a cair, embora os avanços da biotecnologia aumentem as chances de as crianças sobreviverem até a idade adulta. É provável que o desequilíbrio numérico entre os gêneros nas crianças nascidas em muitos países do Oriente Médio, do Leste Asiático e do Sul da Ásia continue a aumentar. Nas últimas décadas, o desequilíbrio na proporção entre os gêneros aumentou, com um maior número de homens em países como a Albânia, a Armênia, o Azerbaijão, a China, a Geórgia, a Índia, Montenegro, a Coreia do Sul e o Vietnã. Isso se deve ao aborto seletivo por sexo, ao infanticídio feminino e à negligência seletiva para com as meninas e mulheres.

- Durante os próximos vinte anos, **muitas regiões da China e da Índia deverão ter de 10 a 20% mais homens do que mulheres**. Os dois países já possuem um número significativo de homens sem perspectivas de casamento, e a tal desequilíbrio, que levaria décadas para corrigir, estão associados níveis anormais de criminalidade e violência, bem como violações de direitos humanos, como o rapto e o tráfico de meninas e mulheres para casamento ou exploração sexual.

- A disseminação do **desequilíbrio numérico entre os gêneros** está ligada à influência dos **sistemas patrilineares** na garantia de segurança quando a capacidade do governo diminui. À medida que essa mentalidade ganha maior aceitação, os grupos que a adotam tendem a desvalorizar ainda mais o valor atribuído à vida das mulheres.

- As oportunidades econômicas limitadas no mundo árabe estão levando muitos homens a casar tarde, uma vez que não conseguem acumular os fundos para iniciar uma família, pois nas sociedades patrilineares é preciso pagar o preço devido a uma noiva. O aumento do preço da noiva e os custos do casamento colocam uma dificuldade a todos os jovens dessas sociedades e se tornam fonte de insatisfação. A obstrução do mercado matrimonial — seja pelo aumento de custos, maior número de homens do que de mulheres ou alta prevalência de poliginia — estimula a disponibilidade de homens jovens para serem recrutados por grupos rebeldes e terroristas.

Como as pessoas vivem

Nas próximas décadas, as mudanças ambientais naturais e provocadas pela humanidade provavelmente enfraquecerão a resiliência do planeta e irão expor os humanos a novas vulnerabilidades, e farão aumentar as demandas por cuidados médicos, alimentação, água, energia e infraestrutura. Com as mudanças climáticas, o clima se tornará menos previsível e adequado. A biodiversidade dos oceanos cairá à medida que eles se tornarem mais quentes, ácidos, frágeis e poluídos. A saúde humana e animal enfrentará ameaças produzidas por ondas de calor, ondas inesperadas de frio e pela dinâmica alterada de disseminação de patógenos. Esses riscos serão distribuídos de forma desigual no tempo e no espaço, mas terão o potencial de prejudicar a maioria das populações e ecossistemas do mundo — severamente em alguns casos e de modo catastrófico em outros.

As mudanças ambientais e climáticas irão desafiar os sistemas de maneiras diferentes. As ondas de calor, por exemplo, afetam infraestrutura, energia, saúde humana e animal e agricultura. As mudanças climáticas — observadas ou antecipadas — quase certamente se tornarão um componente cada vez mais importante da visão de mundo das pessoas, especialmente com relação à expansão populacional nas áreas mais vulneráveis a eventos climáticos extremos e ao aumento do nível do mar, como as megacidades costeiras e regiões que já estão sofrendo escassez de água. Muitos dos estresses ecológicos e ambientais decorrentes das mudanças climáticas — e as doenças infecciosas que as acompanham — atravessarão as fronteiras internacionais, tornando a coordenação entre governos e instituições estrangeiras crucial para se produzir respostas efetivas. As políticas e programas para mitigar e adaptar-se a esses desafios serão necessários, a fim de produzir oportunidades e benefícios para aqueles bem posicionados para aproveitá-los.

PRINCIPAIS TENDÊNCIAS

Mudanças nos sistemas terrestres. As mudanças climáticas, o aumento do nível do mar e a acidificação dos oceanos provavelmente irão acirrar as tensões já sentidas pelo crescimento populacional, urbanização, proteção ambiental inadequada e pelas consequências produzidas pelo uso de energia e de recursos naturais de modo inadequado. Embora novas políticas climáticas possam, em tese, reduzir a taxa de emissões de gases de efeito estufa ao longo do tempo, as emissões passadas já causaram um aumento significativo na temperatura média global, o que, por sua vez, provocará eventos climáticos extremos mais frequentes e intensos, como ondas de calor, secas e inundações. A gravidade cada vez maior dos cataclismos que têm sido registrados e a crescente frequência de eventos extremos sugerem a muitos cientistas que as mudanças climáticas estão nos atingindo com cada vez mais rigor e mais rapidamente, pois antes os estudiosos previam uma mudança — o que não está ocorrendo. A intensidade dos eventos pode variar demasiadamente, gerando surpresas desagradáveis, especialmente porque um número cada vez mais significativo de espécies já está correndo grande risco de extinção em todo o planeta.

- As previsões sobre o clima e a região que determinado fenômeno climático ocorrerá irão tornar-se cada vez menos precisas, mas os problemas provavelmente afetarão as populações mais vulneráveis ou mais pobres dos países em todos os níveis de desenvolvimento.

- As ondas de tempestade, mais frequentes devido ao aumento do nível do mar, devem colocar em risco muitos sistemas costeiros e áreas baixas, e essa volatilidade ambiental quase certamente irá perturbar os padrões de produção de alimentos e a disponibilidade de água, provocando fortes tensões econômicas, políticas e sociais. As mudanças no Ártico superarão aquelas percebidas nas latitudes médias, e a diminuição do gelo marinho de verão tornará o Ártico mais acessível à navegação e à exploração do que em qualquer outra época da história humana.

Saúde humana e animal sob pressão. As alterações das condições ambientais e o aumento da conectividade global devem moldar o seguinte quadro: alteração dos padrões de precipitação, da biodiversidade e distribuição geográfica dos agentes patogênicos e seus hospedeiros. Tais implicações afetarão a viabilidade e a vitalidade das plantações e dos sistemas agrícolas; provocarão surgimento, transmissão e propagação de doenças infecciosas humanas e animais; e proporcionarão descobertas médicas e farmacológicas. O impacto direto dos problemas ambientais na saúde humana devido ao aumento do estresse térmico, inundações, seca, e a maior frequência de tempestades intensas forçará difíceis decisões sobre como e onde viver, particularmente em países de baixa renda na África Subsaariana e no Sul da Ásia.

- As **ameaças ambientais indiretas para a saúde da população** tomarão a forma de insegurança alimentar, subnutrição e diminuição da qualidade do ar e da água como resultado da poluição. Esses desenvolvimentos devem produzir tendências perturbadoras com relação às doenças transmissíveis — em particular, doenças zoonóticas emergentes, agentes patogênicos antimicrobianos

(AMR) — e doenças não transmissíveis (DNTs), como as cardiopatias, acidentes vasculares cerebrais, diabetes e doenças mentais devem surgir como resultado desses desenvolvimentos.

- Essas preocupações serão ainda mais **intensificadas pelas tendências demográficas e culturais**, como o envelhecimento das sociedades da Europa e da Ásia; alimentação e saneamento inadequados na África e na Índia; urbanização e desenvolvimento em áreas desabitadas e aumento das megacidades; e pelo crescente fosso de desigualdade. Em uma triste ironia, o aumento da longevidade — um objetivo quase universal — reduzirá a segurança alimentar e oferta de água em lugares que mal são capazes de sustentar suas populações.

As deficiências no controle de doenças não abordadas pelos sistemas de saúde nacionais e globais dificultarão a detecção e a administração dos focos epidêmicos, aumentando o potencial de disseminar doenças para muito além de seus pontos de origem. O aumento do contato entre pessoas e a disseminação mais rápida e fácil de doenças implicam que as moléstias infecciosas crônicas já disseminadas — como a tuberculose, a AIDS e a hepatite — continuarão a representar pesados encargos econômicos e humanos em países onde há alta ocorrência dessas patologias, apesar dos significativos recursos internacionais destinados a combatê-las. Muitos países de renda média já lutam com o fardo da expansão das doenças não-transmissíveis em relação a doenças infecciosas persistentes.

Sistemas humanos críticos em risco. A crescente incidência de eventos climáticos extremos coloca todos em risco, embora aqueles concentrados em áreas densamente povoadas sejam especialmente mais vulneráveis. As organizações internacionais serão cada vez mais pressionadas a responder às necessidades de alimentos, água, transporte, abrigo e saúde dos afetados, a menos que os países e localidades atingidas tenham adotado medidas para mitigar os riscos, tais como melhorias de infraestrutura e sistemas de alerta antecipado.

- A **degradação do solo e da terra** nos próximos vinte anos diminuirá a quantidade de terra disponível para a produção de alimentos, levando à escassez e elevando os preços. Países afluentes correm maior risco, na medida em que dependem do comércio agrícola global altamente eficiente que se desenvolveu sob condições ambientais estáveis durante os tempos de paz.

- **A escassez de água e a poluição provavelmente prejudicarão o desempenho econômico** e deteriorarão as condições de saúde das populações em todo o mundo, inclusive as dos principais países em desenvolvimento. A produção econômica sofrerá, se os países não tiverem água limpa suficiente para gerar energia elétrica ou para permitir a manufatura e a extração de recursos. Os problemas relativos à água — somados à pobreza, tensão social, degradação ambiental, liderança ineficaz, desigualdade de gênero e instituições políticas fracas — contribuem para o surgimento de perturbações sociais que podem provocar a falência de certos Estados.

Escolhas-chave

Como os líderes políticos e as populações responderão a um mundo menos capaz de sustentar a vida? A degradação ambiental e ecológica e as mudanças climáticas deverão forçar os governos e as organizações de auxílio humanitário em todos os níveis a enfrentar a dificuldade de destinar seus recursos para responder às crises — especialmente em apoio às populações mais vulneráveis — e, em longo prazo, de investir para construir sistemas mais resistentes e adaptáveis. Eventos meteorológicos sem precedentes e a desertificação em curso afetarão populações vulneráveis na África, Ásia e Oriente Médio, com grandes secas provavelmente levando alguns sistemas hídricos, de produção de alimentos e pecuária a entrar em colapso. As tempestades tropicais mais intensas terão um impacto cumulativo na infraestrutura, na saúde e na biodiversidade em algumas áreas costeiras e baixas que poderiam sobrecarregar os esforços de recuperação e reconstrução. Aqueles que irão lutar para sobreviver a tais problemas podem, pelo viés positivo, desenvolver inovações radicais para obter melhorias ou, sob uma perspectiva negativa, se tornarem violentos, migrar — se receberem permissão dos vizinhos que igualmente enfrentam dificuldades ou que não são hospitaleiros —, ou até morrerem.

- Algumas vozes proeminentes exigirão intervenções envolvendo **geoengenharia de clima**, embora a governança e as estruturas legais necessárias para que essas tecnologias sejam implantadas com um mínimo de perturbação social quase certamente atrasarão a pesquisa e o desenvolvimento desses meios.

- Também é provável que existam apelos para que as **vítimas da degradação ambiental extrema** recebam alguma forma de "asilo" como refugiados.

Em que medida os indivíduos, os governos e as organizações privadas, civis e internacionais empregarão novas tecnologias para melhorar a segurança alimentar, hídrica e energética; qualidade do ar, oceanos e biodiversidade; saúde humana e animal; e a resiliência dos sistemas de transportes, de informação e outras infraestruturas críticas?

A incapacidade de prever o tempo ou a localização de eventos ambientais e climatológicos complexos aumenta a necessidade de desenvolver sistemas de informação que permitam os envolvidos fazer avaliações em tempo quase real e tomar medidas políticas no sentido de minimizar os danos e as perdas humanas. A prevenção é melhor que a cura; o custo de construir infraestrutura resiliente geralmente é muito menor do que a recuperação de desastres, mas a mobilização da vontade política e dos recursos para tomar medidas preventivas dependerá de uma crise dramática que irá redefinir as prioridades.

Mesmo depois de uma crise, a prevenção de futuros danos é muitas vezes prejudicada pela amplitude e complexidade do investimento em pesquisa, monitoramento e vigilância do clima e da saúde pública; pelo financiamento de sistemas de saúde resistentes ao clima; pelo desenvolvimento de um orçamento de carbono sustentável; pela criação de edifícios e sistemas de transporte mais eficientes em termos de energia, aplicando as "melhores práticas" nos processos industriais visando reduzir os riscos para a produção de alimentos, abastecimento de água e sistemas de saúde; pelo aprimoramento da gestão da água através de alocações de preços e comércio de "água virtual"[44]; e pelo investimento em setores relacionados à água, como agricultura, energia e tratamento de água.

Um desafio cada vez mais importante para a sustentabilidade do consumo de recursos será o desenvolvimento da capacidade de avaliar as necessidades de população local em termos de energia, combustível e alimentos em tempo quase real. O acompanhamento das interações entre os recursos naturais, a vida selvagem e as pessoas permitiria uma melhor compreensão das reais necessidades do uso desses recursos — uma vulnerabilidade importante em uma era em que os recursos estão cada vez mais escassos.

Os novos investimentos em energia e tecnologias oferecem uma oportunidade importante para reduzir o risco ocasionado pelas mudanças climáticas adversas, embora a maioria delas exija um financiamento substancial e anos de esforço antes de colher os benefícios. Tais benefícios incluem fontes de energia limpa e tecnologias capacitadoras, como energia eólica produzida em alto mar, células solares, geração de energia distribuída e armazenamento de energia; melhorias nas fontes de combustão, como biocombustíveis e resíduos utilizados na produção de energia; e mitigação através de captura e sequestro de carbono.

- A redução da produção de carbono ameaçará interesses econômicos há muito estabelecidos e trará dificuldades para as comunidades sustentadas pelas indústrias de hidrocarbonetos.

---

44 Quantidade de água utilizada, de forma direta ou indireta, na produção de algum bem ou serviço; indicador da água que será necessária no processo produtivo de algum produto.

- A energia do oceano, os combustíveis sintéticos renováveis, a energia nuclear de próxima geração, os hidratos de metano, a transmissão de energia sem fio e a colheita de energia[45] são promissores, mas ainda estão longe de poder ser usados. A biotecnologia industrializada pode contribuir para os setores de manufatura e extração, segurança alimentar, de saúde e defesa.

Muitas tecnologias novas possuem um grande potencial para enfrentar os desafios complexos pelos quais o mundo passará, mas seu impacto será amalgamado, se essas tecnologias forem disponibilizadas apenas para alguns países ou segmentos da elite. O aumento da conectividade global torna as populações mais conscientes das novas tecnologias, despertando o desejo de obter acesso a elas. Países e organizações regionais e internacionais podem ser prejudicados pelas diferenças no modo como as políticas nacionais e internacionais se desenvolverão em relação aos avanços tecnológicos.

- Os **avanços tecnológicos** nas áreas de saúde, biologia sintética e biotecnologia, informações, materiais, manufatura e robótica devem melhorar a prevenção, vigilância, tratamento e gestão de doenças que irão favorecer a qualidade de vida e prolongar a vida útil dos indivíduos.

- A automação pode reduzir os custos de pesquisa e desenvolvimento de produtos farmacêuticos, desde que o desenvolvimento de novas drogas seja feito de modo racional por computador e por modelagem do sistema humano — métodos que reduzem a necessidade da realização de testes em animais e diminuem a produção de produtos defeituosos.

---

45 Processo pelo qual a energia é derivada de fontes externas (por exemplo, energia solar, térmica, eólica, cinética), capturada e armazenada para aparelhos pequenos, autônomos e sem fio.

A biotecnologia avançada por si só não poderá resolver diversas ameaças importantes para a saúde pública, como o aumento da resistência antimicrobiana (AMR). Existe também uma necessidade urgente do desenvolvimento de tecnologias relativamente simples que possam ser acessíveis para a população global. Para atender a essas necessidades, as **práticas comerciais na produção de novas tecnologias de saúde provavelmente mudarão.** A pesquisa sobre pandemia e AMR já busca captar fundos públicos, em vez de se manter apenas com o investimento privado. Os fundos de desenvolvimento também serão prováveis fontes de recursos. Tais fundos incluem países de alta renda, economias emergentes e organizações filantrópicas. Em suma, as alterações nos modelos de inovação e financiamento serão tão importantes quanto as mudanças nas próprias tecnologias.

Até que ponto os indivíduos, os governos e as organizações privadas, civis e internacionais se associarão a fim de construir resiliência em sistemas críticos de suporte humano? Para reduzir o impacto dos eventos relacionados às mudanças climáticas — particularmente em áreas urbanas densamente povoadas —, bem como melhorar a velocidade e a qualidade das respostas a esses eventos, será fundamental fortalecer os responsáveis por prover ajuda. Muitos países e governos serão incapazes de fornecer o capital necessário para grandes investimentos em infraestrutura e irão buscar o apoio de fontes como organizações civis e internacionais, corporações e indivíduos para realizar tais investimentos. No entanto, motivar os doadores e os interesses políticos — o que pode dificultar o desenvolvimento de uma infraestrutura redundante mais resiliente, e não apenas mais infraestrutura — pode ser uma tarefa penosa. Um desafio adicional será trabalhar com indivíduos e organizações, como pesquisadores, ONGs e corporações, países e a comunidade internacional, para disponibilizar tecnologias e capacidades tanto para os que "têm" quanto para os que "não têm".

Como as pessoas criam e inovam

A tecnologia — da roda ao *chip* de silício — impulsionou demasiadamente a flecha da história, mas antecipar quando, onde e como a tecnologia transformará as dinâmicas econômicas, sociais, políticas e de segurança é um jogo difícil. Algumas previsões de alto impacto — como a fusão a frio — não se tornaram realidade conforme se esperava, enquanto outras mudanças se desdobraram mais rapidamente e com maior abrangência do que os especialistas imaginaram. Por exemplo, os desenvolvimentos de manipulação de genes de Repetições Palindrômicas Curtas Agrupadas e Regularmente Interespaçadas (CRISPR) transforaram rapidamente as ciências biológicas.

O desenvolvimento tecnológico e sua implantação serão rápidos, porém, isso ocorrerá nos locais onde as ferramentas e técnicas forem amplamente acessíveis para produzir novos avanços. As tecnologias de ponta de informação e comunicação, por exemplo, estão transformando tudo, desde automóveis até a maneira como os produtos são fabricados, e alguns especialistas em tecnologia argumentam que os avanços em biotecnologias e nanomateriais terão um efeito catalítico similar nas próximas décadas. A combinação de novas tecnologias proporcionará grandes surpresas e capacidades interessantes, com alguns desenvolvimentos se irradiando a áreas comparativamente não relacionadas. Por exemplo, as biotecnologias e as novas tecnologias de materiais podem gerar transformações nas tecnologias de energia.

Principais tendências

Tecnologias Avançadas de Informação e Comunicação (TAIC) –inclusive Inteligência Artificial, Automação e Robótica. O desenvolvimento e a implantação de TAICs pode aumentar a produtividade do trabalho, os processos de negócios e práticas de governança que apoiam o crescimento econômico e a capacidade de resposta política. Como facilitador crítico, as TAICs irão influenciar quase todas as indústrias novas e existentes. A emergente Internet das Coisas (IoT, conforme sigla em inglês) e a Inteligência Artificial (IA) garantirão que a análise e o processamento de Grande Volume de Dados ("Big Data") possibilitem o desenvolvimento de novos conhecimentos empresariais, de transformação de indústrias e o impulso da comunicação avançada máquina-a-máquina. A popularização do uso de algumas tecnologias, como a realidade aumentada / virtual (AR / VR), terá um efeito transformador na sociedade, particularmente na mídia, no entretenimento e na vida diária.

- As novas Tecnologias de Informação e Comunicação (TICs) devem ter um efeito significativo no **setor financeiro**. Moedas digitais; tecnologia *blockchain* para transações; e as análises preditivas habilitadas pela IA e Big Data remodelarão os serviços financeiros, potencialmente afetando a estabilidade sistêmica, a segurança de infraestruturas financeiras críticas e as vulnerabilidades cibernéticas.

- As novas TICs também estão transformando o setor de **transporte e o consumo de energia** de forma profunda. Aplicativos que combinam análise de dados, algoritmos e informações geofísicas em tempo real, como o Uber e o Waze, podem otimizar os padrões de tráfego, melhorar os níveis de consumo de energia e reduzir a poluição atmosférica urbana. Isso aumenta os benefícios dos veículos semiautomáticos e autodirigidos, que podem reduzir o volume do tráfego e as taxas de acidentes, ao mesmo tempo em que produzem enormes ganhos econômicos.

Problemas potenciais: o aumento da dependência de dados — o elo comum entre essas tecnologias de informação emergentes — exigirá estabelecer limites claros e padrões sobre propriedade, privacidade e proteção de dados, fluxos de dados transfronteiriços e segurança cibernética — fatores que podem se tornar pontos cada vez mais importantes do mercado doméstico e produzir conflito de políticas internacionais. As tentativas de algumas nações de impedir a rápida disseminação das tecnologias de informação e comunicação e controlar o fluxo de dados poderão minimizar os deslocamentos e a volatilidade laborial, mas limitarão os ganhos econômicos e sociais. Os países menos éticos podem implantar tecnologias que outras nações se opõem ou abrandar os regulamentos, de modo a atrair empresas de alta tecnologia e obter capacidade de planejamento e desenvolvimento.

Os Estados, empresas, grupos ativistas, organizações religiosas e cidadãos estão tentando gerenciar a informação em seu proveito, fomentando uma competição intensa e em evolução de envio de mensagens que ameaça expandir seu alcance para áreas mais profundas e sensíveis da cognição e da emoção humanas. Os primeiros momentos das mídias sociais impulsionaram a esperança de que uma comunicação maior e mais livre levaria a uma nova era de democratização, mas os países autoritários passaram a controlar o acesso à informação para manter o controle social; nos países livres, o fluxo de informação alimentou as divisões sociais e a polarização política. As mídias sociais também permitem a disseminação rápida de desinformação perigosa; os indivíduos dispostos a acreditar nessa desinformação são mais propensos a aceitá-la de forma acrítica e transmiti-la a outros indivíduos potencialmente ingênuos.

- As TICs podem dar origem a novas profissões nas áreas de verificação de fatos, relatórios de erros, proteção de privacidade e ações legais contra assédio. Os padrões de verificação de veracidade nas mídias sociais são cada vez mais ambíguos e negociáveis — no limite, toda reivindicação à verdade se torna uma peça de propaganda sem *status* epistemológico especial.

- Levou décadas ou mesmo séculos para que as pessoas desenvolvessem padrões comuns para julgar a veracidade das afirmações, mas a tecnologia reformulou muitas questões nas relações interpessoais e está criando novos desafios para os governos que querem, ou que precisam estabelecer "credibilidade" na política externa ou para adquirir poder de barganha.

A **inteligência artificial** (ou sistemas autônomos aprimorados) e a **robótica** têm o potencial de acelerar o ritmo das mudanças tecnológicas além de qualquer avanço visto no passado. Alguns especialistas advertem que o ritmo crescente do deslocamento tecnológico[46] pode superar a capacidade das economias, sociedades e indivíduos de se adaptar. Historicamente, a mudança tecnológica diminuiu inicialmente, mas depois aumentou o nível de emprego e os padrões de vida, permitindo o surgimento de novas indústrias e setores que criaram mais e melhores empregos do que os que se tornaram redundantes. No entanto, o aumento do ritmo dessa transformação está dificultando a capacidade de adaptação dos sistemas de educação, deixando as sociedades com o problema de encontrar trabalhadores com qualificações e educação relevantes.

- Os veículos autônomos, que eliminam a necessidade de motoristas de caminhões, táxis e outros, provavelmente serão o exemplo mais dramático de deslocamento da tecnologia em curto prazo.

---

46 O quanto as novas tecnologias tornam redundantes postos de trabalho e processos produtivos.

- As novas tecnologias e as oportunidades por ela criadas exigirão conhecimentos especializados e habilidades de gerenciamento complexas que provavelmente não serão muito acessíveis para os trabalhadores deslocados. Como resultado, os avanços nas TICs podem agravar a divisão econômica entre aqueles cujas qualificações estarão em demanda e aqueles cuja qualificação tornou-se redundante.

As novas tecnologias também aumentarão a conscientização pública sobre a crescente desigualdade na distribuição de oportunidades e de riqueza. Para mitigar os efeitos adversos dessa conscientização, os programadores deverão desenvolver mundos virtuais simpáticos, por vezes chamados de "motores de empatia", mas as críticas sociais estão preocupadas com o fato de que o uso indevido das TICs já tenha levado à polarização na sociedade, e que os novos desenvolvimentos, como a RA / RV[47], terão o mesmo efeito.

Biotecnologias e medicina humana avançada. A biotecnologia, recentemente impulsionada pelos desenvolvimentos do CRISPR[48], está se desenvolvendo ainda mais rapidamente as TICs e promete melhorar a produção mundial de alimentos e a saúde humana. A aplicação da biotecnologia — como a edição de genes — para a produção de alimentos, especialmente em lavouras de menor uso, poderia impulsionar a produtividade agrícola e a resistência das plantações ao clima severo e às doenças às quais as plantas são suscetíveis. Os avanços na edição de genes também podem levar a grandes avanços na medicina humana, eliminando os mosquitos transmissores da malária ou alterando códigos genéticos para curar doenças como a fibrose cística. Será especialmente crítico reduzir a insegurança alimentar e melhorar a saúde pública do mundo em desenvolvimento, uma vez que a mudança climática afeta a produção agrícola.

---

47 Realidade Aumentada/ Realidade Virtual: integração de informações virtuais a visualizações do mundo real.

48 Ver nota 7

A engenharia genética e outras biotecnologias ajudarão a prevenção de doenças, permitindo a realização de melhores diagnósticos e tratamentos, ajudando a superar a resistência a germes e a interromper a propagação da doença através da detecção precoce de patógenos novos ou emergentes com potencial de surto pandêmico. A erradicação de algumas doenças de origem genética e os avanços da engenharia genética do sistema imunológico aumentarão a qualidade de vida e irão melhorar a saúde global e reduzir os custos da saúde pública.

- Os nanomateriais são cada vez mais utilizados para revestimentos de dispositivos médicos, agentes de contraste de diagnóstico, componentes de detecção em diagnósticos de nanoescala e envio avançado de fármacos. A medicina digital e outros novos procedimentos médicos devem contribuir para melhorar a saúde global. Ferramentas aprimoradas para caracterizar, controlar e manipular a estrutura e a função da matéria viva em nanoescala podem dar origem a abordagens baseadas em biologia no desenvolvimento de outras tecnologias e novas técnicas de fabricação.

- Avanços em computação e tecnologias sequenciais e cultura de alto rendimento permitirão compreender e manipular o microbioma humano, o que poderia trazer a cura de doenças autoimunes como diabetes, artrite reumatoide, distrofia muscular, esclerose múltipla, fibromialgia e talvez alguns tipos de câncer. Certos microorganismos também poderiam complementar tratamentos para depressão, transtorno bipolar e outros distúrbios psiquiátricos relacionados ao estresse.

- O monitoramento ótico de neurônios e a modulação ontogenética da atividade neuronal prometem ajudar os neurocientistas a observar o cérebro em funcionamento, com o objetivo de prevenir ou curar doenças como demência, Parkinson e esquizofrenia. No campo da inteligência artificial, esses procedimentos também podem fornecer informações que permitirão a construção de sistemas semelhantes ao cérebro humano.

Problemas potenciais: muitas partes do mundo ainda consideram os alimentos geneticamente modificados (GM) inseguros ou inadequadamente testados e não aceitarão seu desenvolvimento ou implantação, o que irá comprometer seu potencial de expandir a produção e os estoques de alimentos, baixar seus preços ou aumentar os benefícios nutricionais dos alimentos. Algumas tecnologias genéticas, como "impulsos de genes", que poderiam alterar o genoma de espécies inteiras, podem ser difíceis de controlar, se implantadas; do mesmo modo, a manipulação genética das espécies — para, por exemplo, tornar os mosquitos incapazes de transportar malária ou outros agentes patogénicos virulentos — pode ter consequências imprevistas. Independentemente dos seus benefícios potenciais, tais tecnologias inevitavelmente atrairão oposição política nacional e internacional.

- Em 2035, a longevidade humana deverá aumentar, mas a necessidade de garantir melhor qualidade de vida irá aumentar os custos financeiros das sociedades, especialmente porque o envelhecimento da população já está sobrecarregando os orçamentos governamentais. Esses custos poderiam, porém, ser compensados pela economia com os cuidados médicos, proporcionada pelos avanços no tratamento genético de doenças e nas terapias genômicas.

- Os debates sobre a moral e a eficácia das leis de direitos de propriedade intelectual para questões médicas de vida e morte e questões tecnológicas mais amplas provavelmente se tornarão mais controversos em âmbito internacional.

- Os avanços tecnológicos no tratamento de doenças ou na melhoria das capacidades humanas, como o aprimoramento humano[49], provavelmente levantarão acirrados debates políticos sobre o acesso a essas tecnologias — assumindo que a maioria das técnicas, no primeiro momento, só estará disponível para pessoas de maior renda. Alterar as aptidões humanas fundamentais para aprimorar a capacidade mental ou a força física pode provocar estridentes batalhas domésticas e internacionais sobre a ética e as implicações de alterar o *pool* genético humano.

- Os avanços na biotecnologia que repercutirão na biologia sintética, entre eles a automação e o desenvolvimento de ferramentas padronizadas e "linguagens de programação", permitirão que indivíduos fabriquem microrganismos virulentos para perpetrar ataques bioterroristas.

Energia: os avanços nas tecnologias energéticas e as preocupações com as mudanças climáticas preparam o cenário para as transformações no uso de energia, o que inclui o maior emprego de energia eólica, solar, ondomotriz, fluxos de resíduos ou fusão nuclear para a geração de energia elétrica, uso de dispositivos móveis melhorados e tecnologias de armazenamento de energia fixa. Os sistemas de energia "verdes" — concorrentes dos combustíveis fósseis — já estão sendo usados, e o futuro trará mais tecnologias que utilizam carbono, e também livres de carbono. Entre as inovações, como os sistemas de energia distribuídos em pequena escala que não requerem conexão com uma rede elétrica, podem estar as fontes de energia renovável que integram energia para casas e equipamentos de transporte e maquinários agrícolas, que, provavelmente,

---

49 Tentativa de superar as limitações do corpo humano, temporária ou permanentemente, por meio de métodos naturais ou artificiais. O procedimento faz uso da tecnologia para selecionar ou alterar as características ou capacidades, de modo a produzir algo que vai além da natureza animal ou humana.

transformarão os modelos atuais de produção e distribuição de energia, liberando os cidadãos da dependência da energia fornecida pelo Estado. Sistemas distribuídos em rede para geração e armazenamento de eletricidade poderiam melhorar a resiliência dos sistemas de energia e de suas infraestruturas críticas diante de desastres naturais, o que seria particularmente importante em áreas vulneráveis a mudanças climáticas e a ocorrência de eventos climáticos severos.

Problemas potenciais: nos próximos vinte anos, a combinação de combustíveis fósseis, fontes nucleares e renováveis pode satisfazer a demanda global de energia. No entanto, é provável a implantação em larga escala e comercialmente bem-sucedida de **tecnologias de combustíveis** outros que os de origem fóssil. Isso reduziria o valor das reservas de recursos para os países fornecedores de petróleo que dependem dessa receita para financiar seu orçamento nacional e proporcionar bem-estar social aos seus cidadãos. Com efeito, muitas dessas nações podem ter dificuldade para reorientar suas economias. O impacto comercial também será substancial para as empresas de petróleo e gás, algumas das quais figuram entre as maiores do mundo. Sem grandes aprimoramentos nas baterias de baixo custo ou outras formas de armazenamento de energia, novas fontes energéticas continuarão a exigir uma infraestrutura substancial, potencialmente retardando sua adoção pelos países mais pobres e limitando sua mobilidade e flexibilidade.

Intervenção climática: as tecnologias que permitem a geoengenharia — manipulação em larga escala do clima da Terra — estão em sua infância e existem apenas em modelos computacionais. A geoengenharia efetiva exigirá uma variedade de tecnologias. Um conjunto de medidas, chamado de gerenciamento de radiação solar, visa esfriar o planeta, limitando a quantidade de radiação solar que atinge a Terra, possivelmente ao lançar aerossóis na estratosfera, ao utilizar o clareamento de nuvens marinhas[50] ou instalar espelhos espaciais na órbita terrestre. Um conjunto de tecnologias mais caro e que, provavelmente, ainda levará tempo para ser disponibilizado, concentra-se na remoção de

---

50 Veja nota 17

dióxido de carbono da atmosfera através da captação direta do ar, fertilização do ferro oceânico e reflorestamento, isto é, a criação de florestas em áreas que anteriormente não possuíam cobertura arbórea. A captura e o sequestro de carbono, ou CCS, conforme sigla em inglês, é uma tecnologia conhecida que visa capturar dióxido de carbono no ponto de emissão e armazená-lo no subsolo. O reflorestamento também é uma tecnologia conhecida, e os cientistas realizaram testes limitados de fertilização oceânica com ferro[51].

Problemas potenciais: o aumento das perturbações climáticas aumentará o interesse e o uso da geoengenharia bem antes de a comunidade científica entender o impacto e as consequências não intencionais de tais tecnologias. Com a pesquisa contínua, os países industrializados avançados poderão rapidamente desenvolver os meios para gerenciar a radiação solar a um custo muito menor que os danos provocados pelas mudanças climáticas. Sem tempo para realizar os testes necessários, a pesquisa provavelmente não poderá avaliar as consequências associadas à distribuição de radiação solar superficial, as variações nos padrões de temperatura e as mudanças nos sistemas pluviométricos, nas tempestades ou determinar como as temperaturas globais devem ser reguladas.

- Uma deficiência crítica das estratégias de geoengenharia é que elas não combatem todos os efeitos de um aumento do dióxido de carbono na atmosfera, como, por exemplo, a contínua acidificação dos oceanos. As tecnologias de captura de carbono também têm limitações econômicas e físicas que sugerem que sua implementação seria dispendiosa, lenta e, em última instância, ineficaz, caso o carbono capturado retornasse à atmosfera.

---

51 Introdução de ferro em áreas pobres desse mineral na superfície do oceano para estimular a produção de fitoplâncton com o objetivo de aumentar a produtividade biológica e / ou acelerar o sequestro de dióxido de carbono (CO_2) da atmosfera. O ferro é um elemento necessário para a fotossíntese das plantas. Assim, em tese, grandes florestas de algas poderiam ser criadas semeando ferro em áreas águas oceânicas deficientes desse mineral. Essas florestas, por sua vez, poderiam nutrir outros organismos. Em oceanografia, a ideia é chamada de Hipótese do Ferro.

238 | RELATÓRIO DA CIA – A NOVA ERA

- As tecnologias de remoção de carbono atmosférica exigirão pesquisas significativas e um grande avanço no desenvolvimento de fontes alterativas de energia.

- A implantação unilateral de tecnologias de geoengenharia — mesmo em testes de pequena escala — quase certamente provocaria tensão geopolítica. A manipulação unilateral intencional de todo o ecossistema global deverá alterar a forma como as pessoas pensam suas relações com o mundo natural e entre si.

Materiais e fabricação avançada: Os desenvolvimentos de materiais e os avanços na manufatura são, direta ou indiretamente, os principais vetores da maioria dos avanços tecnológicos. Os usos de nanomateriais e de metamateriais provavelmente se expandirão, devido justamente às novas propriedades desses materiais. Produtos eletrônicos, de saúde, energia, transporte, construção e bens de consumo já possuem esses materiais, sem que a maioria das pessoas saibam. O fato de os nanomateriais possuírem características mecânicas e elétricas aprimoradas, bem como propriedades óticas únicas, sugerem que esses materiais irão superar os convencionais em muitas aplicações e revolucionarão a maioria dos setores industriais.

Outras inovações nos materiais sintéticos irão transformar os mercados de *commodities*, caso sejam úteis no processo de fabricação e seus custos relativos diminuam. Compostos e plásticos de alta resistência podem substituir os metais convencionais e criar novos mercados. Os países desenvolvidos terão uma vantagem econômica inicial na produção e utilização desses materiais, mas, ao longo do tempo, essa tecnologia será mais amplamente acessível. A fabricação de aditivos, ou impressão em 3D, está se tornando cada vez mais realizável e será usada em coisas que nem sequer são concebidas hoje. A impressão 4D — a construção de objetos que podem mudar sua forma ou função ao longo do tempo ou em reação ao meio ambiente — também proporcionará uma vantagem econômica para desenvolvedores de aplicativos comercialmente viáveis.

Problemas potenciais: Os **materiais avançados** podem afetar as economias de alguns países exportadores de *commodities*, ao mesmo tempo que proporcionam uma vantagem competitiva aos países desenvolvidos e em desenvolvimento que adquirirem a capacidade de produzir e usar os novos materiais. Tais insumos, como os nanomateriais, são frequentemente desenvolvidos mais rapidamente do que seus efeitos ambientais e de saúde podem ser avaliados, e as preocupações do público com os possíveis efeitos colaterais desconhecidos impedem a comercialização de alguns desses materiais. Os regulamentos para evitar esses efeitos podem inibir o uso ou a disseminação de tais matérias, particularmente em áreas como medicamentos e produtos de cuidados pessoais.

Os **avanços na fabricação**, em particular o uso da impressão 3D como parte rotineira da produção de precisão, irão influenciar as relações comerciais globais, aumentando o papel da produção local em detrimento de cadeias de suprimentos ramificadas. Como resultado, a arbitragem global do trabalho terá rendimentos decrescentes, uma vez que a margem economizada devido à proximidade das fábricas dos locais de distribuição irá baratear o custo de transporte. As tecnologias de fabricação avançadas aumentarão a pressão sobre os fabricantes de baixo custo e seus funcionários, e as tecnologias podem criar uma nova divisão mundial, entre aqueles que possuem recursos e se beneficiam de novas técnicas e aqueles que não o fazem. Essa bipartição pode redesenhar as divisões tradicionais entre o Norte e o Sul em novos contornos traçados pela disponibilidade de recursos e tecnologia. Os fabricantes em 3D, no entanto, ainda precisam de acesso a matérias-primas, eletricidade e infraestrutura, bem como aos direitos de propriedade intelectual sobre o que produzem.

Tecnologias espaciais. O maior interesse comercial no espaço e nos serviços espaciais irá aprimorar a eficiência dessa área e criará novas aplicações industriais com fins civis e militares. A China está elaborando planos para assumir uma presença permanente no espaço, algo semelhante à Estação Espacial Internacional, e os empreendedores planejam voos tripulados para Marte. Os sistemas de satélites — menores, mais inteligentes e mais baratos do que no passado — trarão novas capacidades de sensoriamento remoto[52], comunicação, monitoramento ambiental e posicionamento global. Os satélites de baixa altitude podem possibilitar acesso à internet para os dois terços da população que atualmente não possuem conectividade *on-line*. A maior largura de banda permitirá e aumentará a disponibilidade de serviços baseados em nuvem, telemedicina e educação *on-line*.

Problemas potenciais: Aumentos significativos nos dados dos sensores remotos e comunicações espaçadas colocarão em risco a privacidade e as habilidades dos atores de ocultarem suas ações. Alguns países procurarão bloquear ou controlar dados do espaço para proteger seus interesses centrais. A tensão geopolítica aumentará por conta do uso de sensores remotos altamente sensíveis — ora reservados a apenas alguns países — e da transmissão aberta de dados.

Escolhas-chave

A opinião de especialistas continua dividida com relação ao impacto das novas tecnologias sobre a produtividade e o aumento da produção econômica mensurável. Alguns especialistas argumentam que o mundo está às portas de uma revolução de produtividade possibilitada pela tecnologia, enquanto outros acreditam que as novas tecnologias não terão um impacto muito menor que a segunda revolução industrial, desde a década de 1870 até o início do século XX. Esses céticos argumentam que as novas tecnologias digitais tiveram um impacto mínimo nos transportes e na energia até o momento e não conseguiram transformar a produção econômica mensurável por muitas décadas.

A tecnologia desencadeará uma série de efeitos positivos e negativos. Como observou com ironia um especialista, "a tecnologia é a maior razão do meu otimismo sobre o futuro ... e o principal motivo do meu pessimismo". A

---

52 Sensoriamento remoto ou detecção remota ou ainda teledetecção é o conjunto de técnicas que possibilita a obtenção de informações sobre alvos na superfície terrestre (objetos, áreas, fenômenos), por meio do registro da interação da radiação eletromagnética com a superfície, realizado por sensores remotos.

história mostra que o impacto da tecnologia varia significativamente de acordo com o usuário, a finalidade e o contexto local: geografia, economia, infraestrutura, cultura, segurança e política. Cada avanço tecnológico tem um custo — às vezes em recursos naturais, por vezes em coesão social, e quase sempre de maneiras difíceis de prever.

A capacidade de estabelecer padrões e protocolos internacionais, definir limites éticos para a pesquisa e a proteção dos direitos de propriedade intelectual será transferida para os países com liderança técnica. As ações tomadas em curto prazo para preservar a liderança técnica serão especialmente críticas para as tecnologias que aprimoram a saúde humana, transformam os sistemas biológicos e expandem os sistemas de informação e automação. O envolvimento multilateral no início do ciclo de desenvolvimento reduzirá o risco de tensão internacional à medida que a implantação se realizar, mas pode ser insuficiente para evitar confrontos, caso os países busquem desenvolver tecnologias e quadros regulatórios em benefício próprio.

Como as pessoas prosperam

As economias do mundo sob pressão

Novos e inesperados problemas nas próximas décadas provavelmente aumentarão o estresse econômico e financeiro, a instabilidade e a incerteza no mundo todo. O crescimento global será impulsionado pelos maiores países em desenvolvimento, especialmente a Índia e a China, cujas economias se expandirão mais rapidamente do que as economias avançadas, mesmo que seu ritmo diminua com relação aos níveis atuais. No entanto, não é certo se haverá uma maior globalização, pois ela seria vulnerável à tensão geopolítica. Mesmo com um forte crescimento global, o ceticismo sobre os benefícios de uma maior integração e o apoio ao protecionismo provavelmente aumentarão, se as economias mais ricas continuarem a lutar para retornar ao crescimento "normal" e a desigualdade de renda aumentar em vários países.

- **Principais fontes de sinalização de crescimento econômico.** Duas das maiores economias do mundo — a China e a UE — estão passando por grandes transições, sendo a China uma grande incógnita. As tendências demográficas que levaram à formação de grandes forças de trabalho, impulsionando a produção e a demanda no período pós-2ª Guerra Mundial, se inverteram na maioria das principais economias do mundo. Muitos países em desenvolvimento parecem relutantes em realizar reformas econômicas difíceis que aumentariam suas taxas de crescimento a longo prazo.

- **Integração econômica global em jogo.** O ímpeto para uma maior liberalização do comércio global está enfraquecendo após setenta anos de progresso, e um crescente consenso popular contra o livre-comércio poderia estimular um crescente sentimento protecionista que prejudicaria a integração.

- **O desafio da produtividade.** Os ganhos de produtividade dos últimos 150 anos se devem muito aos avanços tecnológicos. O uso de novas tecnologias na economia é impossível de prever — e pode revelar-se fundamental —, mas pode ficar aquém do imenso impacto que a eletrificação ou o motor de combustão interna tiveram na produção econômica. As novas tecnologias também provocarão grandes alterações sociais, políticas e econômicas, uma vez que exigem diferentes processos de negócios e educação para suprir os trabalhadores com as habilidades necessárias para empregar tais tecnologias.

PRINCIPAIS TENDÊNCIAS

Principais fontes de sinalização de crescimento econômico. Duas das maiores economias do mundo — a China e a UE — estão passando por grandes transições, sendo a China uma grande incógnita na medida em que passa de uma economia impulsionada pelo investimento para uma baseada em serviços. Esta transformação histórica, que ainda não definiu claramente sua trajetória oito anos após a crise financeira global, reflete a queda de uma era dominada pela migração e industrialização rural-urbana da China, que impulsionou o crescimento da construção do país, elevou o padrão de vida e produziu *superávits* de capital que ajudam a financiar empréstimos em todo o mundo. A população da China envelhecerá rapidamente devido a décadas de "política de um único filho" adotada por Pequim, e seu crescimento será limitado pela sobrecapacidade doméstica, dívida elevada e um sistema bancário vulnerável. O resto do mundo, em particular os países em desenvolvimento, terá que se adaptar a uma China que já não é mais um centro de demanda de *commodities*, mas sim um parceiro comercial mais equilibrado. Os esforços de Pequim para prevenir a inevitável dificuldade e o custo dessa transição — como se viu com a última rodada de empréstimos bancários oficialmente incentivados a empresas estatais no início de 2016 — prolongará o período de transição, ampliará os desequilíbrios e aumentará as perdas dos investimentos e financiamentos improdutivos.

Gerenciar a transição e minimizar o deslocamento será crucial. Uma desaceleração dramática que faz com que os cidadãos comuns duvidem da capacidade de Pequim de melhorar os padrões de vida pode prejudicar a estabilidade social e a manutenção do Partido Comunista Chinês no poder, deixando Pequim incapaz de confiar unicamente em sua autoridade — mesmo com um poder cada vez mais centralizado — e lançando mão do controle social agressivo para manter a estabilidade.

- **Pequim poderá mitigar os efeitos da transição** aumentando os gastos e estimulando os bancos estatais a financiar projetos para minimizar o impacto sobre a economia em geral, à medida que o investimento diminui — particularmente por parte de empresas estatais grandes e ineficientes. Melhorar o sistema de aposentadoria e os benefícios de saúde podem incrementar o consumo e acelerar o processo.

- Durante a transição, a **China corre o risco de enfrentar choques econômicos mais graves e de curto prazo** provenientes de causas externas ou domésticas, como, por exemplo, uma crise financeira que afetasse os maiores parceiros comerciais da China ou um erro governamental que prejudicasse a confiança do público.

Um problema maior na China, a segunda maior economia do mundo, poderia causar uma recessão global e prejudicar as perspectivas de crescimento de muitos parceiros econômicos do país.

- **O fim do boom da industrialização e da urbanização da China** e seu crescimento econômico em desaceleração já prejudicaram as avaliações do mercado de perspectivas quanto à demanda global por *commodities*, promovendo uma queda dos preços e reduzindo a receita dos países que dependem das exportações de petróleo e de minerais. Uma nova desaceleração colocaria a Rússia, Arábia Saudita, Irã e outros países importantes em risco de crise.

- **Uma transição bem-sucedida na China traria benefícios para o resto do mundo.** A forte demanda do consumidor chinês traria oportunidade para a aquisição de uma ampla gama de produtos, desde bens de baixo valor agregado de outras economias em desenvolvimento, até produtos de luxo e dispositivos avançados de tecnologia pessoal.

As economias europeias também estão em transição — e muitas ainda tentam se recuperar da grande recessão de 2008 —, com os governos se esforçando para administrar dívidas elevadas que diminuem o espaço para estímulos fiscais usados para atender a população em envelhecimento, satisfazer as exigências das classes médias e harmonizar divisões acentuadas relativas à política econômica. Sua evolução — ou sua ausência — pode afetar o impulso da liberalização econômica e as percepções sobre a liderança global por parte do Ocidente.

- **O futuro econômico da Europa está vinculado às tendências de seu futuro político**, e a incerteza sobre as relações políticas e financeiras da Grã-Bretanha com a UE provavelmente afetará o investimento e o crescimento no médio prazo. Além disso, a capacidade da UE de utilizar os acordos de livre-comércio para promover o crescimento foi restringida pelo precedente estabelecido pela Comissão Europeia ao decidir que os parlamentos nacionais precisavam aprovar o Contrato de Comércio Econômico Abrangente (CETA) assinado recentemente com o Canadá — em resposta à pressão alemã e à excessiva imiscuição da UE expressa na votação do Brexit. Por último, o Acordo de Schengen, que aboliu o passaporte e outros controles nas fronteiras entre os 26 Estados da UE, está sendo prejudicado pelos controles criados por muitos países-membros que tentam conter os movimentos transfronteiriços em larga escala de refugiados.

- **As taxas de crescimento desiguais na UE** e as dificuldades colocadas pelas dívidas da Grécia, Espanha e Itália estão dividindo a União, e a incapacidade da UE para elaborar políticas monetárias e fiscais que promovam o crescimento em todo o seu território poderia levar à sua dissolução. O surgimento de vozes nativistas e contrárias à globalização na UE prejudica o apoio global ao livre-comércio e ao liberalismo econômico.

O mundo também observará atentamente os EUA, procurando ver se o crescimento desse país retoma os níveis historicamente típicos para, então, confirmar ou repudiar a viabilidade das políticas econômicas norte-americanas. Muitos países, em busca de superar os desafios econômicos e de segurança, parecem estar mais dispostos a seguir a liderança estadunidense do que há uma década, mas a maioria iria procurar proteger seus interesses, se duvidassem da vontade ou da capacidade de Washington de atuar em âmbito internacional.

- As expectativas de um forte apoio bipartidário para impulsionar a parceria Trans-Pacífica e a Parceria Transatlântica de Comércio e Investimento diminuíram.

Os países em desenvolvimento não têm capacidade de encontrar outra forma de crescer em meio à debilidade das principais economias. A maioria tomou medidas para se integrar à economia global, mas muitos ainda relutam, diante de um período de incerteza econômica e política, em tomar medidas árduas, mas necessárias, para aumentar o crescimento ao reduzir o papel das empresas estatais, diminuir os subsídios ao consumidor que distorcem os mercados, implementar reformas legais e de governança para incentivar o investimento estrangeiro e liberalizar os mercados de trabalho, mitigando, inclusive, os altos níveis de desigualdade de gênero.

- **A Índia tem o maior potencial para impulsionar o crescimento global** devido ao seu tamanho e ao sucesso do seu setor de tecnologia, mas teria que aprimorar suas infraestruturas de energia, transporte e manufatura para manter altas taxas de crescimento. A infraestrutura melhorou em alguns locais, mas não em grandes áreas do país. Ao contrário da China, a Índia se beneficiará de 10 milhões de novos cidadãos em idade de trabalho por ano durante as próximas décadas, contudo, indícios históricos indicam que é difícil aproveitar o aumento de um grupo de trabalho de modo a expandir a produtividade e incrementar a produção. O sucesso global do setor de tecnologia da Índia, em contraste com o seu fraco sucesso na manufatura, ressalta os desequilíbrios entre o ensino superior relativamente forte do país e sua educação básica pobre, que precisaria ser melhorada para gerar maior nível de emprego.

- **O otimismo com relação ao potencial de crescimento de África** tem acompanhado as oscilações dos preços das *commodities* nos últimos anos, aumentando ou diminuindo ao longo do tempo. Contudo, esse otimismo tem sido prejudicado pela incerteza trazida pelas transições políticas de uma geração a outra em vários países e pela capacidade de suas cidades de absorver o aumento populacional maciço do continente. Os demógrafos preveem que, nas próximas duas décadas, a África será palco da maior parte do aumento mundial da população em idade de trabalhar (quinze a sessenta e quatro anos), o que poderá tanto ser uma vantagem econômica como trazer grande instabilidade, se os governos não forem capazes de criar economias que possam aproveitar o potencial produtivo desses candidatos ao mercado de trabalho, principalmente com relação aos empregos urbanos.

Os líderes políticos e o público de todo o mundo em desenvolvimento parecem desconfiar de qualquer modelo de desenvolvimento estável, embora tenham mais confiança nas perspectivas de seus países do que na dos países mais ricos. Entretanto, para muitos não é claro qual é o melhor caminho a seguir para obter tal prosperidade. Nesse ambiente, os governos e populações têm consciência de que devem se envolver com a economia global para colher benefícios, mas temem que choques e forças contrárias dificultem a conquista da estabilidade e prosperidade.

- As crises financeiras, o aumento da percepção de vulnerabilidade entre a classe média, a crescente desigualdade e a polarização política macularam o modelo ocidental aos olhos de parte do público.

- A abordagem do capitalismo de Estado de Pequim também está revelando sérios sinais de desgaste à medida que o crescimento da China diminui, seus mercados financeiros e habitacionais tornam-se frágeis, as empresas estatais, ineficientes, caem sob grandes dívidas, a poluição piora e a ideologia do Partido Comunista deixa de ser atraente para o público.

O DESAFIO DA ADAPTAÇÃO FINANCEIRA

Ao longo dos anos, o setor financeiro tem sido um dos mais adaptáveis na criação de novos mecanismos para gerenciar a evolução dos mercados, mas mesmo essas ferramentas estão revelando limitações consideráveis. Em particular, o conjunto de práticas, mercados e regulamentos aceitos com relação às moedas globais capacitou os governos a usar políticas monetárias e cambiais como ferramentas da competição econômica global — mesmo que a OMC proíba os esforços para afetar a competitividade no comércio. Atualmente, esta tensão está mal contida no quadro do G-20 e pode explodir ou dar lugar a um novo estímulo para a governança das relações cambiais.

Entre os sucessos notáveis na cooperação financeira internacional estão a criação há quarenta anos do Comitê de Basileia sobre Supervisão Bancária para auxiliar os bancos centrais de mais de vinte países a coordenar padrões e comunicação. A Força-Tarefa de Ação Financeira combate a lavagem de dinheiro e o Fórum Global sobre Transparência e Intercâmbio de Informações aborda a evasão de impostos, embora os sucessos sejam continuamente desafiados por novas táticas ilícitas em uma infindável espécie de "corrida armamentista".

No entanto, as diferenças entre o poder e a capacidade decrescente dos Estados Unidos de promover o consenso podem prejudicar as tentativas das instituições regulatórias de garantir acordos — e a implementação — sobre os desafios emergentes do setor financeiro, o que prepararia o cenário para um contexto financeiro mais fragmentado.

Integração econômica global em risco. O crescimento histórico e constante integração econômica nas últimas décadas está enfrentando resistência, com um número cada vez maior de líderes e movimentos políticos contrários ao livre-comércio e aos mercados de trabalho mais abertos. Após sete décadas de grandes acordos comerciais globais e regionais, a maioria dos países envolvidos já possui poucas barreiras para o comércio de bens não agrícolas e **há pouca margem para ganhos maiores** na liberalização do comércio estreitamente definida. Existe pouca disposição de se seguir acordos globais elaborados pela OMC para o comércio de produtos agrícolas e serviços, áreas nas quais a resistência política interna à liberalização é mais forte na maioria dos países. Como resultado, as negociações comerciais contemporâneas se concentraram em questões auxiliares, especialmente na política de investimentos, e os países buscaram realizar acordos híbridos — coalizões regionais mais abrangentes, como, por exemplo, a TPP e TTIP[53].

- A volatilidade dos mercados financeiros, a erosão da classe média e uma maior conscientização sobre a desigualdade **alimentam a visão de que a liberalização do comércio foi excessiva**. Como algumas das maiores críticas do livre-comércio vêm dos Estados Unidos — um líder de longa data na busca por mercados mais abertos —, outros países estarão observando de perto os líderes norte-americanos em busca de sinais de retração econômica. A falta de confiança comercial nos Estados Unidos ameaça a realização de um acordo agrícola, enquanto as acentuadas diferenças transatlânticas serão difíceis de conciliar em uma série de questões regulatórias sobre os serviços.

- A OMC vê o **risco de "protecionismo rasteiro"** nos planos de alguns países, isto é, restringir o comércio e fazer oposição a novos acordos de livre-comércio como o TPP. Regulamentos mais

---

53 TPP (Parceria Trans-Pacífico, do inglês Trans-Pacific Partnership): acordo de livre-comércio estabelecido entre doze países banhados pelo Oceano Pacífico que abrange uma variedade de questões de política e econômicas; Acordo de Parceria Transatlântica de Comércio e Investimento (TTIP): proposta de acordo de livre-comércio entre a União Europeia e os Estados Unidos que visa impedir a interferências dos Estados no comércio entre os países aderentes, e está sendo negociado em paralelo com a Parceria Trans-Pacífico.

restritivos ou esforços mais abertos no uso da política monetária para impulsionar a competitividade das exportações podem criar um ciclo competitivo perigoso, com países que não desejam ser os últimos a conter tais movimentos e deixar suas economias vulneráveis.

O desafio da produtividade. Com o achatamento dos ganhos de produtividade globais e a diminuição da força de trabalho nas maiores economias, durante as próximas décadas será mais importante encontrar (e mais difícil de manter) novas formas de aumentar a produtividade. O desafio da produtividade será especialmente agudo durante um período em que o crescimento da população em idade de trabalhar diminuirá nos Estados Unidos, na Europa, na China, no Japão e na Rússia, o que poderá gerar erosão da produção. Ao mesmo tempo, populações em idade de trabalho crescerão significativamente nas áreas em desenvolvimento da África e do Sul da Ásia, mas os líderes dos países dessa região terão dificuldade em expandir rapidamente suas economias.

- **A tecnologia tem sido um fator crucial para os ganhos de produtividade** e motivo de preocupação para os trabalhadores que percebem estar em risco de se tornarem redundantes. Os avanços tecnológicos contínuos serão vitais para manter o crescimento econômico para os países que possuem uma força de trabalho achatada, mas os ganhos de produtividade das nações avançadas podem ser modestos ou demorar mais. A produtividade nessas economias caiu ou se estagnou durante as últimas décadas, mesmo com a grande difusão de novas tecnologias de informação, possivelmente porque essa disseminação tecnológica afetou mais as atividades oferecidas sem custo, ou com custos indiretos, aos usuários ou ajudaram a eliminar o custo em negócios como as mídias sociais, outras atividades *on-line*, jogos e comunicações pessoais. No entanto, na medida em que os residentes dos países mais pobres, onde as TICs modernas são menos disponíveis, obtêm acesso à comunicação, esses Estados provavelmente terão ganhos substanciais de produtividade.

- **A produtividade em todos os países também pode ser impulsionada** através de uma ampla gama de medidas fundamentais, tais como a melhoria da educação e o estímulo ao treinamento, construção e atualização de infraestrutura, pesquisa e desenvolvimento e a adoção e o cumprimento de regulamentos e práticas de gestão. Contudo, isso exigirá financiamento, experiência e tempo que muitos países em desenvolvimento — e até países desenvolvidos — não dispõem.

Impacto da tecnologia no nível de emprego: temor, apesar de uma história positiva

Previsões ameaçadoras sobre o potencial da tecnologia robótica de eliminar um grande número de empregos tem ecoado nos escritos dos economistas, repercutindo a ansiedade dos trabalhadores em risco de perderem suas funções desde que a industrialização começou, no século XIX. Um estudo prevê que a automação e a inteligência artificial podem substituir 45% das atividades que hoje geram empregos, inclusive posições de trabalhadores relativamente bem-remunerados, como gerentes financeiros, médicos e executivos seniores. A velocidade dos avanços pode levar à eliminação de postos de trabalho em alguns setores em curto prazo, mas os receios de substituição generalizada de profissionais se mostraram infundados. No entanto, o temor pode levar alguns líderes governamentais, e o público, a exigir o abrandamento do uso de novas tecnologias para proteger empregos, o que provavelmente diminuiria os ganhos de produtividade.

Escolhas-chave

Integração econômica. Os governos provavelmente ficarão tentados a adotar medidas protecionistas, pois os desafios reais, percebidos ou antecipados, às suas economias despertam o temor e a incerteza do público. Será politicamente difícil manter a linha da integração econômica; e será preciso ainda mais empenho para adotar novas medidas visando abrir e reformar mercados. As escolhas difíceis irão centrar-se na tentativa de forjar políticas que ajudem a treinar e a manter as pessoas deslocadas de suas profissões pelas perturbações do mercado, particularmente com orçamentos apertados, e com o aumento do endividamento limitando as opções fiscais.

Tecnologia. A forma como os países gerenciam a comercialização das novas tecnologias afetará diretamente o sucesso econômico e a estabilidade social. Os avanços tecnológicos darão às empresas uma alavanca significativa na busca de condições comerciais favoráveis nos países onde atuam, e os governos (e consumidores) terão que decidir com que rapidez adotarão novas tecnologias, e como administram as repercussões de seu uso.

Participação na força de trabalho. Na maioria dos países, a oportunidade para impulsionar a produção econômica deverá incluir a participação de todas as pessoas na força de trabalho — particularmente para as sociedades que têm poucas mulheres trabalhando e um grande número de habitantes do campo não envolvidos na economia formal. Normas culturais de longa data podem complicar os movimentos para explorar uma importante reserva de talento ao provocar tensão social, mas a crescente concorrência econômica mundial cobrará um alto preço pela inação. Os países desenvolvidos com populações envelhecidas também poderiam obter ganhos ao aumentar a taxa de participação dos trabalhadores mais velhos, pois as idades fixas de aposentadoria e o aumento da expectativa de vida implicam em existências mais longas e que não são aproveitadas trabalhando. No entanto, a tentativa de restringir os benefícios de pensão aos trabalhadores enfrentará oposição política, mesmo que a medida alivie as pressões fiscais.

COMO AS PESSOAS PENSAM

Ideias e identidades definem quem somos, refletindo as crenças individuais sobre nós mesmos e nosso papel no mundo. As crenças dão orientação moral e uma lente para entender e navegar o futuro. Elas definem quem pertence a uma comunidade, grupo, sociedade, Estado, cultura e civilização — e, criticamente, quem não pertence. Embora resilientes, ideias e identidades não são estáticas e interagem umas com as outras — desafiando ou reforçando a crença sobre quais valores são os mais importantes e como as pessoas devem ser tratadas. Essas tendências também são influenciadas por desenvolvimentos econômicos, políticos, sociais, tecnológicos e outros. A expansão do acesso à Internet provavelmente aumentará a relevância das identidades e ideologias globais e transnacionais — como religião ou identidades étnicas em alguns lugares, bem como o secularismo e o liberalismo em outros.

As pessoas reagem mais fortemente às ideias negativas do que às positivas. Embora a expectativa de vida, os meios de subsistência, a segurança, a saúde e o bem-estar geral tenham melhorado para a maioria das pessoas em todo o mundo durante as últimas décadas, a maior parte da população mundial permanece sombria quanto ao futuro. Em todo o mundo, paira um sentimento de alienação e injustiça, surgido na percepção das desigualdades reais e verificadas, falta de oportunidades e discriminação. Gerações de economistas a fio notaram as vantagens e desvantagens dos desenvolvimentos tecnológicos e econômicos que mudaram a forma como as pessoas trabalham. Os teóricos sociais destacaram o sentido de valor e identidade que a maioria das pessoas derivam do trabalho e a falta de satisfação — a "alienação" de Karl Marx[54] — resultante do fato de as pessoas não se sentirem suficientemente envolvidas com o que fazem.

- O reconhecimento do fato de que a maioria das pessoas precisa se sentir bem com sua produção pode ajudar a explicar os sinais da crescente rejeição da economia "globalizada", os quais são difundidos pela conectividade aprimorada que promove comunidades e eleitorados *on-line*.

- Mesmo com maior acesso a mais benefícios materiais e a entretenimentos tecnológicos, as pessoas podem experimentar uma perda de significado e anseiam por ideias que lhes proporcionem um senso de valor. À medida que a automação prossegue, pode-se esperar que tais problemas apareçam em algumas sociedades industriais avançadas.

- Em todos os lugares, as tecnologias de informação e comunicação permitem que as pessoas se conectem e desenvolvam comunidades

---

54 Em sua obra *Manuscritos econômico-filosóficos*, Marx usou o termo "alienação" para descrever a falta de contato e o estranhamento que o trabalhador tinha com o produto que produzia.

Anexos: As principais tendências globais | 257

com quem compartilham frustrações e ansiedades. No entanto, essas mesmas tecnologias podem promover a polarização e reduzir os custos organizacionais de recrutamento e de ação coletiva.

Não está claro se as ideologias econômicas, como o Socialismo e o Neoliberalismo, que dominaram grande parte do século XX, até serem colocadas em xeque pelo colapso do comunismo e a crise financeira de 2008, permanecerão relevantes em um mundo em que tanto o baixo crescimento como os altos níveis de desigualdade dominarão as agendas políticas. Outras formas de pensamento político continuam sendo alternativas viáveis — em particular, o nacionalismo, o liberalismo político e o pensamento político baseado na religião.

O aprofundamento da conectividade e a crescente velocidade de comunicação fará com que as ideias e as identidades evoluam mais rapidamente. As diásporas desempenharão um papel crescente na formulação de ideias. As visões radicais encontrarão seguidores mais facilmente. Especialmente à medida que o acesso à Internet se expande no mundo em desenvolvimento, as experiências e identidades compartilhadas tenderão a aumentar a relevância dos vínculos globais e transnacionais — como religião ou identidades étnicas em alguns lugares, bem como o secularismo e o liberalismo em outros.

Ideias antigas e identidades continuarão a mostrar-se resilientes. O nacionalismo será proeminente nas partes do mundo em que os países ou as comunidades nacionais buscam reforçar suas reivindicações de poder em geografias específicas — especialmente quando as ideias e identidades alternativas se tornam acessíveis através da conectividade proporcionada pela Internet, e representam ameaças aos interesses nacionais. Tais dinâmicas irão influenciar diretamente a competição geopolítica entre o liberalismo ocidental e o nacionalismo autoritário da China e da Rússia. Por outro lado, o nativismo e o populismo também aumentarão no Ocidente em resposta à imigração em massa, à crescente desigualdade econômica e ao declínio dos padrões de vida da classe média.

- A tecnologia, a expansão da participação das mulheres na vida econômica e política, as mudanças ambientais, a urbanização, a migração e os desentendimentos sobre a interpretação de normas religiosas e outras normas culturais moldarão cada uma dessas tendências nos próximos vinte anos. Uma grande incerteza é se essas tendências irão incentivar atitudes e ações exclusivas ou inclusivas.

Principais tendências

As identidades transnacionais irão se tornar mais influentes. Nos próximos vinte anos, informações e ideias cruzarão facilmente as fronteiras. Os avanços nas tecnologias de informação — seja no século XV com a imprensa e a *Bíblia Gutenberg*, ou em 1989 com a invenção da *World Wide Web* — geralmente facilitam a propagação de ideias religiosas, em parte porque as religiões transcendem as fronteiras e a autoridade do Estado. A migração e o desalojamento forçado, que leva à emigração, tiveram efeitos semelhantes. A religião há muito tempo mostra-se como uma fonte de tensão particularmente potente, e antecipamos que as fricções dentro e entre grupos religiosos e entre comunidades religiosas e seculares irão se tornar mais frequentes em muitas partes do mundo. A disseminação de informação, a propagação de ideias e as crenças e interpretações religiosas conflitantes contribuíram de maneira importante para a eclosão das guerras religiosas dos séculos XVI e XVII e, hoje, para a propagação do terrorismo islâmico e outras ações belicosas movidas por religião. A ampla acessibilidade das tecnologias da informação também fornece uma plataforma que permite que vozes extremas encontrem seguidores, apoio e simpatizantes no espaço cibernético. Tais dinâmicas provavelmente se intensificarão à medida que o acesso à Internet se disseminar no mundo em desenvolvimento e as novas tecnologias de informação, como a Realidade Virtual, permitirem experiências e interações intensas e pessoais ao longo do tempo e do espaço.

O papel das religiões. De acordo com o Instituto Pew, mais de 80% da população mundial é religiosamente afiliada e as altas taxas de fertilidade no mundo em desenvolvimento estão aumentando ainda mais essa proporção. À medida que alguns grupos religiosos pressionam de modo mais contundente os governos para que incorporem a religião e seus valores nas leis e normas dos países, é provável que a tensão social e política se intensifique, dependendo se os religiosos forem a maioria ou uma minoria ativa. Esses desenvolvimentos também irão intensificar os temores das minorias seculares e religiosas nesses países, potencialmente provocando sua evasão ou rebelião. Muitas comunidades com grande afiliação religiosa — inclusive no Oriente Médio e na África — esperam que seus governos incorporem a religião e seus princípios na legislação e nas políticas governamentais. Eles muitas vezes veem o secularismo e a desfiliação religiosa como ideias ocidentais que rejeitam Deus e o valor da fé e afetam a coerência social.

- Novas vias de influência religiosa irão se tornar relevantes em termos geopolíticos, especialmente nas áreas onde as organizações intermediárias seculares tradicionais — como os sindicatos — enfraquecem e outras opções ideológicas, como o liberalismo, são insatisfatórias. Muitas organizações religiosas — entre elas as norte-americanas *Catholic Relief Services e Compassion International* e a Visão Mundial (*World Vision*) — já se tornaram essenciais para a oferta de serviços públicos básicos, ajuda humanitária e desenvolvimento.

- A Igreja Católica, com 1,25 bilhões de seguidores, é uma liderança global em questões que vão desde paz e guerra até a gestão ambiental. Recentemente, a Igreja abordou temas tão difusos quanto a pesquisa de células-tronco não fetal, nutrição e a segurança alimentar. No entanto, as organizações religiosas estabelecidas — semelhantes às instituições públicas — serão cada vez mais submetidas a escrutínio, dado o ambiente de comunicação moderno.

- A competição dentro e entre os grupos religiosos provavelmente se intensificará na medida em que esses grupos busquem definir e controlar a fé — do mesmo modo que as batalhas para controlar os partidos políticos tornaram-se mais personalizadas e desagregadoras. Nessas disputas, os ativistas religiosos das minorias radicais, muitas vezes, expulsam as vozes moderadas porque a ação dramática e o discurso de ódio tendem a gerar atenção e a mobilizar a insatisfação mais do que as solicitações de comprometimento. Líderes carismáticos e extremistas podem obter capacidades de destruição, embora os grupos violentos e radicais que não possuam habilidade tecnocrática terão dificuldade para proporcionar governança. A maioria das pessoas religiosas não apoiará ativamente o extremismo, mas o apoio passivo ou a aceitação implícita dos extremistas irão aumentar a tensão entre os grupos, e os líderes violentos assumirão papel de relevo no cenário mundial. As divisões religiosas serão ampliadas quando os rivais regionais ou outros patrocinadores externos apoiarem algum dos lados concorrentes. Entre os exemplos, temos o apoio dado pelo Irã aos alauitas na Síria e regimes sunitas como o Catar, a Arábia Saudita e a Turquia que apoiam seus correligionários.

O papel do secularismo. Uma possível resposta à intensificação da violência religiosa pode ser uma volta ao secularismo ou o afastamento da afiliação religiosa. Em todo o mundo, aqueles que se identificam como "não afiliados" religiosamente representam o terceiro maior grupo depois dos cristãos e muçulmanos, e as pesquisas sugerem que o número de pessoas não afiliadas à religião provavelmente crescerá mundialmente — especialmente na Ásia-Pacífico, Europa e América do Norte — embora essa tendência não irá se refletir em termos porcentuais.

- Mesmo os países com altos níveis de integração entre as instituições religiosas e governamentais podem ter um crescimento moderado na desfiliação e no afastamento das ideias seculares. As pesquisas de opinião mostram um aumento na proporção dos cidadãos da Arábia Saudita que se identificaram como ateus. O partido Ennahda, da Tunísia, anunciou recentemente que se identificará como democrata-muçulmano em vez de islâmico, citando em parte uma sensibilidade às conotações negativas desse termo.

A competição geopolítica assumirá um caráter ideológico mais proeminente. *É provável que o liberalismo continue a ser o modelo de referência para as economias e a elaboração de políticas nas próximas décadas, mas enfrentará uma concorrência mais forte e também as exigências do público para corrigir suas falhas.* Os ideais ocidentais de liberdade individual e de ação democrática exercerão uma enorme influência global, a julgar pelas aspirações dos migrantes e dissidentes em todo o mundo que são atraídos por esses princípios. Muitos países em desenvolvimento se esforçarão para se modernizar mais ou menos de acordo com as linhas ocidentais. Apesar disso, o fascínio pelo liberalismo sofreu alguns golpes fortes ao longo dos anos, à medida que a polarização política, a volatilidade financeira e a desigualdade econômica nos países ocidentais alimentaram o populismo e causaram dúvidas sobre o preço de abertura política e econômica. Os governos que tiverem problemas para atender às necessidades de seus cidadãos provavelmente irão recorrer ao nacionalismo ou ao nativismo para transferir a culpa dos problemas internos aos inimigos externos e tirar a atenção das perturbações domésticas. Enquanto o público, que teme a perda de empregos para os imigrantes ou as dificuldades econômicas, provavelmente será cada vez mais receptivo a ideologias e a identidades mais exclusivistas.

- Os efeitos de longa data do esmagamento das revoltas da Primavera Árabe incluem a deslegitimação das instituições, das normas democráticas e a degradação de instituições organizadas para canalizar a oposição política. Alguns ex-manifestantes, desencantados e traumatizados, muitos dos quais acreditam que o Ocidente controla eventos mundiais e são responsáveis por sua situação, buscarão alternativas aos ideais liberais que apoiaram no passado.

- Ao mesmo tempo, o recente sucesso econômico da China e o surgimento de outras potências não ocidentais estimularão alguns países a considerar alternativas ao modelo liberal ocidental a fim de alcançar seus objetivos de se tornarem e se manterem sociedades fortes, estáveis e modernas, mesmo tendo em mente a severa repressão da China, níveis chocantes de poluição e a crescente frustração do público. A evidência de que o governo da China mantém o controle da economia do país e pode manter o crescimento — particularmente quando Pequim tenta um reequilíbrio econômico difícil — reforçará seu apelo como modelo de crescimento econômico.

- O discurso nacionalista da Rússia centra-se nos vínculos étnicos, religiosos e linguísticos em vez da cidadania do Estado, manifestada pela invasão de regiões da Ucrânia, por considerar qualquer oposição como promovida por "agentes estrangeiros" e por legislação que proíbe a "propaganda homossexual". Alguns especialistas regionais atribuem essas ações aos esforços do presidente Putin para criar um senso comum em resposta à perda de poder no cenário mundial e à oposição doméstica. Putin elogia a cultura russa como o último baluarte de valores cristãos conservadores contra a decadência europeia, dizendo que a Rússia, com sua grande história, literatura e cultura, resistirá à maré do multiculturalismo. A agressividade nacionalista russa provavelmente aumentará sob Putin, o que provocará respostas nacionalistas às vezes violentas entre os seus vizinhos — como na Ucrânia e na Geórgia — e provocam sentimentos de perda de direitos entre as minorias étnicas.

As ideias e identidades excludentes nas democracias ameaçam o liberalismo. Sem um retorno aos padrões de vida garantidos e uniformemente distribuídos, as pressões econômicas e sociais provavelmente alimentarão o nativismo e o populismo no Ocidente, arriscando promover o estreitamento das comunidades políticas e fomentar políticas de exclusão. Um enfraquecimento do estado de direito, da tolerância e das liberdades políticas nos Estados Unidos e na Europa Ocidental — as fortalezas tradicionais da democracia — poderia deslegitimar as ideias democráticas em todo o mundo. Assim como o mundo está observando como os Estados Unidos e a Europa lidam com políticas divisórias e, muitas vezes, com retóricas incivilizadas nos debates sobre imigração, justiça racial, refugiados e os méritos da globalização, o mundo também procurará ver como a Índia controla os impulsos nacionalistas dos hindus, e como Israel equilibra seus extremistas ultraortodoxos. Essa dinâmica poderia resultar em retrocessos democráticos — como na Hungria e na Polônia — ou em um movimento em direção ao autoritarismo, como na Turquia. Caso não haja uma resposta pontual de outras democracias estáveis, essa tendência provavelmente será acelerada.

- As políticas contrárias aos imigrantes e xenófobas nas democracias ocidentais irão desafiar os partidos estabelecidos e complicar sua capacidade de manter o apelo popular e implementar políticas inclusivas que atendam às necessidades de suas populações cada vez mais diversas. A visibilidade nacional e internacional dos partidos populistas e dos movimentos sociais que promovem a exclusão — e as tendências dos governos estabelecidos em promover políticas de exclusão — podem prejudicar cada vez mais o prestígio global das democracias ocidentais e a sua credibilidade em defender os valores liberais.

- A tensão racial também deve desempenhar um papel importante na política, tanto nos países desenvolvidos, como nos países em desenvolvimento. Com o surgimento das tecnologias de informação e de comunicação, as disparidades estruturais que privilegiam diferentes grupos em detrimento de outros estão se tornando mais evidentes e a consciência da violência perpetrada pelo Estado, bem como a aplicação da lei contra grupos minoritários, é especialmente suscetível de incitar protesto e tensão.

ESCOLHAS-CHAVE

A evolução da tecnologia, a crescente igualdade entre os gêneros e a urbanização — todas manifestações da modernidade — moldarão o futuro da família, da religião, do secularismo, do nacionalismo e, em especial, do liberalismo. Cada um desses vetores traz desafios morais, jurídicos, sociais e políticos que provavelmente serão respondidos de acordo com as normas culturais existentes que variam de país a país. Entre as escolhas de maior impacto está a forma como diversas comunidades religiosas, sociedades e Estados decidirão abordar a tecnologia de manipulação da biologia humana e do meio ambiente. Isso irá gerar um intenso debate sobre o que é moralmente aceito e desafiará as definições tradicionais sobre o que é ser humano, o que são grupos humanos, bem como as definições de "eu" e "outro". Os desenvolvimentos tecnológicos que permitem que mais pessoas formem opinião também destacam as diferenças em relação às noções sociais de inclusão de gênero, urbanização e mudança da participação política.

Tecnologia e vida. A forma como as pessoas pensam sobre a natureza da vida, como amam e odeiam provavelmente será desafiada por grandes avanços tecnológicos na compreensão e nos esforços para manipular a anatomia humana, o que provocará fortes divisões entre pessoas, países e regiões. Esses desenvolvimentos incentivarão debates dentro e entre comunidades religiosas, o que provocará rupturas ainda maiores entre os mundos religioso e secular. O conflitante equilíbrio de interesses sobre segurança e privacidade terá consequências de longo alcance para a governança, a competitividade econômica e a coesão social. As principais escolhas a serem feitas em termos de tecnologia se tornarão cada vez mais políticas e ideológicas.

- **Aprimoramento humano.** Os avanços tecnológicos em comunicações, biologia, ciências cognitivas e farmacologia vão apagar a linha que divide o desempenho humano natural e o aprimorado em termos de funções básicas, como memória, visão, audição, atenção e força. Muitas pessoas provavelmente irão ver tais aprimoramentos técnicos como críticos para se progredir em um mundo cada vez mais competitivo, mas alguns provavelmente resistirão por motivos morais ou éticos — porque "não são naturais" ou porque não estarão disponíveis para os mais pobres. O acesso diferencial a tais tecnologias reforçará a divisão entre os ricos e os menos favorecidos.

- **Engenharia genética.** Os especialistas em saúde preveem que a pesquisa em biotecnologia poderá produzir avanços contra alguns tipos de câncer e outras doenças, mas as iterações precárias e caras de tais métodos provavelmente provocarão divergências acentuadas sobre o acesso aos serviços médicos, especialmente se essas técnicas significarem a diferença entre a vida e a morte. A biotecnologia também está impulsionando uma tendência mais ampla em direção à medicina personalizada, com abordagens personalizadas envolvidas na manipulação biológica e genética de um indivíduo. A tendência é altamente promissora na evolução do diagnóstico, intervenção e prevenção. Novamente, a capacidade dos ricos de usufruir essas tecnologias para procedimentos eletivos contrasta com a luta do mundo em desenvolvimento para controlar doenças que já têm cura. Finalmente, os avanços na manipulação do genoma podem criar o potencial de desenvolver "bebês de grife", embriões humanos que possuem um conjunto de características pré-selecionadas com base em preferências sociais — que chamarão a atenção para ideias sobre raça e sobre o que constitui uma pessoa "ideal".

- **Decisões de final de vida**. À medida que a expectativa de vida se prolonga, milhões de pessoas em todo o mundo alcançarão oitenta, noventa ou até 100 anos de idade e além. Nos Estados Unidos, uma parcela significativa dos gastos com saúde ocorre nos últimos seis meses de vida do indivíduo. Em economias em desenvolvimento e emergentes, a oferta de serviços médicos para tantos idosos poderia sobrecarregar os orçamentos pessoais e públicos e os sistemas de saúde, caso as idades e os benefícios de aposentadoria atuais permaneçam.

  º As biotecnologias que prolongam a vida também podem ser disponibilizadas para aumentar a qualidade de vida, reduzir a dor e ampliar as funções humanas básicas, de forma a promover a independência individual e reduzir os encargos com cuidadores. A habitação e as instalações públicas serão projetadas para incorporar tecnologias que reduzam o risco de quedas e facilitem as tarefas diárias dos idosos. As tendências que promovem os cuidados domésticos criam mais opções para os idosos que escolhem morrer em casa e não em um hospital.

  º A demanda por capacidades para aprimorar as escolhas humanas para enfrentar o momento da morte e a morte em si vai crescer em todo o mundo, inclusive pelos avanços nos cuidados paliativos que atenuam a dor e o sofrimento dos doentes terminais e fornecem apoio psicológico para reduzir o medo e permitir que a pessoa morra com dignidade.

- **Privacidade e segurança.** À medida que os dispositivos de monitoramento e detecção se tornam mais acessíveis, onipresentes e integrados, a linha entre o que é tecnicamente possível e o que é legal e socialmente aceitável será desafiada. As ferramentas que determinam identidade e localização podem alterar radicalmente o comportamento do trabalho e do crime, ou os algoritmos que destacam padrões de comportamento podem ser usados para "prever" os problemas de saúde dos indivíduos, atividades criminosas, potencial educacional ou aptidões de trabalho.

- ° O uso generalizado de *drones* na vida civil também irá alterar as possibilidades de privacidade e pode ser aproveitado por grupos criminosos, prejudicando o sentimento de segurança. Tais tecnologias também podem ser usadas para sufocar as liberdades em países autoritários.

- ° A governança global de recursos comuns, como saúde pública, água, alimentos e outros recursos essenciais, inevitavelmente, irá colocar em xeque as ideias atuais sobre privacidade, controle e poder.

- **Participação política**. As mídias sociais reduziram radicalmente os custos de transação da mobilização de populações, mas alguns cientistas sociais se preocupam com o ativismo virtual que substituirá uma participação política mais concreta — inclusive a votação —, diluindo a qualidade do processo político. Pior ainda: alguns se preocupam com o fato de que as novas tecnologias dividem e polarizam populações. As mídias sociais, em particular, normalmente passam informações e ideias através de redes estreitas e existentes para membros que se autosselecionam, ao contrário das formas tradicionais de mídia, que projetam ideias para um público mais amplo. Essa disseminação e recebimento de informações seletivos contribui para reforçar e confirmar a segregação e a polarização.

Educação. A educação será um dos fatores mais determinantes para o sucesso tanto dos países como dos indivíduos, uma vez que oferece a possibilidade de escolhas quanto à ocupações, salários, inovação e desenvolvimento.

Os rápidos avanços na ciência, tecnologia, engenharia e matemática, campos que oferecerão uma grande parte dos futuros empregos, exigem a manutenção contínua da qualificação. À medida que milhões de jovens procuram educação visando encontrar oportunidades de emprego — e milhões de adultos dedicam-se à formação continuada e formação profissional nos campos em constante evolução — , podem surgir modelos alternativos a partir de uma variedade de fontes. O aumento em grande escala do acesso à educação para mulheres e meninas será determinante para aprimorar os direitos femininos e transformar as atuais concepções sobre os papéis reservados a cada gênero.

- Muitos países oferecem educação básica aos seus cidadãos, mas com currículos impostos politicamente ou censurados. Alguns regimes utilizam as escolas públicas como uma forma de disseminar propaganda governamental e inculcar um sentimento de patriotismo. Recentemente, a Rússia expandiu seus esforços para difundir o sentimento pró-Moscou ao construir centros culturais e clubes de língua russa nos câmpus de universidades de elite britânicas.

- As empresas têm interesse em manter uma força de trabalho altamente qualificada e atualizada para acompanhar a mudança tecnológica. Por conta disso, os empregadores que buscam ser competitivos incluirão educação entre os benefícios oferecidos ou exigirão educação continuada como condição para a manutenção do emprego. O papel da tecnologia no próprio processo educacional também aumentará. Os Cursos On-line Abertos e Massivos (MOOCs)[55] são cada vez mais utilizados por universidades de elite

---

55 Curso *On-line* Aberto e Massivo, do inglês *Massive Open On-line Course (MOOC)*, é um desenvolvimento recente na área de educação à distância. O MOOC é um tipo de curso aberto oferecido por meio de ambientes virtuais de aprendizagem, ferramentas da Web 2.0 ou redes sociais que visam oferecer para um grande número de alunos a oportunidade de ampliar seus conhecimentos. Os cursos são gratuitos e não exigem pré-requisitos, mas também não oferecem certificados.

e empresas influentes para treinar estudantes e funcionários em uma série de disciplinas, e as tecnologias de IA tornarão rotineiros os programas de aprendizagem individualmente customizados.

Gênero. É provável que as forças demográficas e econômicas transformem os papéis ora reservados às mulheres e aumente as oportunidades a elas oferecidas em quase todos os países. As mulheres serão cada vez mais incluídas em setores de trabalho formal, liderança pública e privada e planejamento de segurança. Os papéis dos gêneros e as expectativas neles depositadas serão cada vez mais reconhecidos como cruciais para o planejamento econômico e de segurança. A tendência para uma maior igualdade continuará, mesmo que o motivo disso seja somente a necessidade de aumentar a produtividade econômica, mas o progresso será lento e acompanhado de violência doméstica e retrocesso em algumas áreas onde o empoderamento das mulheres ainda não é aceito. Em face da insegurança, algumas comunidades provavelmente retornarão às estruturas patriarcais.

- No Ocidente, as empresas tendem a diminuir moderadamente as diferenças na remuneração e aumentar as oportunidades para as mulheres, de modo que a inclusão ajude a superar a diminuição da produtividade. O aumento da visibilidade das mulheres que participam de instituições sociais, governamentais e econômicas em todo o mundo serão exemplo para as comunidades onde as mulheres não podem ir além dos tradicionais papéis de gênero.

- O aumento do esforço no sentido de conciliar o trabalho produtivo com o trabalho reprodutivo[56] abrirá novas oportunidades

---

56 Trabalho reprodutivo ou trabalho da reprodução: trabalho dedicado à reprodução humana, realizado pela mulher ao longo da história (gravidez, parto e lactância), bem como a manutenção dos cuidados necessários para o sustento da vida e a sobrevivência da nossa espécie: alimentação, cuidados com o corpo e a higiene, educação, relações sociais, apoio afetivo e psicológico e manutenção dos espaços e bens domésticos.

para as mulheres, assim como o gradual reconhecimento da assistência familiar não remunerada como contribuição social significativa. Esses desenvolvimentos fomentarão a criação de políticas públicas e de instituições.

- Os aprimoramentos tecnológicos e da infraestrutura minimizarão as obrigações diárias associadas aos papéis tradicionais assumidos pelas mulheres, liberando-as para se dedicarem ao trabalho e à educação do setor formal. No entanto, as mudanças climáticas e os desafios associados à crise ambiental, como as epidemias, afetarão profundamente as mulheres, dadas as suas responsabilidades tradicionais em relação à assistência familiar, do mesmo modo como serão afetadas se os governos com problemas financeiros cortarem programas sociais, forçando idosos e outros grupos vulneráveis a buscar apoio na família. A implementação dos programas de assistência social e cuidados médicos por parte dos Estados afetará profundamente a participação das mulheres nos mercados de trabalho.

- As normas religiosas ou culturais que limitam o papel feminino na economia serão, provavelmente, questionadas por mulheres que buscam maiores oportunidades de promoção social e pela necessidade econômica de aumentar a força de trabalho para incrementar a produtividade. As questões da família e do *status* pessoal reservado às mulheres — que afetam diretamente as relações entre homens e mulheres — provavelmente serão foco de conflitos sociais.

Urbanização. A primeira geração de habitantes urbanos tende a ser mais religiosa do que o resto da população. Essa primeira geração de citadinos tende a voltar-se para as comunidades religiosas em busca de apoio para suprir a ausência do restante da família que continuou vivendo no campo. Esta é uma dinâmica que, para a África e a Ásia — as áreas onde a urbanização

Anexos: As principais tendências globais | 271

está acontecendo mais rapidamente em todo o mundo —, representará uma tendência de aprofundar a influência da religião organizada e será fonte de tensão religiosa. As cidades também tendem a ser mais diversas, aproximando as pessoas por meio de linhas culturais, o que também pode se tornar fonte de conflito. O rápido crescimento urbano irá sobrecarregar a infraestrutura, aumentando a desigualdade social e uma maior conscientização sobre esse problema, o que provavelmente também produzirá fricções sociais.

- Nas cidades em crescimento e em suas periferias, é provável que, em tempos de volatilidade econômica e governança fraca, os grupos religiosos ofereçam serviços sociais aos seus afiliados, o que poderia suprir algumas necessidades do público, mas talvez aumentar a tensão com os governos e outros cidadãos sobre autoridades e normas. Se os grupos religiosos demonstrarem ser mais eficazes do que o Estado no atendimento das necessidades sociais básicas e em proporcionar um senso de identidade, justiça e orientação moral, é provável que sua influência e o número de seus afiliados cresçam — semeando mal-estar e resistência por parte de pessoas que não pertencem a esse grupo. Em sociedades pluralmente religiosas como o Líbano, isso poderia se tornar uma fonte de conflito adicional.

- A urbanização irá amalgamar as populações, expandindo a concorrência por empregos e recursos e intensificando a xenofobia contra novos grupos no curto prazo —, não obstante promover a integração e a aceitação em longo prazo. As cidades podem criar combinações peculiares entre tolerância e intolerância com relação à diversidade. Os grupos mistos podem melhorar o processo de gerar tolerância, mas as relações através das linhas culturais também têm o potencial de mudar a percepção do liberalismo, incluindo a aceitação das normas de direitos humanos. A literatura acadêmica sugere que a migração pode transformar as normas sobre questões de direitos humanos, quando as pessoas se mudam para uma sociedade com maior atenção a tais direitos — levando--as a considerar padrões em seu país de origem como inaceitáveis. Estas opiniões sobre o comportamento aceitável muitas vezes influenciam o cenário doméstico, mesmo que os migrantes não retornem fisicamente a seus países de origem.

- A rápida urbanização também deve estimular a mobilização política, aumentando o ressentimento com relação ao *status quo* das cidades, gerando novos movimentos sociais e políticos, a exemplo dos que já houveram.

- Ao mesmo tempo, os governos reavaliarão como devem responder às demandas das minorias por mais direitos e participação, caso esses grupos possam aumentar ou eliminar os custos políticos, ou se os partidos precisarem atrair outras linhas culturais em busca de apoio. Em países com poucas minorias, os governos têm tido pouco estímulo para atender aos grupos que não pertencem ao seu círculo eleitoral principal. Os governos também podem buscar promover a revolta contra as minorias a fim de estimular sua base. No entanto, à medida que os grupos minoritários crescem ou obtêm mais influência — através de meios políticos, sociais, econômicos ou violentos — os líderes do governo terão mais dificuldade em equilibrar a necessidade entre resistir ou acomodar as demandas das minorias.

O modo como os líderes e os meios de comunicação retratam a diversidade e adaptam as políticas para incorporar a transformação na população influenciará demasiadamente a forma que as identidades inclusivas ou exclusivas assumirão nos próximos vinte anos. Grupos influentes, como organizações juvenis e religiosas, têm o potencial de configurar a população em geral. De acordo com pesquisas e estudos, as populações mais jovens tendem a estar mais expostas à influência de diversos grupos e a ver a diversidade como coisa natural, o que inclui a conectividade e vínculos com pessoas geograficamente distantes. Nas próximas duas décadas as gerações que estão envelhecendo e que estarão mais ativas politicamente, provavelmente redefinirão os conceitos de comunidades.

- Estudos têm demonstrado que as percepções do público e a representação da violência na mídia têm maior influência sobre o sentimento de medo do que o risco ou a ameaça real. Por causa de ataques terroristas altamente divulgados em lugares que não tiveram conflitos violentos recentemente, a discriminação internacional contra os muçulmanos e outros povos do Oriente Médio e do Norte da África — que são amplamente percebidos como tal, sejam ou não — continuará na maioria dos países onde os muçulmanos são minoria.

- Um aspecto fundamental de uma cultura é a visão da relação aceita entre homens e mulheres. Essa questão tem o potencial de provocar conflito social, quando grupos com diferentes pontos de vista sobre *o status* das mulheres são forçados a conviver.

As usinas de informações concorrentes e as diferentes perspectivas entre verdade e fato entre os atores influentes estão comprometendo a capacidade dos governos de gerar comprometimento. Uma combinação de fatores, entre os quais a crescente falta de crédito que as populações nutrem pelas instituições formais e a proliferação e polarização dos meios de comunicação, está levando alguns acadêmicos e observadores políticos a descrever a era atual como a época da política "pós-verdade" ou "pós-factual". Isso resulta, em parte, do crescente número de indivíduos e agências que fornecem informações aos consumidores.

Questões sobre a continuidade dessa atmosfera, ou se as pessoas e os grupos políticos se ajustarão aos fluxos de comunicação e retomarão o rumo em direção a perspectivas mais equilibradas, serão cruciais nos próximos anos.

- Como resultado desta tendência "pós-factual", os indivíduos estão mais propensos a basear suas opiniões políticas mais em sentimentos do que em fatos e a procurar informações que apoiem suas opiniões. A informação conflitante realmente reforça a visão de que a nova informação é proveniente de uma fonte parcial ou hostil e polariza ainda mais os grupos.

- Para interpretar o dilúvio de detalhes, as pessoas se voltam para os líderes que pensam como elas e confiam na interpretação da "verdade" de tais líderes. De acordo com a mais recente pesquisa da *Edelman Trust Barometer,* uma grande diferença de confiança está se ampliando entre os consumidores de notícias e a população em geral. A pesquisa mostrou que os entrevistados dependem cada vez mais de uma "pessoa como você", um líder que pense da mesma forma, e que essas pessoas de mentalidade semelhante são mais confiáveis do que CEOs de empresas ou funcionários do governo.

- Um estudo do *Pew Institute* de 2014 revelou que a maior percentagem de confiança de qualquer agência de notícias entre as pessoas entrevistadas nos EUA era de apenas 54%. Em lugar de confiar nas agências de notícias, os indivíduos gravitam nas redes sociais para obter informação e responder aos eventos.

Como as pessoas governam

Os governos enfrentarão dificuldades crescentes para garantir segurança e promover prosperidade, o que levanta dúvidas sobre a manutenção dos pactos históricos negociados entre a sociedade e o governo. Essa incerteza e o amplo declínio de confiança no governo poderiam apresentar, aos sistemas estabelecidos, dificuldades no atendimento às expectativas do público e nas respostas aos problemas que transcendem as fronteiras nacionais.

- A confiança no governo na última década variou entre os países, mas em geral declinou. Em um estudo da OCDE de 2015, utilizando uma pesquisa *Gallup* — empresa de pesquisa de opinião dos Estados Unidos, a confiança nos governos nacionais em todos os países da OCDE diminuiu 3,3%, de 45,2 para 41,8% durante

2007-2014, com declínios de mais de 25% na Eslovênia, Finlândia e Espanha, mas com aumento de mais de 20% na Alemanha, Israel e Islândia. De acordo com outra pesquisa *Gallup* divulgada em setembro de 2016, apenas 42% dos estadunidenses têm "muita" ou "razoável" confiança nos líderes políticos do país — uma queda de cerca de 20% desde 2004, e um novo recorde negativo nas tendências registradas pelo estudo.

- Essas dinâmicas estão transformando as estruturas governamentais estabelecidas desde a 2ª Guerra Mundial. A democracia está sob pressão em muitas partes do mundo, com alguns acadêmicos apontando para um possível declínio no apoio a esse regime. Embora o número de democracias tenha permanecido estável nos últimos dez anos, a migração global e a estagnação econômica — juntamente com a tecnologia que capacita indivíduos e grupos extremistas — enfraqueceu algumas democracias anteriormente estáveis, como a Hungria e a Polônia. Em muitos países, as instituições liberais e democráticas estão em desacordo com o desejo do governo de manter o controle, e os acadêmicos argumentam que várias grandes democracias não liberais se tornarão instáveis e enfrentarão desafios internos significativos. Há sinais de polarização e decadência, mesmo em democracias liberais há muito estabelecidas, como o Reino Unido e os Estados Unidos.

- A China e a Rússia demostraram que podem usar novas tecnologias para duplicar o controle sobre a oposição e já empregaram novas tecnologias para exercer formas mais sofisticadas de repressão. A Rússia tem buscado cada vez mais minar a democracia, o liberalismo e os direitos humanos através de uma propaganda intensiva, e também tem buscado se alinhar com outros regimes autoritários. Em 2015, o Kremlin aprovou uma lei que proíbe o trabalho de organizações estrangeiras "indesejáveis", o que é amplamente visto como uma ferramenta usada para reprimir a dissidência.

PRINCIPAIS TENDÊNCIAS

As mudanças econômicas e percepções de injustiça levantam questões básicas sobre a capacidade. O crescimento mais lento e as novas fontes de progresso econômico, o aumento da desigualdade de renda e a percepção de "perder" para a concorrência global provocará demandas públicas no sentido de aprimorar e garantir os padrões de vida. Essa frustração com a "globalização" provavelmente será construída, já que muitos dos fatores que provocam a corrosão dos salários também tornam mais difícil para os governos proporcionar prosperidade para todos — fatores como a intensificação da concorrência entre os produtores de baixo custo e produtos de baixo valor agregado, o surgimento de tecnologias que transformam indústrias e setores vitais para as economias de muitos países, e oscilações dos mercados financeiros e de *commodities* globais.

- A despeito das diferentes escolhas políticas, essa volatilidade provavelmente ampliará a desigualdade entre vencedores e perdedores — entre trabalhadores individuais e países — contribuindo para a formação de uma dinâmica do tipo "o vencedor leva tudo" em muitos setores e para estabelecer confrontos sobre o papel do Estado na garantia dos padrões de vida e da promoção da prosperidade. Alguns governos que investem em capital humano e infraestrutura para promover o crescimento podem ser forçados a impor medidas de austeridade fiscal, uma vez que estarão endividados pelos investimentos adicionais até que as iniciativas deem frutos.

- A instabilidade econômica irá minar a capacidade dos governos de cumprir as promessas de proteção social. No mundo desenvolvido

— onde as populações esperam envelhecer e as expectativas de vida aumentarão — podemos antecipar um crescimento nos custos dos serviços médicos, pois os lucros das empresas e as receitas fiscais devem diminuir, e os níveis de dívida pública, permanecer elevados. A insatisfação pública com a incapacidade do governo de proteger os interesses dos eleitores provavelmente será agravada à medida que a riqueza, a tecnologia e as redes sociais permitirem que os cidadãos afluentes optem por não consumir diversos bens públicos, como educação e cuidados de saúde, o que minará o sentimento de fortunas compartilhadas.

- Menores taxas de crescimento econômico e queda dos preços das *commodities* estão atingindo as classes médias emergentes na Ásia e na América Latina. As mesmas forças globais que proporcionaram sua prosperidade nas últimas décadas estão agora trazendo ansiedade e ameaçando desfazer os ganhos recentes, pois as empresas continuam a buscar mão de obra mais barata e aumentar o emprego da automação, desestruturando indústrias e mercados de trabalho nos países afetados. O resultado é o descrédito do público com relação ao governo, já que entendem que o Estado não está atendendo suas necessidades. Tal fato levou aos protestos em massa nos últimos anos em países onde as classes médias haviam aumentado, como o Brasil e a Turquia.

Da mesma forma, as percepções de injustiça decorrentes da má administração e das burocracias esclerosadas farão com que as sociedades busquem alternativas à conjuntura em que se encontram. A corrupção e a impunidade continuam a ser preocupações predominantes em todo o mundo. De acordo com a *Transparency International*, 68% de todos os países do mundo — inclusive alguns Estados do G20 — têm sérios problemas com a corrupção. A corrupção é particularmente aguda em algumas das nações demograficamente jovens

Anexos: As principais tendências globais | 279

que deverão enfrentar os maiores desafios com relação à oferta de emprego. A Pesquisa de Corrupção para o Oriente Médio e do Norte da África realizada por essa entidade demonstrou que 50 milhões de adultos que vivem nessas regiões precisam pagar subornos para receber serviços básicos. Nessa pesquisa, os funcionários públicos e políticos foram percebidos como sendo muito mais corruptos do que líderes religiosos, contribuindo para aumentar a tensão entre governos e grupos religiosos que oferecem apoio e serviços sociais.

- A visão de que os políticos estabelecidos não conseguem se coordenar para resolver os problemas políticos e sociais amplia a percepção de que as formas de governança existentes são inadequadas. Estudos acadêmicos sugerem que essa falha de coordenação pode piorar os persistentes desafios de governança. Um levantamento sobre as instituições afegãs mostrou que uma multiplicidade de instituições sem hierarquia clara alimentou a concorrência entre as elites e prejudicou a qualidade da governança.

- Essa debilidade na capacidade de realizar até mesmo funções básicas de governança e a incapacidade de desenvolver relações mutuamente construtivas com a sociedade ameaçam aumentar o número de Estados frágeis no mundo todo. Em um relatório de 2013, a OCDE destaca que, além de promover a realização de negócios legais, os efeitos da globalização também permitem o aumento da atividade ilícita — como o crime transnacional organizado — que ameaça enfraquecer ainda mais as nações menos capazes de lidar com esses desafios. Em 2015, a OCDE identificou cinquenta países e territórios — lar de um quinto das pessoas do mundo — frágeis ou em conflito. A OCDE ressalta que a fragilidade ocorre não apenas entre os Estados, mas também em âmbito doméstico, aumentando a perspectiva do aumento de "espaços alternativamente governados", o que traz um sério problema para o restabelecimento da autoridade central em muitos países mais fracos[57].

Insatisfação e expectativa. A frustração com o desempenho do governo nas áreas de segurança, educação e emprego provavelmente ampliará o descontentamento público e provocará instabilidade política. Em alguns casos, a frustração decorre de uma deterioração dos padrões de vida — ou a sensação de que os padrões de vida não acompanham os de outros países —, conforme os efeitos da globalização são sentidos. Em outros casos, a parcela composta pelos cidadãos cada vez mais ricos, bem-educados e bem-informados espera mais de seus governos em um momento no qual os problemas que os governos devem abordar, como as mudanças climáticas, o terrorismo e o aumento da migração, são cada vez mais complexos e onerosos. A difusão do poder promovida pelas transformações tecnológicas, econômicas e sociais também está dificultando a implementação de políticas efetivas por parte dos governos, o que, por sua vez, aumenta o número de jogadores com poder de veto em tais questões, reforçando a lacuna existente entre as expectativas. As mudanças econômicas e sociais estão fragilizando as organizações intermediárias tradicionais, como os partidos políticos, que no passado foram capazes de agregar interesses e representá-los nos fóruns do Estado, em um momento no qual as reivindicações do público por participação direta chocam-se com a natureza estratificada do Estado moderno.

- Os governos terão que tratar com um número cada vez maior de atores — ONGs, corporações e outras entidades — que podem atrair diretamente os cidadãos para si, de modo a construir suas próprias coalizões, particularmente *on-line*. Um amplo

---

57 Fenômeno semelhante é percebido no Brasil com relação às comunidades (favelas), "governadas" por criminosos que controlam o movimento e o comportamento de moradores e de civis, e nas quais a presença da autoridade governamental é mínima ou inexistente.

enfraquecimento dos partidos políticos e a capacidade de indivíduos e grupos de usar recursos financeiros e a mídia para se comunicarem diretamente com o público e mobilizar apoio — mesmo se não vier a sustentá-lo — irá personalizar a política, tornando os resultados eleitorais e o processo de elaboração de políticas menos previsíveis.

- Os governos também devem administrar as mudanças tecnológicas e a influência crescente de jogadores privados nos mercados financeiros, o que pode rapidamente causar grandes problemas nas fronteiras nacionais, como ocorreu na Grande Recessão. Os especialistas em mercado financeiro alertam que essas vulnerabilidades aumentarão à medida que os especuladores procurarem novos meios para gerar lucros em curto prazo, e aproveitem lacunas na regulamentação ou desenvolvam novas capacidades — usando análises de grandes dados ou negociação automatizada por inteligência artificial — para capitalizar mercados e mecanismos existentes. Por outro lado, a tecnologia permitirá que os Estados e as entidades subnacionais com liderança, confiança por parte do público e infraestrutura proporcionem serviços mais eficientes e transparentes, combatam a corrupção e aumentem a capacidade de regulamentar as atividades.

- A diminuição da tolerância pública com relação ao crime e à corrupção pressionará os governos a se reformarem, ou os levará a perder o poder. Contudo, persistirá uma ampla variação na forma como os governos respondem a tal pressão, com alguns Estados avançando para uma maior transparência e capacidade de resposta, enquanto outros recuam para o autoritarismo e menos responsabilidade social. O novo acesso a informações detalhadas sobre operações governamentais e notícias de outras administrações forçadas a deixar o poder provavelmente aumentará as expectativas do público sobre o comportamento do governo.

Visionários políticos podem aproveitar esse acúmulo de frustração para moldar novas formas de participação política. No Sul da Ásia, o sentimento populista contido na retórica anticorrupção tornou-se um elemento básico da política local. Os partidos políticos da Índia e do Paquistão passaram por uma onda de política de "reforma", movimentos de massa alimentados pela insatisfação com as elites políticas estabelecidas e os maiores partidos.

- Pesquisas mostram que a imensa maioria das populações da Eurásia rejeitam a legitimidade de suas instituições governamentais e demostram pouca confiança nos parlamentos, presidentes, policiais, juízes e outras elites. Da mesma forma, de acordo com o *Pew Institute*, os problemas com a corrupção e a desigualdade são as principais preocupações dos chineses.

Entram os atores não estatais. A divisão do trabalho entre os prestadores de serviços está evoluindo à medida que os governos competem cada vez mais com as empresas e outros atores não estatais que tendem a assumir funções governamentais. Muitas dessas entidades não são novas, mas podem encontrar maiores oportunidades de atuação à medida que a confiança nas administrações nacionais diminui:

- **Corporações**. A globalização ampliou o alcance das multinacionais, proporcionando a alguns a oportunidade de se engajar em parcerias públicas ou privadas a fim de oferecer serviços. As corporações, às vezes juntamente com os governos, podem assumir causas sociais e ambientais persistentes, desde que avaliem que, ao responder a uma necessidade pública, sua posição e desempenho financeiro terão melhor resultado como consequência de sua ação social. Um exemplo, é o esforço da Coca Cola e da USAID que se uniram para dar apoio ao programa de tratamento da água na Tanzânia e em outros países.

- **Entidades religiosas.** Organizações baseadas na fé, historicamente, promovem desenvolvimento e oferecem auxílio. Algumas ONGs observam que seus doadores estão mais dispostos a contribuir com eles do que os governos dos quais desconfiam.

- **Cidades e seus prefeitos.** À medida que a urbanização avança e as megacidades se desenvolvem, a influência das cidades — e a dos seus líderes — aumentará. Nos últimos anos, os líderes das maiores cidades do mundo desenvolveram o C40 — uma rede colaborativa voltada para enfrentar as mudanças climáticas. Em 2014, na África do Sul, o grupo realizou um encontro para debater a crise climática. O simpósio teve grande repercussão. O encontro a seguir, na Cidade do México, em dezembro de 2016, reuniu os prefeitos das C40 e centenas de líderes urbanos e de promotores da sustentabilidade de todo o mundo para debater soluções a serem adotadas nas cidades a fim de fazer frente à mudança climática.

- Organizações criminosas e terroristas. A proliferação de atores nefastos e de redes criminosas virtuais, as quais se aproveitam das lacunas de segurança digital e exploram as diferenças nas leis nacionais com fins lucrativos, será um problema cada vez maior até mesmo para os Estados fortes, como o uso do *Facebook* pelos grupos criminosos para se conectar com refugiados e controlar as rotas de migrantes para a Europa. Além disso, organizações terroristas — principalmente o EIIL — irão buscar oferecer governança para promover sua causa e atrair adeptos.

Crescente variação na governança. Nos próximos vinte anos, a governança variará cada vez mais nos países e entre eles, dependendo das formas que os Estados assumirem e o nível de sucesso que obtiverem em suas respostas às diferenças no grau de urbanização, crescimento econômico, normas sociais básicas, como a igualdade de gênero e a migração. A divisão da autoridade entre governos nacionais, regionais e locais deve se transformar à medida que algumas cidades e regiões se tornarem mais importantes do que as divisões administrativas existentes.

- O número de países que mesclam elementos democráticos e autocráticos está aumentando, sem demonstrar uma tendência rumo à democracia estável. Alguns estudos sugerem que as nações que possuem esse regime híbrido são mais propensas à instabilidade. Muitas sociedades terão problemas com instituições políticas cronicamente fracas e instáveis. O grau de institucionalização existente e a confiança na política por parte do público terá impacto substancial na capacidade dos Estados de absorver choques políticos ou ambientais.

- Mesmo dentro das regiões, a variação na qualidade da governança aumentará. Na Europa, o nível relativamente elevado de confiança política por parte do público dos países nórdicos permite que esses governos utilizem a tecnologia de informação para melhor prestar serviços, enquanto os governos que não têm a confiança do público, como a Itália, terão dificuldade para implementar tais ações. Os países da América Central são frágeis, enquanto as instituições mais sólidas em países como o Chile ou o Uruguai podem efetivamente amortecer o impacto das dificuldades econômicas. A África também verá uma diferenciação crescente entre os muitos Estados falidos ou com instituições frágeis e nações como Gana ou Quênia, as quais têm capacidade para promover reformas.

- Países bem-sucedidos e entidades subnacionais farão parcerias público-privadas que podem ser transformadoras, mesmo que não tragam mais democracia ou responsabilidade. Os países em desenvolvimento estão cada vez mais abertos a tais parcerias para iniciar a construção de novas infraestruturas e disseminar informações às áreas rurais nas quais o Estado não tem facilidade de oferecer serviços. A dependência das empresas paraestatais, como em Singapura, provavelmente ganhará um renovado apelo como modelo a ser adotado em meio ao ceticismo pós-2008, que desenvolveu a visão de que é melhor o crescimento econômico ser regulado por entidades privadas e que o mercado tenha poucas regulamentações.

- De acordo com um recente relatório da Instituição *Brooking*, o centro de gravidade do governo, particularmente no mundo em desenvolvimento, provavelmente mudará do centro para as cidades e as regiões onde estão localizadas — enquanto as cidades procuram controlar seus recursos fiscais e exercitar a tomada de decisão consensual com burocracias qualificadas, muitas vezes também aproveitando a especialização privada. As cidades estão emergindo como atores importantes no avanço das políticas de mitigação das mudanças climáticas e estão tomando tal iniciativa em rede através das fronteiras nacionais.

Escolhas-chave

A capacidade dos países em desenvolvimento de crescer economicamente e de estabelecer sistemas políticos estáveis dependerá de quanto os governos e outros atores investirem no capital humano e do quanto aprimorarem os serviços públicos. O investimento em capital humano, treinamento e *design* organizacional determinará se essa capacidade será adquirida rapidamente, ou se virá mesmo a ser adquirida.

- Não está claro se a descentralização no mundo desenvolvido e em desenvolvimento irá, de fato, transferir o poder para as cidades pioneiras em inovação e parcerias entre o público e o privado — como Lagos —, e se as empresas irão mesmo assumir funções anteriormente de responsabilidade dos governos. Algumas avaliações recentes sugerem que as empresas que investem em áreas tradicionalmente consideradas de responsabilidade do Estado, como os serviços médicos e a gestão dos recursos renováveis, proporcionam aos interessados maiores retornos, o que sugere que os papéis das corporações possam igualmente abranger esses e outros setores.

- O grau em que os países irão adotar modelos de desenvolvimento não ocidentais ainda não está claro. Em última análise, o desempenho do governo, especialmente na economia, determinará a avaliação dos cidadãos sobre seu sucesso. Se os cidadãos não perceberem uma melhoria no seu bem-estar, perderão confiança em suas elites governantes — e usarão tecnologias de comunicação modernas e capacidades de formação da comunidade para expressar sua insatisfação. Com relação a essa tendência, se Pequim puder superar os desafios econômicos da China, escapar da armadilha da renda média e usar tecnologia para influenciar — ou neutralizar — a opinião pública, outras nações provavelmente tentarão seguir seu caminho.

As democracias industriais avançadas e as potências emergentes também enfrentam escolhas fundamentais no modo como responderão às desigualdades, ao aumento dos encargos e endividamento e às percepções de uma governança menos eficaz. A capacidade dos líderes de gerenciar essas pressões será severamente testada, porque os governos terão dificuldade em reconstruir sua credibilidade com o público e conservar o apoio da elite em um momento em que as escolhas difíceis possam alterar a combinação entre vencedores e perdedores. Com os cidadãos mais dispostos a ir para as ruas protestar, os líderes políticos podem ter dificuldade para implementar políticas difíceis e menos tempo para mostrar resultados. Nesse ambiente, a continuidade da liderança pode ser prejudicada, seja em democracias industriais ou autocracias avançadas como a Rússia e a China, onde o poder é vinculado a um único líder. Tal quadro, aumenta o potencial de instabilidade quando ocorrer uma reviravolta abrupta no poder.

- Governos e líderes provavelmente adotarão diferentes estratégias para enfrentar os desafios trazidos pelo crescimento lento e pela desigualdade econômica. Os tempos turbulentos podem produzir líderes transformadores que criarão novas coalizões, as quais, por sua vez, irão remodelar as relações entre os governos e o público. Esses líderes, porém, podem ter poucas opções para abordar os fatores tecnológicos de longo prazo, que estão prejudicando o crescimento econômico e gerando desigualdades.

- Os governos também terão de fazer escolhas relacionadas ao envelhecimento da população e à desigualdade entre os gêneros. Os líderes terão que equilibrar a necessidade de realizar ajustes nos sistemas de assistência social — uma questão há muito considerada politicamente intocável — com os investimentos em capital humano e outras iniciativas para garantir maiores oportunidades e proteção para as mulheres e outros grupos. Trata-se de escolhas que terão repercussões a longo prazo para a segurança alimentar, a saúde, o bem-estar infantil e a segurança ambiental.

INSTITUIÇÕES INTERNACIONAIS:
PRINCIPAIS TENDÊNCIAS

As instituições internacionais existentes — especialmente o sistema de agências das Nações Unidas — terão de se esforçar para se adaptar à crescente gama de atores em atuação no cenário mundial e à complexidade das novas questões que ultrapassam as sensibilidades da soberania nacional e têm um impacto maior na vida doméstica do que antes, quando os acordos internacionais eram negociados pelas elites. Conforme as organizações tradicionais como a ONU evoluem, aumentam as demandas por pessoas responsáveis por promover e manter a paz, a assistência humanitária, por um fórum para combater as mudanças climáticas e outras preocupações comuns. Uma mescla de fóruns que incorporem mais atores não estatais, instituições regionais e consultas informais emergirá para abordar questões transnacionais para as quais as abordagens tradicionais estão desacreditadas. A criação do *Asian Infrastructure Investment Bank* (AIIB) para realizar programas não apoiados pelo Banco Mundial é um exemplo de uma dessas abordagens regionais.

Um aumento no poder de veto. A falta de visão comum entre os principais poderes e a concorrência entre os países emergentes impedirá a realização de grandes reformas no sistema internacional. Embora todos concordem que o Conselho de Segurança da ONU (CSONU) deve ser reformado, há poucas perspectivas de consenso entre os Estados sobre o que essa reforma deve abranger, sugerindo que tal mudança, embora reconhecida como necessária pelos países-membros e não seja impossível de ser realizada, será lenta, se vier a ocorrer nas próximas duas décadas.

Alguns aspectos do sistema internacional irão se tornar mais relevantes conforme os países começarem a experimentar dificuldades de governança na gestão de mudanças ambientais e econômicas, ou de conflitos internos.

Demanda por assistência multilateral para crescer. Um conjunto de fatores ambientais e demográficos — aquecimento global, escassez de energia, migração não autorizada, carência de recursos, epidemias, acidificação dos oceanos, aumento do número de jovens e o envelhecimento da população — aumentará as pressões sobre a governança nacional, especialmente quando as competências governamentais são frágeis. À medida que os Estados enfrentam desafios domésticos à sua legitimidade, a necessidade de recursos multilaterais para preencher lacunas abertas pela falta de capacidade dos governos aumentará. Os governos nacionais frágeis podem exigir uma gama de assistência multilateral, inclusive empréstimos urgentes do FMI; manutenção da paz doméstica pela ONU; assistência eleitoral; investigações judiciais internacionais; assistência técnica e assessoria política; ajuda humanitária; e orientação para conter ou erradicar epidemias.

Um conjunto maior de instrumentos de desenvolvimento. Ao mesmo tempo em que as demandas por assistência multilateral estão aumentando nos Estados frágeis e naqueles que procuram ajudá-los, haverá uma combinação mais ampla de instrumentos que cada vez mais dará suporte a ações humanitárias. Estes instrumentos incluem empréstimos e financiamentos para países de renda média. Uma grande diversidade de possibilidades está criando raízes na comunidade de desenvolvimento, com capitalistas de risco trabalhando com chefes de agências de assistência; executivos corporativos debatendo com assessores de política externa; e tecnólogos que prestam assistência a líderes de ONGs. Essa mescla de diversidade de serviços e experiências levará à experimentação — e trará tanto sucessos quanto falhas —, em um esforço para melhor responder às necessidades futuras. No entanto, os maiores países doadores, como a China e os Estados Unidos, oferecerão a maior parte da sua ajuda através de canais bilaterais.

RELATÓRIO DA CIA - A NOVA ERA

SEM ALTERNATIVAS AO MULTILATERALISMO

Embora muitas instituições intergovernamentais formais, como a ONU, se engajem cada vez mais em novas formas de parceria, é improvável que, nos próximos vinte anos, essas mudanças afetem o modelo multilateral de um só voto por país. O Estado soberano mostrou-se extremamente resiliente como pedra angular da tomada de decisão internacional. Apesar das mudanças nos últimos 500 anos, o Estado permaneceu em grande parte o elemento-chave da ordem política e provavelmente continuará a ser assim.

- O mundo enfrentará crises internacionais em uma ampla gama de questões e em diferentes teatros – alguns tecnológicos e outros sociais —, mas é improvável que as próximas duas décadas tragam um ponto de inflexão, resultando em uma abordagem radicalmente diferente na governança internacional. Nenhum Estado ora defende uma alternativa radicalmente diferente, apesar do fato de que entidades não estatais, como o Estado islâmico no Iraque e Levante ou a Bahá'í — com a primeira tentando impor um califado mundial por meios violentos, e o outro promovendo o ativismo pacífico para promover a igualdade e um governo mundial democraticamente eleito — estão tentando adotar outros caminhos. Embora modelos alternativos como esses tenham algum apoio do público em certas partes do mundo, a ampla diversidade de interesses individuais de cada Estado continuará a impedir que um sistema alternativo finque raízes em âmbito global, do mesmo modo que inibe a expansão do Conselho de Segurança da ONU.

- Para sermos claros, esperamos que o termo "Governo Mundial" continue sendo raramente falado em voz alta, embora os "ramos" dessa governança tenham sido aumentados em dois nos últimos anos — os tribunais internacionais e a crescente burocracia de agências como a Organização Mundial do Comércio —, somando agora, quatro "ramos". Notavelmente, estas são duas instâncias que ganham posição legal entre as nações e, até certo ponto, entre as corporações e ONGs, e não entre particulares. Até agora, nenhum movimento importante ou substancial se reuniu para pressionar os dois ramos desaparecidos – Executivo e Legislativo – em parte, porque exigiriam eleições permanentes pelos cidadãos globais. Por enquanto, pelo menos, isso parece ser um "conceito muito distante" e as nações se contentam em deixar as coisas do modo como estão.

- A ONU de 2035, em termos de instituições de paz e segurança, provavelmente se parecerá muito com a de 2016, mesmo que suas ferramentas e responsabilidades evoluam. As barreiras constitucionais à inclusão de emendas à Carta são muitas e, apesar de todas as queixas sobre as desigualdades na arquitetura do Conselho de Segurança da ONU, os países menores e os poderes aspirantes teriam de arcar

> com uma participação enorme na manutenção do sistema e dos principais poderes militares envolvidos.
>
> - A maioria dos países continuará a valorizar a ONU e outras instituições multilaterais devido à sua capacidade de conferir legitimidade a uma agenda global orientada ao Estado. Os países menores também estão conscientes de que as instituições multilaterais servem para proteger seus interesses; sem regras, as potências principais e regionais teriam de lançar mão, até certo ponto, da coerção.
>
> - O papel das instituições internacionais também será reforçado pelo apoio a essas instituições por entidades regionais e subnacionais, ONGs internacionais, capitalistas filantrópicos, corporações multinacionais e indivíduos, o que garantirá uma certa centralidade contínua. As reformas de políticas e as adaptações ocorrerão quando for necessário: assim como as práticas de votação do FMI foram reformadas, os países com influência crescente irão renegociar seus papéis.
>
> - Em busca de ações significativas, as instituições multilaterais irão aprofundar seu engajamento com empresas, organizações da sociedade civil, agências governamentais locais e outras autoridades.

PROBLEMAS DIFÍCEIS À FRENTE

No futuro, a ONU e seu sistema de agências será menos útil no desenvolvimento de novos padrões para responder a questões emergentes, como inteligência artificial, edição de genoma ou aprimoramento humano, devido aos valores e interesses divergentes entre Estados, atores particulares e comunidades científicas e tecnológicas; devido às grandes lacunas no conhecimento entre as comunidades técnicas e políticas; e porque as inovações tecnológicas continuarão a superar a capacidade de estabelecer normas, políticas, regulamentos por parte dos Estados, agências e organizações internacionais. Todos esses fatores servirão como um freio no estabelecimento de objetivos coletivos. O desafio da futura governança internacional reside no impacto interdisciplinar dessas tecnologias e em outros desafios futuros, sugerindo que serão necessárias coordenação e compreensão estratégica das sinergias em uma série de questões — e não aprofundar apenas uma dessas questões —, de modo que uma efetiva governança internacional possa continuar a ser possível.

- **Inteligência artificial, edição de genoma e aprimoramento humano.** Desenvolvimentos nas áreas de inteligência artificial, edição de genoma e aprimoramento humano são exemplos de questões que, provavelmente, representarão alguns dos problemas de valores mais críticos nas próximas décadas ao automatizar decisões de segurança e jurídicas fundamentais que afetem a vida das pessoas e expandam o significado de ser humano. A evolução dessas áreas tecnológicas afetará as relações entre os países e entre um Estado e sua população. Devido às promessas e perigos potenciais apresentados por essas tecnologias, o debate entre Estados, empresas privadas, o público e personalidades religiosas em âmbito mundial, regional, estadual e municipal se intensificará. Os defensores dos avanços nessas áreas argumentam que elas poderão curar doenças, reduzir a fome e aumentar a longevidade, mas os críticos alertam que tais tecnologias correm o risco de alterar permanentemente a raça humana — acidental ou intencionalmente — e de possivelmente provocar a extinção de espécies. A elaboração de políticas, leis e tratados para administrar o uso de tais tecnologias será mais lenta que o surgimento desses avanços, devido à velocidade e à natureza de seu desenvolvimento.

Os avanços tecnológicos espaciais e cibernéticos também levantarão novos desafios relativos à sua normatização. Temos apenas um entendimento modesto sobre o que os países, os públicos e os atores privados irão estabelecer em termos de normas nesses domínios durante as próximas duas décadas, mas é claro que os atores que vierem a promover a comercialização dessa tecnologia terão um papel maior no desenvolvimento normativo de todos esses campos.

ANEXOS: As principais tendências globais | 293

- **Cibernética.** Os ataques cibernéticos — como a exfiltração[58], a exploração e a destruição de informação — devem ser mais utilizados para promover os interesses do Estado e penalizar adversários durante as próximas duas décadas, criando novos desafios para a lei que rege conflitos armados e para os princípios relacionados à não interferência em assuntos internos de Estado.

- **Espaço.** Com mais países e empresas aumentando suas capacidades de atuação no espaço, as abordagens internacionais tradicionais para governar essas atividades serão colocadas em xeque, e as nações desenvolvidas verão diminuir sua vantagem militar e de inteligência. A expansão da exploração do espaço, inclusive por países em desenvolvimento e empresas privadas, aumenta a necessidade de a comunidade internacional manter a capacidade de garantir a segurança das operações em um ambiente mais congestionado. Mas as novas capacidades tecnológicas não serão os únicos problemas multidisciplinares. Muitas questões de longa data ressurgirão como elementos a compor problemas mais amplos e complicados.

- **Aquecimento oceânico.** O aquecimento do oceano fará com que os peixes migrem para águas mais frias, fazendo surgir problemas de recursos e estresse econômico local.

- **Clima.** As mudanças climáticas ameaçam a produção agrícola e aumentam a fragilidade dos países pobres em rápido crescimento.

- **Acordos comerciais.** Os acordos comerciais e econômicos exigirão um consenso sobre questões complexas e controversas, como

---

58 Ciberataque que visa a extração não autorizada dos dados de um determinado sistema computacional fechado.

organismos geneticamente modificados, direitos de propriedade intelectual, padrões médicos, meio ambiente, biodiversidade e padrões trabalhistas, sugerindo que a formulação de políticas globais terá cada vez mais implicações domésticas significativas.

Será difícil para a ONU administrar a coordenação e a sinergia, uma vez que as diferentes facetas de uma única questão são tratadas por diferentes partes do sistema.

- **Prevenção de atrocidades**. Os esforços para prevenir atrocidades estão dispersos pela burocracia de direitos humanos e de segurança da ONU. A ONU é limitada em sua capacidade de enfrentar as atrocidades em massa cometidas por atores não estatais, principalmente porque tais situações quase sempre envolvem ausência de autoridade estatal e, portanto, falta um interlocutor "válido". Enfrentar os problemas associados ao reforço da soberania e da governança é, muitas vezes, essencial para resolver a questão das atrocidades.

- **Medidas de contenção do terrorismo**. Em termos de justiça criminal, o Tribunal Penal Internacional tem dificuldade em exercer sua jurisdição sobre os grupos terroristas ativos: a maioria dos processos estão focados em atores estatais ou grupos de milícias, em lugar de "organizações terroristas", em parte porque os funcionários da ONU divergem sobre como definir esse grupo. Apesar desses impedimentos, o TPI provavelmente atuará como um fórum através do qual as questões terroristas serão debatidas e contestadas.

- **Mobilidade humana**. A mobilidade internacional — principalmente de migrantes, refugiados e pessoas internamente deslocadas — deve colocar pressão sobre a governança do Estado à medida que os movimentos populacionais se intensificarem em termos de escala, alcance e complexidade, e as crescentes disparidades demográficas, a desigualdade econômica e os efeitos das mudanças ambientais levarem um grande número de pessoas deslocadas e migrantes a se deslocar de suas regiões de origem. As estimativas dos cientistas ambientais sobre os futuros movimentos provocados por problemas ambientais variam demais, entre 25 milhões e 1 bilhão de pessoas até 2050, sendo que 200 milhões é o número mais amplamente citado. O debate sobre essas previsões é intenso: alguns especialistas em migração argumentam que subestimam a resiliência humana, a capacidade das pessoas de suportar dificuldades e a participação de populações que não poderão se deslocar. O que está claro é que o movimento humano provavelmente aumentará substancialmente, provocando apelos — semelhantes aos atuais — para uma revisão das obrigações do Estado com essas populações.

Um mundo "à la Carte"

A maior complexidade dos problemas novos e antigos está gerando uma tendência para a busca conjunta da solução dessas questões. O modo como os países estão abordando tais adversidades se deve à crescente complexidade dos desafios e porque um número maior de nações é necessário para promover ações em conjunto em um momento em que há falta de consenso — particularmente entre as maiores potências — sobre quais devem ser os principais objetivos globais.

No entanto, alguns acordos notáveis recentemente firmados sugerem que o progresso nesse sentido pode ser possível nos próximos anos. Entre eles:

- Em junho de 2015, a Assembleia Geral aprovou o Marco Sendai para Redução do Risco de Desastres[59].

---

59 O Marco Sendai para Redução de Risco de Desastres (2015-2030) é um documento internacional adotado pelos Estados membros da ONU em março de 2015 na Conferência Mundial sobre Redução do Risco de Desastres realizada em Sendai, Japão, e aprovada pela Assembleia Geral da ONU em junho de 2015.

- Em julho de 2015, os Estados membros da ONU adotaram a Agenda de Ação de Adis Abeba sobre o financiamento para o desenvolvimento[60].

- Em setembro de 2015, a Assembleia Geral da ONU adotou a Agenda de Desenvolvimento Sustentável de 2030[61].

- Em dezembro de 2015, a 21ª Conferência das Partes da Convenção-Quadro das Nações Unidas sobre Mudanças Climáticas concluiu um acordo firmado por 195 países para promoverem um esforço comum a fim de manter a temperatura global abaixo de dois graus Celsius.

- Em 2016, a Organização Internacional para as Migrações passou a integrar a ONU.

Não obstante os avanços obtidos, a falta de uma compreensão estratégica compartilhada continua. Essa tendência resultou em um tipo prevalecente de cooperação internacional centrado no problema específico, em vez de se adotar uma abordagem que permita antecipar tais problemas de modo interdisciplinar e de alcance universal. Países, corporações e ativistas se alinham por trás de suas causas específicas, e, em longo prazo, essa abordagem pode causar uma perda de coerência e de direção entre os órgãos — a ONU e outros — que compõem o sistema internacional. A vantagem, no entanto, é que as abordagens

---

60 A Agenda de Ação de Adis Abeba fornece incentivos para o investimento em áreas de necessidades globais e alinha os fluxos de financiamento e políticas com prioridades econômicas, sociais e ambientais.

61 São dezessete Objetivos de Desenvolvimento Sustentável e 169 metas baseados nos Objetivos de Desenvolvimento do Milênio que buscam concretizar os direitos humanos e alcançar a igualdade de gênero e o empoderamento das mulheres e meninas. De acordo com a ONU, tais objetivos são integrados e indivisíveis, e equilibram as três dimensões do desenvolvimento sustentável: a econômica, a social e a ambiental.

voluntárias e informais podem ajudar a estabelecer confiança, uma linguagem comum e objetivos compartilhados — benefícios que eventualmente podem levar a um apoio ou a um reequilíbrio em âmbito internacional. A continuação das instituições atuais ou a fundação de novas organizações ou de mecanismos paralelos dependerá, em grande parte, de como os governos interagirem com uma variedade de atores, e também se as instituições atuais e as principais potências tiverem sucesso em ajudar os países a negociar os interesses nacionais fundamentais de forma madura, ou seja, reconhecendo os objetivos dos outros

- É necessário um número maior de países para garantir uma ação coletiva e global. O número de nações que importam — isto é, Estados sem cuja cooperação um problema global não pode ser adequadamente abordado — cresceu. As consequências da crise financeira de 2008-09 e o surgimento subsequente do G20 como um grupo-chave exemplificam como uma gama mais ampla de países pode produzir soluções efetivas. O grupo, que havia existido por quase dez anos antes da crise financeira global de 2008, tornou-se o principal fórum para o gerenciamento mundial de crises econômicas, não porque as principais potências desejassem ser mais inclusivas, mas porque nenhum país — ou grupo de países — poderia resolver os problemas sozinho. A Convenção-Quadro das Nações Unidas sobre Mudanças Climáticas é outro exemplo de que, como consequência do progresso, mais países — representando uma diversidade de interesses — precisam agir coletivamente para atingir os objetivos estabelecidos.

- **Um número maior de atores está, agora, resolvendo e criando problemas.** Provavelmente haverá um aumento no número de atores privados, regionais e subnacionais envolvidos de forma significativa na prestação de auxílio humanitário, no desenvolvimento econômico e em outras questões, bem como na promoção dos direitos humanos. Essa tendência pode diminuir o papel do Estado nessas áreas, mas pode reforçar os objetivos gerais propostos pelas instituições internacionais. No entanto, tais redes atuam em ambas as direções: um mundo "incivilizado" mais interligado — que inclui grupos tão variados como EIIL e o *Anonymous* — desafiará a base fundamental do sistema. E o populismo e a xenofobia podem se intensificar, mas as novas tecnologias oferecem proteção e, possivelmente, capacitação àqueles que procuram ampliar o escopo do regime internacional de direitos humanos.

- **Os países estão construindo fóruns para construir um entendimento "compartilhado" sobre questões controversas.** Os Estados estão construindo e participando de instituições regionais, fóruns multipartites e processos de consulta informal para dar maior visibilidade e voz aos seus interesses e solicitar apoio para suas visões.

  - Por meio de configurações formais, a China e a Rússia criaram novos arranjos para afirmar o que percebem como seu legítimo domínio em suas respectivas regiões. A China, por exemplo, promoverá o *Asian Infrastructure Investment Bank*, e a Rússia, a União Euroasiática, como plataformas de influência econômica regional.

  - A China e a Rússia, juntamente com outros poderes aspirantes — Brasil, Índia e África do Sul —, também construíram uma plataforma de cúpula informal conhecida como BRICS, para promover um programa transnacional, e a partir dela, avançar seus interesses e visões. O México, a Indonésia, a Coreia do Sul, a Turquia e a Austrália também criaram uma plataforma similar, o MIKTA, com base em valores e interesses compartilhados.

ANEXOS: AS PRINCIPAIS TENDÊNCIAS GLOBAIS | 299

º Essas estruturas estão surgindo, não porque os poderes aspirantes têm novas ideias sobre como enfrentar os desafios globais, ou porque buscam mudar regras e normas mundiais, mas para que possam projetar seu poder — e porque, com grupos menores, às vezes é mais fácil fazer as coisas acontecerem. No entanto, esses poderes aspirantes continuarão a investir em instituições tradicionais — embora devam criar novas —, mesmo que seja apenas em reconhecimento da força do sistema atual.

º Os esforços para transformar a hierarquia do Estado nas instituições existentes permanecerão, uma vez que as nações continuarão buscando obter privilégios. As estruturas que podem reorientar a hierarquia de poder do Estado incluem o novo banco de desenvolvimento, liderado pelos BRICS, e o *Asian Infrastructure Investment Bank*, encabeçado pela China (para complementar o Banco Mundial e o FMI), o Grupo de *Rating* de Crédito Universal (para complementar as agências de classificação privadas *Moody's* e S & P), a *China Union Pay* (para complementar Mastercard e Visa) e a CIPS (para complementar a rede de processamento de pagamentos SWIFT).

- **O multilateralismo de diversas partes interessadas complementará os esforços do Estado.** Os funcionários governamentais dominarão, mas não monopolizarão, a cooperação multilateral no futuro. Reguladores nacionais e especialistas irão fornecer informação à estrutura de governança, com a participação de seus homólogos no exterior. Isso já está acontecendo no esforço para garantir a segurança e a confiabilidade dos medicamentos, em uma época de cadeias de abastecimento complexas. A Administração de Alimentos e Medicamentos dos EUA, reconhecendo suas próprias limitações, promoveu a criação de uma "coalizão global de reguladores de medicamentos" informal, especialmente com grandes produtores como China e Índia, para resolver os problemas de segurança de remédios em todo o mundo. Um bom modelo a demonstrar como a autoridade privada pode estar envolvida na futura governança global é o *International Accounting Standards Board* (IASB), que desenvolve padrões contábeis para os vinte e sete países da União Europeia e cerca de noventa outros países, atraindo técnicos especialistas oriundos de grandes empresas de contabilidade para uma fundação independente sediada em Delaware.

ESCOLHAS-CHAVE

Uma maneira de abordar a futura constelação de desafios é a criação, por parte dos líderes políticos nacionais, de orientações estratégicas que incluam relações interdisciplinares entre as instituições. Em finanças, alguns atores já estão experimentando esse modelo. Ao entender melhor as sinergias incorporadas em objetivos multissetoriais, como os Objetivos de Desenvolvimento Sustentável, os Estados e instituições podem melhor orientar os processos para obter resultados positivos. Os líderes políticos serão fundamentais, pois apenas os chefes de Estado têm autoridade para intervir nas metas interministeriais de seus países. Tal abordagem será uma compensação necessária para o que é agora um sistema internacional muito difundido.

Uma definição nova, concebida de modo mais abrangente quanto aos interesses nacionais, baseada no conceito de mutualidade, pode levar os países a encontrar uma unidade muito maior nas deliberações de âmbito internacional. Com o crescente número de problemas enfrentados pela humanidade, o "interesse coletivo" pode tornar-se "interesse nacional".

Contudo, os seguintes desenvolvimentos permanecem incertos:

- **A disponibilidade dos recursos adequados para permitir que coalizões de países e organizações internacionais abordem e conduzam**

programaticamente desafios comuns dependerá, em parte, de os governos tratarem os compromissos internacionais com a mesma importância que dedicam às demandas nacionais — ao invés de vê-las como prioridades concorrentes —, mobilizando coalizões para apoiar essas prioridades e aproveitar a confiança de seu público doméstico. Também depende do papel que as grandes parcerias e fundações privadas assumirem — entre elas, organizações como a Fundação Gates, a Aliança Global para Vacinas e Imunização (GAVI), o Fundo Global de Combate à Aids, Tuberculose e Malária e o Fundo para a Educação Global — no sentido de desenvolver uma abordagem para o financiamento e a criação de programas críticos.

- Para que as ferramentas de monitoramento e conformidade das organizações internacionais sirvam como medidas de fortalecimento da confiança para reduzir a tensão geopolítica, o Estado deverá aceitar monitoramento eleitoral, inspeções de armas e outros acordos de conformidade descritos em resoluções internacionais. Por exemplo, a missão da ONU para eliminar o programa de armas químicas da Síria foi marcada por uma extraordinária cooperação internacional. Essa foi a primeira vez que um arsenal inteiro de uma categoria de armas de destruição em massa foi removido de um país que sofreu um conflito armado interno.

- **Até que ponto as elites serão eficazes na orientação de instituições e de Estados ao longo das transições globais, bem como na promoção de uma visão estratégica sobre questões cruciais, tais como a mitigação das mudanças climáticas e a resolução dos problemas globais comuns.** A liderança das instituições internacionais precisará promover uma perspectiva de longo prazo e uma mentalidade global — e atuar de modo decisivo no curto prazo — a fim de superar a tendência de isolamento e de cometer erros.

- **Até que ponto os atores privados se envolverão na elaboração de regulamentos internacionais, na execução ou na resolução de disputas — áreas tradicionalmente de responsabilidade do Estado ou da autoridade pública.** As leis nacionais e internacionais são estabelecidas e aplicadas de forma diferente em vários países, mas a maioria delas — se não todas — envolve a autoridade do Estado. No entanto, a elaboração de normas, a execução e a resolução de disputas por parte de atores particulares estão se tornando mais comuns. Por exemplo, o centro de solução de problemas do eBay / PayPal opera em dezesseis idiomas diferentes e resolve aproximadamente 60 milhões de desavenças entre compradores e vendedores a cada ano. O aprofundamento da penetração da internet permite que as comunidades *on-line* exerçam controle sobre si mesmas, expondo de modo embaraçoso aqueles cujo comportamento não está em conformidade com as normas do grupo. Esses mecanismos não serão empregados no mesmo grau por diferentes sociedades em todo o mundo, mas representam comportamentos que influenciam a qualidade da governança e, ao longo do tempo, proporcionarão um conjunto mais amplo de meios através das quais os agentes poderão agir.

Como as pessoas lutam

O risco de conflito, inclusive de conflito entre países, se intensificará nas próximas duas décadas devido a interesses divergentes das grandes potências, ameaças terroristas, instabilidade contínua em Estados frágeis e disseminação de tecnologias letais e destrutivas. De acordo com alguns relatórios institucionais, a tendência dos últimos vinte anos de diminuir o número e a intensidades dos conflitos parece estar se revertendo: os atuais níveis de conflito estão aumentando, e as mortes resultantes das batalhas somadas a outras perdas humanas também cresceram acentuadamente. Além disso, o caráter do conflito está se transformando devido aos avanços tecnológicos, novas estratégias e ao contexto geopolítico global em evolução — colocando em xeque os conceitos anteriores de estratégia militar. Juntos, **esses desenvolvimentos indicam que os conflitos futuros serão mais difusos, diversos e disruptivos.**

- **"Difusos" porque a maior acessibilidade aos meios bélicos permitirá que uma variedade de atores, entre os quais países, entidades não estatais e subestatais (grupos terroristas, redes criminosas, forças insurgentes, mercenários e corporações privadas) e indivíduos motivados, se envolva em conflitos.** Um exemplo de difusão de conflito é o crescimento do número de firmas e organizações privadas de segurança militar que fornecem pessoal que complementa e substitui os soldados da força nacional em zonas de conflito e que têm o potencial de serem usadas como forças de manutenção da paz. À medida que o número de participantes se expande, os conflitos se tornarão mais complexos, e as distinções tradicionais entre combatentes e não-combatentes, menos claras.

- **"Diversos" porque os meios de provocar e combater conflitos possuem hoje um espectro mais amplo — variando de capacidades "não militares", como coação econômica, ataques cibernéticos e operações de informação, armas avançadas convencionais e armas de destruição em massa (ADMs) — e ocorrem em vários domínios, inclusive no espaço e no ciberespaço.** A diversidade das formas de conflito que podem vir a surgir irá desafiar cada vez mais a capacidade dos governos de se preparar de forma eficaz para responder à gama de possíveis contingências.

- **"Disruptivos" por conta de uma crescente ênfase tanto dos Estados como de grupos terroristas na interrupção do funcionamento da infraestrutura crítica, na perturbação da coesão social e funções governamentais, em vez de derrotar as forças inimigas no campo de batalha através dos meios militares tradicionais.**

Os adversários irão quase certamente procurar explorar a maior conectividade das sociedades e a natureza ubíqua do ciberespaço para interromper sistemas. Os terroristas, por exemplo, continuarão a explorar as redes sociais e outras mídias para espalhar o medo e aumentar o impacto disruptivo de seus ataques contra a psique da população das sociedades visadas.

Principais tendências

Quatro tendências gerais indicam qual será a mudança em relação à forma como as pessoas irão lutar nas próximas duas décadas:

A falta de nitidez entre tempo de paz e de guerra. Os conflitos futuros transformarão cada vez mais os conceitos de guerra e paz como condições separadas e distintas. A presença de armas convencionais nucleares e avançadas contribuirá para evitar a guerra em grande escala entre as principais potências, mas os níveis mais baixos de insegurança continuarão e podem até aumentar. Esses conflitos incluirão o uso da "diplomacia do braço forte", invasões cibernéticas, manipulação de mídia, operações secretas e sabotagem, subversão política, coerção econômica e psicológica, guerras por procuração, emprego de mercenários e outros usos indiretos de poder militar.

- O objetivo dessas abordagens é não desencadear uma guerra em grande escala. Para tanto emprega-se principalmente ferramentas militares não envolvendo batalhas, muitas vezes apoiadas pelo posicionamento de poder militar, com o fim de realizar metas políticas ao longo do tempo. Esta tendência já está ocorrendo: as ações da China e da Rússia, no Mar da China Meridional e na Ucrânia, respectivamente, são exemplos atuais dessa tendência.

- Embora tais modos de abordar conflitos não sejam novos, em comparação com as capacidades militares tradicionais, países como a China e a Rússia veem esses métodos como uma parte cada vez mais integral dos conflitos futuros. Os avanços tecnológicos, como as ferramentas cibernéticas e as mídias sociais, também oferecem novos meios para produzir e enfrentar conflitos e semear a instabilidade sem deflagrar uma guerra em grande escala. Essas capacidades também obscurecem a origem dos ataques, o que impede a elaboração de respostas eficientes.

Tais estratégias, combinadas com o risco contínuo de ataques terroristas surpresa, provavelmente produzirão uma persistente competição econômica, política e de segurança — ocorrendo na "zona cinzenta" entre o tempo de paz e da guerra em grande escala —, que determinará a nova normalidade do ambiente de segurança nas próximas décadas.

- O emprego de abordagens de "zona cinzenta" por parte dos Estados busca evitar a guerra em grande escala, mas provavelmente o risco de as hostilidades silenciosas escalarem e deflagrarem uma guerra será maior, por erro de cálculo, acidente ou má interpretação dos "sinais de alerta" vindos dos adversários.

- Os Estados e também entidades não estatais empregarão meios "não militares", como redes de informação e recursos multimídia, para explorar ideologias, o nacionalismo e outras formas de políticas de identidade baseadas na fé para legitimar sua causa, inspirar seguidores e motivar indivíduos com ideias semelhantes a tomar decisões. A China, por exemplo, entende que a guerra legal, psicológica e de mídia — as "três guerras" —, são meios importantes para assegurar o apoio internacional e doméstico para futuras operações militares e para abalar a determinação de um inimigo.

Grupos não estatais capazes de ameaçar a segurança. A disseminação de tecnologias e armas letais ou direcionadas a interromper o funcionamento de infraestruturas aumentará a capacidade de grupos não estatais e subestatais — como redes de terroristas, insurgentes, ativistas ou grupos criminosos — de desafiar a autoridade estatal. Esses grupos, motivados por fervor religioso, ideologia política ou ganância, tendem a se tornar mais aptos a produzir perdas e a minar a governança estadual. Por exemplo, redes de ativistas, como a *Anonymous*, provavelmente empregarão ataques cibernéticos cada vez mais eficazes contra a infraestrutura mantida pelo governo a fim de obter publicidade para sua causa. Os grupos não estatais também terão maior poder de destruição. Redes terroristas, como *Hezbollah* e o EIIL, ou como os insurgentes na Ucrânia, são exemplos de grupos não estatais e subestatais que, na última década, obtiveram acesso a armamentos sofisticados.

- Esta tendência provavelmente continuará por causa da proliferação e comércio contínuos de tecnologias e armas e o apoio de países que usam tais grupos em suas guerras por procuração para avançar seus próprios interesses. A proliferação de armas e tecnologias cada vez mais letais e eficazes, avançadas e portáteis, como mísseis antitanque, mísseis de superfície-ar, *drones* não tripulados e sistemas de comunicação criptografados, aumentarão as ameaças colocadas às forças terroristas e insurgentes. O acesso ao armamento, como foguetes guiados com precisão e *drones*, proporcionará a essas forças novos recursos de ataque para destruir infraestruturas fundamentais, bases de operação e instalações diplomáticas.

Tais grupos também irão lançar mão de tecnologias comerciais — como impressão em 3D, sistemas de controle autônomo, processadores de computador e sensores — para criar armas específicas para ações pontuais e improvisar dispositivos explosivos "inteligentes", o que dificulta o emprego de contramedidas.

Esses grupos buscarão, muitas vezes, aumentar sua eficácia e capacidade de sobrevivência operando em ambientes urbanos.

- A disseminação de tecnologias letais e capazes de interromper o funcionamento de infraestruturas e de instituições dará oportunidades aos insurgentes, terroristas e forças armadas com pouca capacidade de promover formas "irregulares" de guerra com maior eficácia. O uso de sistemas de navegação por satélite e de comunicação móveis possibilitará ataques mais eficazes, coordenados por pequenas unidades e operações dispersas com o objetivo de impor baixas e minar os recursos e a resolução política de um oponente, evitando o engajamento direto em larga escala contra forças militares superiores.

- Uma implicação da crescente privatização da violência e da diversidade de atores é o surgimento de muitos conflitos menores, mas relacionados, que prejudicam a capacidade dos governos e das instituições internacionais de gerenciar tais confrontos.

Capacidades crescente para realizar ataques remotos. A proliferação de capacidades cibernéticas, armas teleguiadas com precisão, sistemas robotizados, recursos de ataque de longo alcance e veículos armados não tripulados ar-terra-mar e submarinos transformarão o atual modo de fazer guerra, caracterizado por conflitos diretos entre exércitos inimigos, para uma nova forma, baseada em operações remotas, especialmente nas fases iniciais do conflito. As armas de precisão e os sistemas não tripulados constituíram o pilar do arsenal dos EUA, mas a continuidade da proliferação dessas capacidades aumenta o potencial de os oponentes também possuírem essas capacidades em um futuro conflito. Os mísseis balísticos e de cruzeiro convencionais, de longa distância e de precisão, veículos não tripulados e sistemas de defesa aérea permitirão aos militares enfrentar forças rivais que invadirem o seu espaço aéreo e marítimo.

O desenvolvimento de motores *scramjet*[62] e de veículos hipersônicos também aumentará significativamente a velocidade em que os alvos serão atingidos. Por exemplo, a aquisição de capacidades de ataque de precisão de longo alcance — com mísseis, veículos hipersônicos e recursos de ataque tripulados — são fundamentais para a estratégia da China no Pacífico Ocidental, que, segundo especialistas militares norte-americanos, constitui-se de aumentar o poder ofensivo contra as forças navais e expedicionárias dos EUA que operam nessas águas.

Além de conter ações militares estrangeiras, as capacidades de longo alcance podem garantir que alguns países controlem os principais pontos de ataque marítimos e estabeleçam esferas de influência locais. Os ataques cibernéticos contra infraestruturas críticas e redes de informação também permitirão aos atores atingir seus rivais à distância, evitando enfrentar forças militares superiores. As autoridades russas, por exemplo, admitiram publicamente que os ataques iniciais nas guerras futuras poderão ser feitos através de redes de informação, destruindo infraestrutura vital e interrompendo o comando e o controle político e militar de um inimigo.

- A maior automação dos sistemas de ataque, como aviões não tripulados e armados, e a disseminação de sistemas de armas autônomos, reduzem o limiar para o início de conflitos, pois menos vidas estariam em risco. Os adversários também podem empregar "enxames" de sistemas não tripulados para neutralizar as defesas.

- A proliferação de armas de longo alcance e de precisão deve promover estratégias visando a imposição de prejuízos ao inimigo, como ataques a infraestruturas críticas, como as relacionadas com a produção de energia, comunicações, instalações diplomáticas, ao sistema econômico e de segurança de um país.

---

62 Os scramjets são motores com propulsão interna que funcionam com diferentes tipos de combustíveis químicos.

- Uma crise futura envolvendo forças armadas equipadas com armas convencionais de longo alcance e orientadas por precisão corre o risco de escalar em guerra, porque ambas as partes buscariam atacar primeiro, antes que seus próprios sistemas fossem neutralizados. Além disso, a infraestrutura de comando, controle e direcionamento — como satélites que fornecem informações de navegação e de direcionamento — provavelmente se tornará alvo de ataques de forças que procuram minar as capacidades de ataque de um inimigo. A Rússia e a China continuam buscando sistemas de armas capazes de destruir satélites em órbita, que ameaçarão os satélites dos EUA e de outros países.

- Os grupos terroristas quase certamente se tornarão uma versão do "primo pobre" dos ataques de longo alcance, recrutando e inspirando indivíduos com ideias semelhantes a realizar atos terroristas em outros países.

- Os ataques cibernéticos contra redes e infraestruturas do setor privado podem arrastar corporações para futuros conflitos. Essa tendência, combinada com ataques cibernéticos oportunistas por indivíduos e grupos não estatais, confundirá o limite entre ações sancionadas pelo Estado e ações particulares. A proteção da infraestrutura crítica, como a de energia, comunicação e instalações médicas, se tornará uma necessidade de segurança nacional cada vez mais importante.

Novas preocupações com armas nucleares e outras ADMs. Durante as próximas duas décadas, a ameaça representada pelos meios nucleares e outras formas de ADMs deve permanecer e provavelmente aumentar como resultado de avanços tecnológicos e a expansão da assimetria entre forças militares rivais. Os Estados nucleares atuais provavelmente continuarão a manter, se não modernizar, suas forças nucleares até 2035. A Rússia, por exemplo, quase certamente permanecerá usando a posse de armas nucleares como forma de dissuasão contra a forças militares convencionais, e também para garantir sua condição de superpotência. A doutrina militar russa supostamente inclui o uso limitado de armas nucleares em uma situação em que os interesses vitais da Rússia estão em jogo para evitar um conflito. Isso demonstra que um conflito convencional contínuo corre o risco de se transformar em uma guerra nuclear de grande escala.

- Do mesmo modo, o Paquistão introduziu armas nucleares de "campo de batalha" de curto alcance que ameaçou usar contra as incursões indianas, o que reduz o limiar para uso de armas nucleares. O "brandir de espada" nuclear da Coreia do Norte — o que inclui o desenvolvimento de mísseis balísticos intercontinentais (ICBMs, conforme sigla em inglês) — e a possibilidade do Irã renunciar aos compromissos assumidos no âmbito do Plano Conjunto de Ação Integral e do Tratado de Não Proliferação e desenvolver armas nucleares também provavelmente continuarão a ser fontes de preocupação nas próximas duas décadas.

- Além disso, a proliferação de tecnologias avançadas, especialmente das biotecnologias, reduzirá potencialmente as barreiras ao acesso às ADMs para alguns atores ora sem possibilidade de obtê-las. O colapso interno dos Estados fracos poderia abrir um caminho para o acesso às ADMs por terroristas, resultante de apreensões não autorizadas de armas.

- O uso de armas nucleares a partir do mar pela Índia, Paquistão e talvez a China tornaria o Oceano Índico uma concentração nuclear nas próximas duas décadas. Esses países considerariam esses desenvolvimentos como um reforço à sua estratégia de dissuasão, mas a presença de múltiplas potências nucleares com regras incertas para administrar incidentes entre navios nuclearmente armados aumenta o risco de erros de cálculo e de escalada inadvertida em guerra aberta.

- As barreiras técnicas para o desenvolvimento de agentes biológicos em armas usadas para atacar sociedades ou gerar terror provavelmente diminuirão à medida que os custos de fabricação diminuírem, o processo de sequenciamento e síntese de DNA for aprimorado, e a tecnologia de edição genética tornar-se mais acessível em âmbito global.

- Alguns países devem continuar a valorizar os agentes químicos como meios de dissuasão e para uso tático no campo de batalha. A facilidade de fabricação de algumas armas químicas para serem usadas por grupos terroristas ou insurgentes será uma fonte de preocupação.

ESCOLHAS-CHAVE

As implicações resultantes do modo como as pessoas irão lutar no futuro dependerão fortemente do contexto geopolítico emergente e das decisões tomadas pelos principais atores, que aumentam ou mitigam os riscos de conflitos e da sua escalada em guerra aberta. Embora as vantagens relativas de Washington estejam diminuindo em algumas áreas, os Estados Unidos quase certamente manterão as principais vantagens militares e de segurança em comparação com outros países em decorrência da força econômica do país, de seu perfil demográfico favorável, sua posição geográfica, vantagem tecnológica, abertura à informação e sistemas de alianças — fatores que proporcionam oportunidades a Washington para moldar o ambiente de segurança emergente. Contudo, outros Estados e grupos não estatais continuarão a ver o exército dos EUA como um objeto de competição, bem como um exemplo a ser seguido no desenvolvimento de seus próprios conceitos e capacidades para futuras guerras. Além disso, ainda há incertezas críticas sobre a futura probabilidade de ocorrerem grandes guerras, seus custos e potencial de escalada. Essas incertezas também sugerem oportunidades para os Estados Unidos e seus parceiros para mitigar os piores resultados através de medidas de fortalecimento da confiança, aumento da resiliência e promoção de acordos internacionais para restringir o desenvolvimento e o uso das capacidades bélicas mais instáveis.

A competição entre países e a possibilidade de deflagração de um conflito de grande escala ao longo das próximas duas décadas irão depender de como os atores globais e regionais responderão aos desenvolvimentos geopolíticos futuros e aos desafios de segurança, como o terrorismo transnacional, a violência sectária, os conflitos entre nações e os Estados fracos. A China, o Irã e a Rússia provavelmente buscarão exercer maior influência sobre as regiões vizinhas e querem que os Estados Unidos e outros países se abstenham de interferir em seus interesses, uma situação que pode perpetuar a competição geopolítica e de segurança em curso na periferia da Ásia e no Oriente Médio pelas principais vias marítimas. A tensão entre as potências principais e regionais também poderia aumentar em consequência da redistribuição global do poder econômico e militar e da inclusão do nacionalismo na política nacional. A diversidade das ameaças à segurança e o potencial de contingências regionais futuras, múltiplas e simultâneas, correm o risco de superar a capacidade militar norte-americana, o que enfatiza a necessidade contínua de manter aliados militares competentes e de realizar abordagens multilaterais.

- As escolhas que as grandes potências fizerem em resposta ao aumento da concorrência determinarão a probabilidade de conflitos futuros. As restrições que detêm a deflagração de uma guerra em grande escala entre as principais potências, como a dissuasão nuclear e a interdependência econômica, provavelmente permanecerão. No entanto, as mudanças no caráter de conflito, provavelmente, expandirão o risco de erro de cálculo, o que aumentaria a probabilidade de o enfrentamento se intensificar e deflagrar uma guerra, a menos que os Estados concorrentes se comprometam a mitigar essa situação por meio de medidas de fortalecimento de confiança.

- A persistente ameaça do terrorismo transnacional e o uso pelo Estado de estratégias de "zona cinzenta" provavelmente aumentarão os incidentes envolvendo as potências externas que intervierem em futuros conflitos internacionais e se envolverem em guerras por procuração. A cooperação entre as principais potências e as instituições internacionais na resolução de conflitos globais pode trazer a estabilidade necessária. No entanto, o envolvimento de uma diversidade de atores com objetivos concorrentes corre o risco de prolongar e expandir os conflitos locais, criando maior instabilidade.

A proliferação de sistemas de ataque de longo alcance, as capacidades de ataque cibernético e operações terroristas e insurgentes mais sofisticadas sugerem uma tendência para o surgimento de conflitos cada vez mais dispendiosos, porém menos decisivos. As estratégias das grandes potências e grupos não estatais que enfatizam a interrupção do funcionamento de infraestruturas críticas, sociedades, funções governamentais e tomada de decisão de liderança irão exacerbar essa tendência e aumentar o risco de os futuros conflitos se expandirem, incluindo, até mesmo, ataques ao próprio país. O caráter dos enfrentamentos futuros mudaria significativamente se uma vantagem inesperada nas capacidades de ataque cibernético criar a possibilidade de paralisar sistemas militares avançados e dependentes de informação.

O caráter em transformação da guerra (tabela)

FORMAS TRADICIONAIS DE GUERRA	NOVAS FORMAS DE GUERRA
Ataque contra as forças inimigas	Ataques contra as percepções do inimigo e sua sociedade
Engajamento direto de forças	Ataques remotos usando armas de precisão, sistemas de robótica e ataques de informação
Destruição de soldados e de armamentos	Destruição de infraestrutura vital militar e civil
Dissuasão por medo de retaliação	Dissuasão por medo de o conflito escalar em guerra aberta
Vitória obtida ao derrotar o inimigo no campo de batalha	Vitória obtida ao destruir ou interromper os sistemas de apoio (políticos, econômicos, de informação, etc.), dos quais os inimigos dependem.

- À medida que os adversários procuram vantagens competitivas e novos meios de gerar prejuízos aos inimigos, os conflitos futuros deverão ser travados em múltiplos campos. Além dos domínios tradicionais do ar, da terra, mar e submarino, a guerra futura incluirá redes computacionais, o espectro eletromagnético, as mídias sociais, o espaço exterior e o meio ambiente. Os conflitos futuros no domínio ambiental, por exemplo, provavelmente envolverão o controle do acesso ao abastecimento de água ou a destruição intencional de meio ambiente a fim de produzir prejuízos econômicos aos rivais.

- Os esforços para aumentar a resiliência, como, por exemplo, expandir a segurança e a redundância das infraestruturas e redes críticas, a implantar sistemas defensivos e aprimorar os níveis de respostas às emergências sociais, diminuirão a capacidade dos adversários de causar prejuízos incapacitantes.

Nos períodos de crise, os avanços das capacidades militares, como sistemas de armas automatizados e não tripulados, sistemas de alta velocidade e de longo alcance que reduzem o tempo de resposta, provavelmente criarão novas dinâmicas de intensificação. Além disso, o ritmo acelerado dos desenvolvimentos tecnológicos — em áreas como cibernética, genética, sistemas de informação, processamento de computadores, nanotecnologias, energia direta e sistemas autônomos e robóticos — aumenta a possibilidade de surgirem surpresas, em futuros conflitos.

- Os conflitos com assimetria de interesses e capacidades entre os combatentes são os que mais tendem a se tornar guerra aberta de modo deliberado ou inadvertidamente, já que alguns países podem optar por enfrentar uma força convencional superior, inclusive com o de ADMs, a fim de impedir uma intervenção militar, ou para conseguir um cessar-fogo.

Terrorismo

Os meios que permitem atores estaduais, não estatais e subestatais causarem prejuízos são diversos, assim como as motivações para fazê-lo. Essas tendências confundirão ainda mais as linhas entre diferentes formas de violência. Os governos continuarão a debater quais ações constituem "terrorismo", "guerra", "insurgência" ou "atos criminosos". Esses desenvolvimentos sugerem que a luta contra o terrorismo provavelmente continuará a evoluir.

As tendências que moldarão o futuro do terrorismo nos próximos cinco anos, e depois, dependerão fortemente de como dois desenvolvimentos em andamento serão resolvidos. Em primeiro lugar, a resolução ou a continuação de muitos conflitos nacionais e internacionais atualmente em curso — o mais importante, a guerra civil síria, mas também no Afeganistão, Iraque, Líbia, Sahel, Somália, Iêmen e outros lugares — determinarão a intensidade e a geografia da violência futura. A expansão do espaço não governado, particularmente durante os últimos cinco anos, criou um ambiente propício ao extremismo e encorajou o alistamento de milhares de voluntários ansiosos para lutar. Até que alguma segurança seja estabelecida, a militância continuará a se reproduzir.

Os combatentes estrangeiros de hoje, a menos que sejam identificados, tenham sua visão radical revertida e sejam reintegrados à sociedade, provavelmente se tornarão fonte de recrutamento dos atores não estatais violentos de amanhã. Da mesma forma, os migrantes descontentes, sem conseguirem se integrar e obter educação e oportunidades econômicas, tendem a se tornar um *pool* de recrutamento para grupos extremistas violentos.

- Países ou regiões onde os governos não têm capacidade ou disposição para manter a segurança ou proporcionar estabilidade política e econômica são áreas que experimentam altos graus de violência, e onde o extremismo floresce. A falta de estabilidade e de governança — especialmente na África, Oriente Médio e Ásia do Sul — continuará a criar condições propícias ao terrorismo.

As interpretações religiosas das minorias radicais provavelmente continuarão a ser o principal motor do terrorismo — certamente nos cinco próximos anos e, provavelmente, também nos vinte futuros. Três fatores são notáveis: 1) a persistente falência das estruturas estatais em grande parte do Oriente Médio e a guerra por procuração entre o Irã e a Arábia Saudita, alimentando o sectarismo xiita-sunita; 2) tensão interna e externa de várias correntes de militantes motivadas pela religião e por uma percepção contínua da hegemonia ocidental; e 3) continuidade da ideologia do "inimigo distante" entre os movimentos extremistas.

Embora a localização do terrorismo motivado por religião flutue, o cisma entre xiitas e sunitas, e entre os sunitas extremistas e os que eles consideram "incrédulos" parece piorar no curto prazo, e é improvável que abrande até 2035. A violência torna-se mais provável quando uma ideologia poderosa como o salafi-jihadismo, seja por meio do EIIL ou da al-Qaeda em uma região que sofre grande e rápida mudança política, combina-se com gerações de governo autocrático, desigualdade de gênero e disparidades econômicas.

Uma série de fatores psicológicos e situacionais levará indivíduos a tomarem parte no terrorismo e permitirá que grupos terroristas obtenham recursos e mantenham a coesão. O peso relativo dos fatores motivadores para os recrutas e adeptos é altamente individual e situacional, dificultando a generalização. No entanto, alguns dos principais fatores que motivam a participação individual no terrorismo serão:

- **A privação, a repressão e a humilhação** podem levar as pessoas a buscar o poder e o controle através da violência. Algum nível de alienação, decorrente da desconexão com a principal corrente sociocultural, a incapacidade de participar do processo político, de enfrentar a diminuição das oportunidades de casamento ou a incapacidade de conquistar os benefícios econômicos e a condição social percebidos como "merecidos" permanecerão sendo fontes importantes de violência motivada por insatisfação. Tais frustrações podem afetar qualquer fase da vida; o grupo de candidatos a terroristas não é limitado pela classe social, *status* econômico ou formação educacional. Além disso, as queixas percebidas contra um grupo comum, ou os vínculos étnicos e de parentesco — que incluem grupos de colegas, sociais ou familiares — motivarão a retaliação ou a violência contra seus presumidos autores. O desejo pessoal de aventura, fama e de pertencer a um grupo contribuirá para o aumentar a atração pela participação individual no terrorismo.

- A "desnacionalização" — a perda da ligação com a comunidade de origem dos jovens nas cidades europeias, combinada com a falta de incentivos efetivos para assumir uma identidade nacional europeia, continuará a gerar recrutas potenciais para organizações extremistas.

- A tensão étnica e religiosa irá se alastrar para além dos focos atuais e causará ondas de violência de origem nacionalista, comunitária e terrorista, como entre os chechenos e os russos, os malaios e os tailandeses na Tailândia, os muçulmanos e os budistas na Birmânia e os cristãos e muçulmanos na África Central. Tais desenvolvimentos criam zonas de conflito que os movimentos terroristas transnacionais podem explorar.

- As mudanças ambientais relacionadas aos solos degradados, aos recursos hídricos, à biodiversidade e ao aumento da frequência do clima extremo e incomum, particularmente o impacto das mudanças climáticas, provavelmente ampliarão a pressão sobre os Estados frágeis e falidos para que forneçam alimentos e água suficientes para populações carentes. As interações entre os estresses crônicos e agudos nos sistemas locais e regionais de produção e distribuição de alimentos, água e energia levaram à incapacidade por parte de alguns governos — especialmente no Oriente Médio e na Ásia Central e do Sul — de atender as demandas das populações, ou responder a percepções de distribuição desigual dos recursos escassos, o que pode provocar futuros comportamentos violentos das populações que buscam tais bens.

A tecnologia irá introduzir um novo conjunto de dispositivos que facilitarão as comunicações entre terroristas, o recrutamento, a logística e o poder letal, ao mesmo tempo que confere às autoridades técnicas mais sofisticadas para identificar e caracterizar ameaças. A tecnologia permitirá aos atores não estatais mascarar e ofuscar suas atividades e identidades, o que será fundamental para que possam se comunicar entre si, recrutar novos membros e divulgar mensagens. Os avanços na tecnologia também aumentam as probabilidades de surgir um cenário onde ADMs de alto impacto sejam usadas por terroristas e que permita a obtenção de armas mais letais e convencionais por grupos terroristas.

- A tecnologia possibilitará uma maior descentralização das ameaças, de um modelo como o da al-Qaeda, relativamente organizada e orientada, para uma militância jihadista com posse de armas atômicas. Esta tendência representará desafios para os esforços antiterroristas e mudarão a natureza dos futuros planos e estratégias terroristas.

As ondas anteriores de terrorismo atingiram seu pico e diminuíram ao longo de gerações. A atual onda de terrorismo motivada por motivos religiosos — que, sem dúvida, dominou o terrorismo global desde meados da década de 1990 — é diferente das ondas anteriores em termos de motivação, alcance, mobilização e justificativa e provavelmente durará consideravelmente mais tempo. Os conflitos religiosos atuais estão se intensificando em vez de diminuírem, já que o cisma entre sunitas e xiitas e a expansão do EIIL estão expandindo o extremismo e a polarização em todo o mundo. Assim como os contemporâneos de Osama bin Laden que foram para o Afeganistão se tornaram o núcleo da Al-Qaeda cerca de uma década depois, a atual geração de jovens que está sofrendo um processo de radicalização pelo EIIL (e por vários outros grupos) provavelmente dominará a cena extremista sunita nos próximos vinte anos.

- Apesar da atual intensificação do terrorismo, é possível que reduções significativas nesse movimento possam ocorrer no Oriente Médio e no Norte da África se os Estados da região puderem enfrentar os mecanismos subjacentes do terrorismo. A capacidade dos governos de instituir reformas políticas e econômicas que abordem as demandas populares e percepções de privação de direitos também contribuiria para minar a tese de que as ideologias extremistas são o único meio de se conquistar as reformas almejadas.

No futuro, o gênero provavelmente desempenhará um papel cada vez mais importante no combate ao terrorismo, especialmente na luta contra as retóricas que promovem a violência como pré-requisito para a reforma política.

Várias organizações internacionais não governamentais estão trabalhando na questão. O estudo do Instituto McKinsey sobre mães e esposas, por exemplo, concluiu que as mulheres e as mães em particular possuem a capacidade única de reconhecer sinais precoces de radicalização em seus filhos, o que lhes permite desempenhar um papel fundamental na redução do extremismo violento. Fortalecer as mulheres para que possam expressar suas perspectivas dentro de suas famílias e de suas sociedades é um investimento-chave contra o terrorismo. No entanto, ao se enquadrar as mulheres exclusivamente como pacíficas, os formuladores de políticas perderão importantes oportunidades de coleta de informações e de forjar ferramentas de prevenção, pois elas também desempenham um papel ativo na promoção, recrutamento e na realização de violência. Em 4 de setembro de 2016, a polícia francesa descobriu um carro abandonado cheio de explosivos estacionados perto da Catedral de Notre Dame, em Paris. A descoberta do carro levou ao desbaratamento de uma célula terrorista feminina com vínculos com o EIIL.

- As ideias sobre os papéis de gênero e masculinidade também são suscetíveis de influenciar o antiterrorismo, à medida que a tecnologia da informação e o compartilhamento de ideias ampliam a percepção de comportamentos "masculinos" aceitáveis. Estudos mostram que a violência às vezes está ligada a sentimentos de masculinidade ferida; quando os homens não conseguem cumprir papéis tradicionais de maridos, pais ou provedores, eles podem se tornar violentos a fim de demonstrar seu poder masculino, ou capacidade de defender seu povo e valores. Estimular a transformação de conceitos e normas de gênero — tarefa que tem sido realizada por várias ONGs — também pode ajudar a mitigar o vínculo entre masculinidade e violência em todos os níveis.

AGRADECIMENTOS

O processo de criação do relatório *Tendências Globais* foi tão importante quanto o relatório final. O Conselho Nacional de Inteligência consultou indivíduos e organizações em todo o mundo, ao mesmo tempo em que promoveu discussões estratégicas focadas no futuro, em culturas e interesses. Nosso processo de dois anos começou em 2014 e levou-nos a trinta e seis países e territórios — o que nos permitiu consultar cerca de 2.500 perspectivas locais e diversas para podermos construir uma visão global.

Em cada viagem, encontramos pessoas de todos os setores da vida, nas principais cidades e, muitas vezes, em cidades menores. Buscamos perspectivas do mundo dos negócios, filantropia, ciência, tecnologia, artes, humanidades e assuntos internacionais. Encontramo-nos com homens e mulheres religiosos, pessoas de aprendizado formal profundo e educadas em questões práticas. Nossas visitas a alunos e jovens foram especialmente valiosas — desafiando-nos a ver o que poderia acontecer. Em todos os casos, nossos interlocutores foram generosos ao compartilhar suas ideias e tempo, mesmo quando nos passavam percepções difíceis. Os momentos em que exclamamos "eureca!" ao perceber-mos uma ou mais situações foram muitos, ajudando-nos a fazer ligações entre regiões e tópicos. Alguns interlocutores, sem dúvida, procuraram oferecer os pontos de vista oficiais de Washington, mas a maioria compartilhou conosco suas próprias expectativas sobre o futuro, seja local ou internacionalmente. Importante, praticamente todos se viram de alguma forma responsáveis pelo mundo futuro — orientando nossa conclusão de que as escolhas e ações dos indivíduos são mais importantes do que nunca.

Embora possamos agradecer nominalmente apenas alguns indivíduos e organizações, temos uma dívida de gratidão com todos os que nos ajudaram neste processo. Agradecemos também o apoio do Departamento de Estado e das equipes dos países das Embaixadas que facilitaram muitos a programação desses encontros.

África. Em Angola, a sociedade civil e as organizações governamentais compartilharam informações sobre urbanização e redução da pobreza e nos mostraram como Luanda, a quarta maior cidade da África, está se preparando para o futuro. Uma visita muito breve ao Botswana revelou oportunidades-chave para aproveitar os sucessos de governança passados. No Congo, apreciamos as discussões com a sociedade civil, o governo e os líderes tradicionais. No Senegal, participamos de discussões sobre religião, tecnologia e juventude em grupos de reflexão. Reuniões em outros lugares do continente nos ajudaram a explorar o potencial demográfico e econômico da região, bem como a dinâmica recente por trás da tecnologia, energia e política de identidade.

Ásia e Pacífico. Na Austrália, o *Office of National Assessments, Australia National University's Futures Hub at the National Security Institute, Lowy Institute*, e a *Commonwealth Scientific and Industrial Research Organisation* organizaram oficinas e elaboraram comentários críticos sobre o país. Nosso tempo na Birmânia foi passado com numerosas organizações da sociedade civil e governamentais, debatendo sobre questões inter-religiosas, políticas e de resolução de conflitos. Na China, as visitas repetidas aos Institutos de Relações Internacionais Contemporâneas da China e à Universidade de Pequim foram especialmente úteis — como foram as sessões com o Instituto de Estudos Estratégicos Internacionais da China, a Universidade de Nanjing, a Universidade da Defesa Nacional, a Universidade Fudon, a Universidade Renmin e a Academia Executiva de Liderança da China em Pudong. Na Indonésia, obtivemos informações valiosas de encontros com estudantes, ambientalistas, figuras do meio empresarial, funcionários provinciais, ativistas de direitos humanos e líderes religiosos, bem como do Centro de Estudos Estratégicos e Internacionais, o Instituto de Análise para Políticas de

Conflitos, e outros. No Japão, agradecemos ao Instituto Japonês para Assuntos Internacionais, Fundação Tóquio, Instituto de Energia e Economia, e Instituto do Banco de Desenvolvimento Asiático, entre outros. Em Singapura, o Gabinete de Estratégia do Primeiro Ministro, Escola de Estudos Internacionais de S. Rajaratnam e Universidade Nacional de Singapura Instituto do Leste Asiático, que foram muito úteis na elucidação de temas sobre geopolítica e metodologias prospectivas. Na Coreia do Sul, fomos recebidos em um evento organizado pela ASAN e também obtivemos importantes informações do Centro de Direito da OMC, Universidade de Mulheres EWHA, Universidade Nacional de Seul, Universidade de Estudos Estrangeiros de Hankuk. Agradecemos especialmente aos australianos, Rory Medcalf e Andrew Shearer, aos chineses Cui Liru e Da Wei, no Japão, a Shingo Yamagami e Peter Ho em Singapura por nos auxiliar na compreensão da dinâmica de transformação na Ásia e suas implicações globais.

Europa. Agradecemos aos nossos colegas que nos auxiliaram com a avaliação estratégica e futura, entre eles o Gabinete do Reino Unido, a Organização Conjunta de Inteligência e o Centro de Conceitos e Docências da Defesa no Ministério da Defesa, a Escola de Governo de Blavatnik, a Escola Oxford Martin na Universidade de Oxford, e programas de prospectiva da União Europeia, a OTAN e a OCDE. Agradecemos também por seu apoio, ideias de âmbito mundial e generosidade na hospedagem ou agendamento de reuniões em nosso nome: Thomas Bagger, diretor da equipe de planejamento político do Ministério das Relações Exteriores alemão e seu homólogo britânico, Peter Hill; Paolo Ciocca, vice-diretor-geral do Departamento de Inteligência da Itália para a Segurança; o ex-primeiro-ministro sueco Carl Bildt, Hans-Christian Hagman, do Ministério das Relações Exteriores, e Lars Hedstrom, do Colégio da Defesa da Suécia. Somos extremamente gratos à professora Monica Toft, que organizou uma oficina de dois dias na Universidade de Oxford sobre o futuro da religião e forneceu contribuições significativas para o relatório final sobre demografia e dinâmica de segurança. A especialista em planejamento de cenários de Oxford, Angela Wilkinson, forneceu comentários iniciais e críticos sobre métodos e rascunhos, e teve a coragem de fazer as correções de curso necessárias. O embaixador dos EUA na Santa Sé, Kenneth Hackett, organizou duas reuniões absolutamente inesquecíveis com líderes da Secretaria de Estado do Vaticano, bem como homens e mulheres religiosos que trabalham na África, Europa, Oriente Médio e Paquistão. Um encontro semelhante em Istambul com líderes de comunidades religiosas minoritárias na Turquia e no Levante forneceu impressões indeléveis. Nós nos beneficiamos do notável poder de convocação do Wilton Park no Reino Unido e de seus infatigáveis colegas Richard Burge e Julia Purcell. Importantes contribuições vieram de Chatham House, Instituto Internacional de Estudos Estratégicos e bancos de ideias na Itália, Espanha e Turquia. Finalmente, as reuniões com os principais planejadores de políticas e altos funcionários da Alemanha, Dinamarca, Finlândia, França, Itália, Holanda, Espanha, Suécia, Suíça, Rússia, Reino Unido e a União Europeia e as agências da ONU — e muitas vezes também em Washington — ajudaram a configurar as informações sobre os conjuntos de problemas.

Oriente Médio e África do Norte. Os debates com altos funcionários e líderes da sociedade civil em Israel, Jordânia, Tunísia, Emirados Árabes Unidos e Cisjordânia ressaltaram novas e antigas fontes de insegurança e mostraram promessas de melhoria. Estamos extremamente gratos também aos muitos formadores de opinião, jornalistas e outros que compartilharam suas experiências e perspectivas *on-line* e de outras maneiras. Na Tunísia, agradecemos as missões diplomáticas dos EUA, tanto em Túnis quanto em Trípoli, por suas ideias e por terem organizado encontros com especialistas da sociedade civil, governos e assuntos regionais, bem como com vários representantes de movimentos femininos, de direitos trabalhistas, de partidos políticos, dos direitos humanos e da segurança regional.

Sul da Ásia. Em Bangladesh, as reuniões com planejadores urbanos e ONGs ressaltaram a importância das contribuições individuais para o bem-estar local, enquanto as discussões com pensadores contribuíram para formar nossos pontos de vista sobre religião, potencial de comércio regional e mudanças climáticas. Agradecemos a Daniel Twining, do Fundo Alemão Marshall, pela organização de uma fantástica semana de reuniões em Delhi e Mumbai, entre outras: a Fundação de Investigação Observer, a Fundação Internacional

Vivekenanda, professores e estudantes da Universidade Jawaharlal Nehru, Brookings India, Gateway House, a Fundação de Saúde Pública da Índia, Tata Industries, Ministério das Finanças da Índia, PRS Legislative Research e *TeamLease*, um dos maiores empregadores privados da Índia. Agradecemos também trocas perspicazes com agentes da Bolsa de Valores de Bombaim, jornalistas e líderes da sociedade civil hindu e muçulmana.

Américas. Agradecemos aos diplomatas dos EUA no Brasil, Chile, México e Peru por organizar um robusto programa de reuniões, com amigos novos. Em Brasília, São Paulo e Rio de Janeiro, nos encontramos com acadêmicos, funcionários do governo e líderes de pensamento, incluindo muitos acadêmicos importantes, como o futurista Sylvio Kelsen Coelho, Carlos Eduardo Lins da Silva, da Fundação de Pesquisa de São Paulo (FAPESP), Ricardo Sennes da Prospectiva, e Rubens Ricupero, da Fundação Armando Alvares Penteado. No Chile, somos gratos pelo tempo e conhecimentos do ministro das Relações Exteriores, Heraldo Muñoz, aos participantes de uma mesa-redonda de assuntos internacionais organizada pela equipe de planejamento estratégico do Ministério, bem como ao senador Hernan Larrain e Alvaro Garcia Hurtado, do Valor Minero. Agradecemos Sergio Bitar, diretor do Projeto *Tendências Globais* e Cenários Futuros para o Diálogo Interamericano, por organizar um jantar com mentes estratégicas, incluindo Carlos Ominami da Fundación Chile 21 e o senador Guido Girardi Lavin, fundador da iniciativa do Congresso do Chile. No México, somos gratos aos ex-secretários de Relações Exteriores Jorge Castaneda, Alejandro Hope, Transparência Internacional e outros grupos de estado de direito, Ilena Jinich Meckler e Instituto Tecnológico Autônomo do México (ITAM) pela notável mesa-redonda, a Jorge Chabat do CIDE, e à Embaixada dos EUA por ter promovido uma conferência com economistas. Além disso, nos beneficiamos do Centro de Pesquisas para o Desenvolvimento do México (CIDAC) que organizou um *workshop* sobre o futuro da região com especialistas convocados de toda a América Central e do Norte. No Peru, agradecemos o tempo com o ministro dos Negócios Estrangeiros, Ricardo Luna, José Ugaz da Transparência Internacional, formadores de opinião como Roberto Abusada do Instituto Peruano de Economia, e representantes da indústria, mídia e academia. Uma sessão extraordinária com o futurista Francisco Sagasti coroou nosso tempo em Lima. No Canadá, agradecemos ao *International Assessment Secretariat no Privy Council Office* e ao *Canadian Security Intelligence Service* pelo seu apoio e por intermediar importantes contatos com pensadores e líderes canadenses — nos permitindo testar as principais conclusões nos estágios finais da redação. Nos Estados Unidos, agradecemos ao Diretor de Inteligência Nacional, James Clapper, e à Diretora Adjunta, Stephanie O'Sullivan, pelo constante incentivo e compromisso com análise estratégica, transparência e diversificação das perspectivas que compõem nosso trabalho. Tivemos o benefício do acesso aos antigos e atuais líderes do Conselho de Segurança Nacional e Departamento de Estado e de Defesa, planejadores de políticas e assessores que nos ajudaram a maximizar a relevância política das *Tendências Globais*. Reconhecemos especialmente o auxílio do subsecretário de Estado para Assuntos Políticos, Thomas Shannon e funcionários, diretores de Planejamento de Políticas, Jonathan Finer e David McKean, Diretor Sênior de Planejamento Estratégico da NSC, Salman Ahmed, e Diretor do Escritório de Avaliação Líquida do Departamento de Defesa, James Baker. Conselhos sempre úteis, bom humor e apoio constante vieram do atual presidente da NIC Greg Treverton e da vice-presidente Beth Sanner, bem como dos ex-presidentes Chris Kojm, Tom Fingar, Joe Nye, assim como dos vice-presidentes Vice Chairs, Joseph Gartin, David Gordon, e Ellen Laipson. David, junto com o colega da *Eurasia Group and* Brookings, Thomas Wright, foram muito além ao nos ajudar com análises geopolíticas e econômicas de ponta, e ao preencher lacunas quando necessário. Mathew Burrows, ex-Conselheiro da NIC e autor principal da *Global Trends 2030*, 2025 e 2020, forneceu orientações críticas sobre mão de obra e contínuo apoio ao *Tendências Globais* com análise demográfica. Da mesma forma, Richard Cincotta, Banning Garrett e Barry Hughes supriram importantes contatos e lições aprendidas nos *Tendências Globais* anteriores.

Três notáveis pensadores — o autor de ficção científica David Brin, a líder aposentada da CIA, Carmen Medina, e o professor Steve Weber, da UC Berkeley

— nos ajudaram a aprimorar nosso pensamento e a engajar um público cada vez mais diversificado no *South by Southwest Interactive Festival* em Austin, Texas. Peter Feaver, da Universidade Duke, e Will Inboden, da Universidade do Texas em Austin, assumiram a liderança de uma equipe de estudiosos na identificação de pressupostos do planejamento estadunidense assumidos desde 1945. O professor John Ikenberry da Universidade de Princeton organizou oficinas sobre os principais temas do relatório e nos forneceu *feedback* e apoio críticos, assim como outros estudiosos: Robert Art, Dale Copeland, Daniel Drezner, Martha Finnemore, Harold James, Robert Jervis, Jonathan Kirchner, Charles Kupchan, Jeff Legro, Mike Mastanduno, Kate McNamara, John Mearsheimer, Rajan Menon, John Owen, Barry Posen, Randy Schweller, Jack Snyder, William Wohlforth e Ali Wyne. Agradecemos também a Casimir Yost, ex-diretor do Grupo de Futuros Estratégicos da NIC, por assumir a liderança na elaboração do futuro dos EUA, e Bruce Jones por envolver a NIC nas oficinas de *Brookings* sobre o multilateralismo. Mark Sable analisou múltiplos rascunhos, fornecendo sugestões extremamente úteis sobre estilo, voz narrativa e argumentação.

Da mesma forma, agradecemos as oficinas organizadas por Deborah Avant no Centro Sié Chéou-Kang para Segurança Internacional e Diplomacia na Universidade de Denver, Sumit Ganguly na Universidade de Indiana, Steven Krasner na Universidade de Stanford e Steve Weber na UC Berkeley. A autora Karen Armstrong, Valerie Hudson, do Texas A & M, Eric Kauffman, da Universidade de Londres, Kathleen Kuehnast, do Instituto de Paz dos EUA, e Hamid Khan, da Universidade da Carolina do Sul, entre outros, contribuíram para ajudar o CNI a abordar questões de gênero e religiosas. Nick Evans e equipe da *Strategic Business Insights* forneceram suporte extensivo e sofisticado sobre tecnologias-chave e suas implicações. Agradecemos também ao deputado de Nova Iorque, Steve Israel, pela convocação de uma discussão no *Baruch College*. Nossa visão também foi aprimorada pelo *feedback* crítico de especialistas do *Atlantic Council, American Enterprise Institute, Brookings, Carnegie Endowment for International Peace*, Universidade de Columbia, Conselho de Relações Exteriores, Centro de Estudos Estratégicos e Internacionais, Universidade de

Georgetown, George Universidade de Washington, Universidade de Harvard, Fundação Heritage, Universidade Estadual de Illinois, *Penn State University*, o consórcio *Research Triangle of North Carolina*, o *Stimson Center*, *Southern Methodist University* e o *World Affairs Council* de Dallas, Universidade de Stanford, Universidade do Texas, em Austin — *Texas A & M University* e *National Laboratories* em Oak Ridge, Livermore e Sandia.

Tendências globais: o "Paradoxo do Progresso" não teria acontecido sem a experiência e o apoio de Hannah Johnson e colegas da SAIC e Leidos, que nos ajudaram a convocar oficinas, simulações analíticas e exercícios de cenários. Do mesmo modo, nos beneficiamos do suporte de conferência de Jim Harris, Greg Brown e muitos outros da *Centra Technologies* e do *Bureau of Intelligence and Research* do Departamento de Estado. Os estudos comissionados do Conselho do Atlântico, da *Economist Intelligence Unit,* do Grupo Eurasia, do Instituto para o Futuro, do RAND, do *Stimson Center* e do *Strategic Business Insights* forneceram avaliações de linha de base atuais nas principais áreas funcionais. Além disso, somos agradecidos às muitas contribuições dos colegas, associados e do público em geral para o nosso site do Tumblr e para nós diretamente. Agradecemos ao Dr. Jeffrey Herbst e ao *Newseum* pela parceria com a CNI para o lançamento público do *Tendências Globais: O paradoxo do progresso.*

Finalmente, gostaríamos de reconhecer individualmente e agradecer as contribuições de: Clement Adibe, Bill Anderson, Anders Agerskov, Mark Bessinger, Richard Betts, Andrew Bishop, Phillip Bobbitt, Hayley Boesky, Hal Brands, Esther Brimmer, Shlomo Brom, Sarah Chayes, Erica Chenoweth, Gregory Chin, Ed Chow, Jack C. Chow, Thomas Christensen, Sean Cleary, Peter Clement, Keith Darden, James Dator, Jacquelyn Deal, Larry Diamond, Karen Donfried, Eric Edelman, Eran Etzion, Nick Evans, Darryl Faber, Mark Fitzpatrick, Jack Goldstone, Lawrence Gostin, Paul Heer, Francis Hoffman, Peter Huybers, Kim Jae-On, Joseph Jaworski, Kerri-Ann Jones, Rebecca Katz, John Kelmelis, Cho Khong, Andrew Krepinevich, David Laitin, Hardin Lang, Doutje Letting, Michael Levi, Marc Levy, Peter Lewis, Edward Luck, Anu Madgavkar, Elizabeth Malone, Thomas Mahnken, Katherine Marshall, Monty

Marshall, Wojciech Maliszewski, Jessica Mathews, Michael McElroy, Walter Russell Mead, Suerie Moon, Anne Marie Murphy, Kathleen Newland, John Parachini, Jonathan Paris, Tom Parris, Stewart Patrick, Minxin Pei, Robert Putnam, Ebhrahim Rahbari, Kumar Ramakrishna, Eugene Rumer, Tomas Ries, Paul Salem, Miriam Sapiro, Derek Scissors, Lee Schwartz, Peter Schwartz, Jim Shinn, Anne Marie Slaughter, Constanze Stelzenmüller, Teija Tiilikainen, Avi Tiomkin, Ashley Tellis, Ivan Arreguin-Toft, Andrew Trabulsi, Ben Valentino, Kristel Van Der Eist, Peter Wallensteen, Stephen Watts, Judith Williams, Kevin Young, Amy Zegart e Suisheng Zhao.